SAUVE-TOI, LOLA

DU MÊME AUTEUR

LA FÊTE CUBAINE, Julliard, 1962.

LA BLANCHE ET LA ROUGE, Julliard, 1964.

L'AFRIQUE DES AFRIKAANERS, Julliard, 1966.

LES PALESTINIENS, Julliard, 1969.

UN ALGÉRIEN NOMMÉ BOUMEDIENE
(en collaboration avec Jean-Pierre SERENI), Stock, 1976.

IL ÉTAIT DES FEMMES DANS LA RÉSISTANCE, Stock, 1978.
(Grand prix littéraire des lectrices de « Elle ».)

ANIA FRANCOS

SAUVE-TOI,
LOLA

© Édition Bernard Barrault, 1983

ISBN 2-7360-0000-5

« *Il n'y a vraiment rien à dire de la mort.* »

Georges Bataille

Pour Vital Scapa

1

« Nous aurons tout le temps de nous reposer au cimetière, Lola, me disais-tu avec ton charmant accent ariégeois (ah ! cette diphtongue traînante s'échappant de ta bouche rouge flamme !), oui, on aura toute la mort pour dormir », répétais-tu lorsque rentrant de la chimio je refusais de te suivre au léchage des vitrines du centre commercial Galaxie où d'asiates loulous, nous prenant sans doute pour des travelos exsangues, nous pistaient jusqu'à la station des ambulances Guedj-Frères.

Eh bien ! tu te reposes, ma chérie. A l'ombre des tours rose tendre. Pas mal ta dernière demeure, avenue de l'Ouest, dixième rangée, dans ce petit cimetière dont l'entrée principale regarde une agence de voyages.

Assise sur la tombe blanche d'un certain Michel Souslas, fusillé par les nazis le 16 août 1944, je pense à toi, à nous, à notre bande bientôt décimée, dont je suis une des dernières survivantes. Te souviens-tu du livre de Mary MacCarty qui narrait l'histoire d'un groupe d'étudiantes américaines en 1933 ? Nous, c'est pas : *Vassar thirties,* mais : *Malcourt-sur-Seine eighties*. Curieuse université. On y apprend à vivre au moment de mourir.

Pas mal ta sépulture. Coincée entre le somptueux mausolée en marbre rose et or d'un conseiller d'État et la tombe usée par le temps d'une dénommée Louise Mathilde Perry, née le 15 août 1830 et morte deux ans et demi plus tard. A l'époque on savait deuiller. Écoute ces mots gravés : « Chère enfant, tu n'as connu que les caresses de ton père et de ta tante. A six mois, tu n'avais plus de mère, désormais deux plaies vont saigner dans mon cœur. Tu faisais le bonheur de ma vie. Avec toi, ma joie et mon repos, mon existence se sont évanouis... »

Sur le caveau de famille de ton époux, monument assez récent en marbre noir recouvert d'une grande croix ton sur ton, est incrusté en lettres dorées : « Famille Detrez ». Aux côtés des noms de tes beau-père, belle-mère, grand-oncle et tante, on n'a pas eu le temps d'ajouter : « France Detrez : 7 juillet 1942 - 22 août 1982 ». Oui, tu étais du signe du Cancer.

Couverte de fleurs, tu es ma belle chérie. Je vais décrire par quoi tu es jonchée : volubilis rose buvard, œillets de poète mauves, dahlias blancs, le rosier jaune thé de ton balcon, des soucis orangés et des chrysanthèmes pompons bleus.

Conduite par un chauffeur à l'allure mafioseuse, une Mercedes nickel s'arrête devant moi ; les yeux cachés derrière des lunettes d'aviateur à pont de cuir rouge éosine, une belle femme blonde, en pantalon de cuir fuchsia, ouvre la portière et jette sur une tombe sans nom une brassée de glaïeuls de Nancy.

Accoudée sur cette pierre, je suis bien. J'aime me reposer dans les jardins des claqués, surtout en septembre à l'heure de la fraîche, un peu avant que les gardiens n'entament leur ronde pour annoncer aux nécrophiles l'heure de la fermeture.

Tu t'es tirée en loucedée, ma garce, *you took your slow boat to China*. Depuis trois ans que je suis dans cette lente galère, cette jonque qui me mènera moi aussi à Canton, vous vous faites toujours la paire en août pendant que j'ai le dos tourné. Pas assez de médecins ? Les amis en vacances ? Les cancéreux, comme les chiens, meurent l'été ?

En septembre, France, tu le sais, j'attends la « métastase nouvelle » comme d'autres, en novembre, le Beaujolais.

12

« Oh, Lola, me disais-tu, cesse de t'inventer des histoires. Ce n'est pas assez ce que tu as ? Laisse-toi vivre. »

Depuis hier je me suis créé une nouvelle torture : je tousse, et il me semble que l'air entre difficilement dans mes poumons. En marchant rue des Rosiers à la recherche d'un marchand de pâtes fraîches, Mado me proposait, maintenant que ma rémission semblait se prolonger, de retravailler au cabinet et de participer à la défense d'une malheureuse Japonaise accusée de détention d'explosifs ou de je ne sais quelle connerie. Moi, j'écoutais ma respiration, je la trouvais bizarre. Arrivée devant chez Finkelstein, le pâtissier ashkénaze, le seul à avoir survécu à l'invasion de makrout et de sandwichs tunisiens (*Fé ! Le kartié, il en est plus ce qu'il en était, ma bonne Frïedlanderova !*), arrivée au coin de la rue des Hospitalières-Saint-Gervais, je me suis surprise à désirer que deux tueurs en costume d'été, courant en foulées souples au milieu de la chaussée, me dépassent et m'arrosent — MOI SEULE — d'une rafale de balles Makarov, tirée d'un fusil mitrailleur polonais W.3.63.

Combien de mois se sont écoulés depuis le début de notre aventure commune ? Je ne sais plus 1 100 courtes journées ? 36 mois si brefs ? A peine trois ans ? Déjà trois ans ? Le compte à rebours est largement entamé. Il y a les années-lumière, les années tropiques, les années astronomiques, l'année ecclésiastique, les années sidérales. Et les années du cancer. Si longues. Si brèves.

Tu ne sais, France, à quoi tu as échappé : en plus des attentats, nous eûmes cet été les orages sur la Corse, les incendies dans le Midi, les milliers d'accidents de la route, les défaillances d'hélicoptères, les catastrophes aériennes, les éruptions de volcans, les bavures policières et bien sûr les bombardements sur Beyrouth.

« Vous alliez oublier la rougeole et le certificat d'études », dirait notre cher Anatoli, le pope grec, aumônier de l'hôpital.

En vérité, je vais t'avouer, ma France : je suis une vraie salope. Plus il y a de morts, plus je jubile secrètement. C'est pas moi : c'est elle, c'est eux. Je passe au travers de la statistique.

« C'était pareil au camp, m'a dit tante Rivke. On était toujours triste de la mort d'une camarade, mais en même temps, on se disait : moi, je suis là. Ils ne m'ont pas encore eue. »

Elle me répète régulièrement, la survivante : « Vivre est un devoir sacré. Comporte-toi comme moi à Birkenau. Distoi : c'est un film que je vois, un livre que je lis. »

Oui, je sais : je ferais mieux d'écrire au lieu de déconner.

« Fais ça pour moi, Lola, me disais-tu. Une avocate ça peut aussi témoigner. Personne ne se souviendra donc de nous ? »

Je pourrais te chuchoter ces mots écrits sur la tombe voisine : « A bientôt ». Mais c'est faux. J'ai plus du tout envie de calancher.

Encore une minute, monsieur le bourreau...

2

Pour la première fois, j'en étais sûre : je parlerais sous la torture. *Oï! Veï! Mamenïu!* Malgré les doses massives d'analgésiques, qu'est-ce que je dégustais! J'avais beau m'appuyer sur une canne, chaque pas me sciait en deux. Si j'avais au moins pu localiser l'origine du mal : Colonne vertébrale? Reins? Os iliaque? Col du fémur? Tripes? Ovaires? Utérus? Vessie? Motte? Zizi? Clicli?

J'étais disposée à avouer tout ce qu'on voulait : Goldman, Curiel et toute la *mishpoukhè*[1], je les avais assassinés, j'avais posé quelques semaines auparavant devant la synagogue de la rue Copernic, oui c'était bien moi, la bombe qui avait provoqué quatre morts et une dizaine de blessés, j'étais à l'origine du tremblement de terre d'El-Asnam, ex-Orléans-ville, Algérie, qui en quelques secondes avait entraîné la mort de milliers d'indigènes, c'était moi qui avais poussé l'Irak socialiste à attaquer l'Iran révolutionnaire, j'avais mis le feu à l'hôtel Cosmos de Moscou, j'étais responsable de la crise du *Matin de Paris,* du déclin du Sporting-Club Étoile de Bastia and so on...

Devant le métro, c'était plein de Nègres, d'Arabes et de dealers français. Béquillant sous la pluie, je traversai hors des clous, espérant vaguement qu'une voiture me rentrerait dedans. Pas pour crever. Pour être renversée. « Intéressant

1. En yiddish : famille au sens large.

ces fantasmes de viol, ma bonne Lola Frïedlander », aurait dit ce cher Adolphe Tsoulovski.

Et l'autre sangsue qui me collait et persiflait que maman avait bien raison, que j'étais une vraie *Yiddishe printcess*[1] égoïste, capricieuse, éternellement insatisfaite. Et ma parole, je me croyais sortie de la cuisse de Jupiter...

— Non, de celle du roi Salomon qui prend en levrette la reine de Saba, grimaçai-je entre deux spasmes, car j'avais maintenant l'impression d'accoucher par les reins.

Elle trouvait pas ça drôle, Noémi ; de son ton sentencieux, elle poursuivit :

— ... Il faut toujours que tu aies la vedette. Rien n'est jamais assez dramatique pour toi. Mais que n'irais-tu pas inventer pour te rendre intéressante ? C'est vrai, Lola, t'es capable de mourir pour te faire remarquer.

Hélant gracieusement un bahut, je soupirai que les princesses juives comme les hystériques meurent aussi. Et je poussai ma demi-sœur, fruit des amours post holocaustiennes de ma mère, Mira, et d'Aaron Nussenberg, l' « usurpateur », celui qui n'avait pas été fusillé au mont Valérien, qui était *lui* revenu d'Auschwitz, celui que j'appelais le marchand de casquettes, bien qu'il n'eût vendu que des tricots sur les marchés, je poussai donc Noémi dans une GS Citroën blanche. Et au chauffeur, je criai : « A Malcourt-sur-Seine. »

— N'ayez pas peur, petite madame, Malcourt, ce n'est pas le bout du monde. Même si c'est souvent, dit-on, le dernier virage, la fin du voyage. Malcourt, vous verrez, c'est la porte à côté.

Le chauffeur de taxi n'arrêtait pas de parler ; et son discours, son accent cambodgien ou vietnamien, les œillades émues qu'il me jetait dans le rétroviseur agaçaient Noémi dont le regard vert-de-gris, comme bordé de jambon par l'affliction, me reprochait visiblement mes confidences enjouées à ce faux boat-people qui avait sans doute fait la guerre d'Algérie dans la Légion étrangère.

Il mit la radio, fredonna avec Bashung : « Oh Gaby,

---

1. Princesse juive.

16

Gaby/tu devrais pas m' laisser la nuit/j' peux pas dormir/ j' fais des conneries... » Et Noémi se pelotonna contre moi.

Comment dégager mon corps, mon cou, les clichés de mes radiographies, des bras, de la bouche, des cuisses de cette femme qui m'étreignait et geignait toutes les deux secondes : « Lolette, je me sens pas bien. J'ai peur. »

Je n'y pouvais rien ; j'avais depuis peu découvert que la merveilleuse, la fine, la délicieuse Noémi, ma presque incestueuse demi-sœur, celle qui me roulait des pelles à la moindre occasion, m'agaçait jusqu'à l'écœurement.

Le taxi franchit la porte de Paris.

— Mais j'aurais pu passer par la poterne des Peupliers, les fortifs des Lilas ou le viaduc d'Auteuil, babilla le Khmer. Tous les chemins aujourd'hui mènent à Malcourt-sur-Seine.

Il longea la bretelle d'autoroute, bifurqua sous l'échangeur à l'endroit dit « Les sept chemins » que j'empruntais souvent pour rencontrer un de mes clients à Fresnes, à Poissy ou à Fleury-Mérogis.

— Dans les banlieues, s'étonna le chauffeur, on a le choix : des prisons, des asiles de fous, des hôpitaux et plusieurs centres anticancéreux...

En ce lieu, au volant de ma vieille VW oseille, je m'étais souvent posé la fameuse question à mille balles : préférais-je mourir de neuf balles de 7.65, écoper perpète, devenir folle ou lentement me laisser bouffer par une tumeur ?

Les rumeurs de l'autoroute s'étaient tues. Quelle paix dans le quartier des Genêts derrière les murs de l'hôpital psychiatrique, malgré les motocrosseurs qui tournaient comme des hallucinés dans un vaste gouffre de sable. Malcourt-sur-Seine, un rêve bâti sur du sable ?

Après s'être engagé dans une charmante rue presque agreste bordée de pavillons gris et de hachélèmes roses, le taxi freina devant un magasin de pompes funèbres qui jouxtait un marchand de bonbons et stoppa devant un troquet appelé, mais oui, « La belle vie ».

— Buvez un verre avant d'entrer dans le...

Le Cambodgien ne termina pas sa phrase, mais déjà j'avais aperçu les bâtiments sombres du groupe hospitalier Sainte-Catherine qui abritait le fameux pavillon où officiait le non moins célèbre professeur Samuel Tobman... (*que vous baptiserez* Totenbaum, *arbre de la mort, après avoir hésité entre* Totenstein, *pierre de la mort,* Totenfarb, *couleur de la mort et* Totenberg, *montagne de la mort*), pavillon nommé pudiquement UTATH (Unité de Thérapie Anti-Tumorale et Hématologique). Et je m'étonnai évidemment qu'il n'y eût pas inscrit à son fronton en allemand : « Vous qui entrez ici, abandonnez tout espoir. »

Bien moulés dans leurs jeans, deux petits culs, propriétés de deux moustachus aux cheveux longs, se poussèrent pour me faire de la place au comptoir. Il me sembla que le plus jeune cachait un flingue sous son blouson de cuir. Je crus qu'il me déloquait du regard. Ça m'alluma. Depuis un an, je ne pensais qu'à ça. Séduire. Malgré tout. Dans le miroir, j'aperçus mon grand corps érodé, recouvert d'un imperméable kaki assorti à mes yeux bitume de Judée, ma face rose aux pommettes de princesse juive violée par quelques cosaques pogromeurs et ma longue natte fauve. Malgré mes quarante et un ans, avais-je la " qualité adolescente ", comme écrit le professeur Samuel Tobman, pour immortaliser ses belles malades disparues, dans son livre intitulé : *On ne meurt qu'une fois, pourquoi avoir peur de la seconde ?* On a beau m'affirmer que — en mes bons jours, il est vrai — je ressemble, en plus kolkhozien, à Marina Vlady dans *La Princesse de Clèves,* j'ai toujours souffert de mes bonnes joues et de l'inévitable et original : « T'as un beau sourire, tu sais, on ne te l'a jamais dit ? » que déclenche depuis le berceau le moindre mouvement de mes babines. — *Et vous ne parlez pas de vos nibars.* Alevasholem ! *Paix à leur âme ! Vos mongolfières qui, depuis l'adolescence, rendaient vos amoureux si poétiques :* « *Ah ! tes lolos, Lola !* » (*Quel signifiant, comme dirait Adolphe Tsoulovski.*)

Accrochée au zinc, Noémi semblait sur le point de tourner de l'œil.

— On va s'en jeter un pour se refaire, lui proposai-je.

Blasée mais maternelle, la bistrotière la prit pour la malade et lui conseilla de ne pas se faire du mauvais sang :

— Faut du courage, faut le moral, regardez !

Dans cette salle en formica qui sentait la graille et l'eau de Javel, nous mîmes l'échantillon d'humanité occupé à mastiquer en silence le menu du jour à trente francs (carottes râpées-purée-rosbif ou betteraves-spaghetti-Francfort). Ambulanciers en blouse blanche, personnel hospitalier en manteau bleu de l'Assistance publique, inspecteurs du commissariat voisin en blouson de cuir et baskets — *mais oui, maligne, les petits loulous du comptoir ne vous déshabillaient pas du regard, ils vous dévisageaient. En flics* —, employés communaux en bleu de chauffe qui se plaignaient en commentant leur journal *Le Réveil du fossoyeur* de ne pas obtenir la clause d'insalubrité.

— Parce que, dit l'un, en s'envoyant son verre de rouge, dans les années soixante les cercueils étaient encore tendus de plastique et ça rendait la décomposition plus lente, voire impossible. Maintenant, lors des exhumations on trouve des ossements pleins de viande baignant dans leur jus qui vous gicle au visage. L'odeur vous transperce, imprègne les vêtements et vos femmes vous repoussent. Croque-morts, fossoyeurs, c'est plus une vie !

Plus loin, un groupe de femmes très gaies baffraient et picolaient comme s'il se fût agi de leur premier et dernier repas. J'ignorais qu'elles seraient mes futures copines de stalag.

« Mais pourquoi tu causes comme ça », gémirait Noémi.

Très pâles, creusés ou légèrement boursouflés, leurs visages étaient trop maquillés ; cernés, sans cils ni sourcils, leurs yeux semblaient infinis. Une seule était « en cheveux », mais elle portait ses tifs très courts, comme la défunte camarade Ingrid Bergman dans *Pour qui sonne le glas*. Si, alors, je leur avais naïvement demandé le nom de leur coiffeur, elles m'auraient répondu, comme moi plus tard, avec un léger sourire aristocratique : « Mais chez le célèbre Samuel Tobman de l'UTATH, à Malcourt-sur-Seine. Il shampouine à l'Endoxan, au Fluoro-uracile, au Métho-trexate, au Thio-Tepa, à la Vinblastine, à l'Adriamycine, à la Vincristine : aux cyclostatiques, alcaloïdes, antimétabolites et antimitotiques quoi ! »

Ce jour-là, je ne me souviens pas avoir rencontré Flore ni Mains diaphanes ni Marielle. Et bien sûr, France, tu n'étais pas dans ce café car tu ne frayais pas avec les autres. Je t'ai finalement entraînée dans la bande malgré tes réticences.

— J'ai besoin de toutes mes forces, me disais-tu. Tu ne t'en rends pas compte. Mais vous vous pompez mutuellement l'air.

Je te contredisais. Aujourd'hui, je ne sais plus.

Marie-Aude Shneïder, cou et gestes de cygne, était ce jour-là vêtue d'un tailleur en pied-de-poule camaïeu beige-grenat et d'un chemisier en soie gris perle. Elle me sembla fin ronde. Avait-elle chaud pour repousser ainsi en arrière sa perruque houblon ? J'aperçus un bout de son crâne, lisse comme une boule de billard. Depuis longtemps, je n'avais rencontré une femme aussi belle. Je pensais : « La mort au look Saint-Laurent. »

— Du vin blanc pour les globules blancs. Du vin rouge pour les globules rouges, dit-elle d'une voix très douce avec un léger accent pointu, s'envoyant successivement deux verres. Puis d'un ton enfantin : ... Le Kir, c'est bon pour l'hémoglobine.

— Et le porto, ça fait remonter les plaquettes, répondit sa voisine qui toussait, fumait des havanes, buvait des rasades de gnôle et montrait crânement sa totale calvitie. Avec ses yeux turquoise superbement fardés, ses créoles dorées aux oreilles, son long cou laiteux, elle ressemblait à une extraterrestre, à une pharaonne.

Je la reconnus : c'était Marianne Losserand, une actrice qui, deux décennies plus tôt, faisait toutes les couvertures de *Cinémonde*. De loin, on lui donnait à peine trente ans, mais de près elle accusait les combats. — *Toujours, Lola, vous avez été fascinée par les stars, même déchues. Comme les princesses juives, elles meurent parfois ?*

Jouant délicatement avec ses bagues et ses bracelets, Marianne posa sur son chef une chapka de vison et, sur son joli petit pif remodelé dans les années cinquante par le docteur Claoué, de grands pare-brise noirs. — *Souhaitiez-vous qu'elle vous caressât comme elle caressait les mains d'Anna, la petite fille d'une dizaine d'années aux yeux très*

20

sombres qui, sous son foulard à fleurs rabattu sur le front, ressemblait à une babouchka ?

Mon verre à la main, je m'assis non loin de leur table pour mieux les mater.

— Vous aviez ce jour-là, me dit plus tard Marie-Aude, l'air inquiet d'une petite fille qui arrive pour la première fois dans un nouveau collège dont elle ne connaît ni les rites ni le code.

Une bleue, quoi !

Avec ses jeans rouges, son blouson de cuir garance, ses santiags violettes, son petit bonnet en angora mauve, ses lunettes de soleil canari de marque Porsche, Cathi, elle, me fit penser à une loubarde de luxe. Elle était shampouineuse chez Arturo J. ; en fait, l'échelon au-dessus : coloriste. Ses yeux bleus innocents avaient quelque chose d'avide. — *Comme vous aujourd'hui, ma chère Lola, peur de rater le « sady end » du film ? De ne pas avoir le temps de lire la fin du roman ?*

Pour obtenir le silence, avec l'accent grenoblois, elle expliqua :

— Alors, il m'a dit, ce bock, cet imbécile : T'es pas la reine de la pipe. J'ai répondu : Ça se discute…

Elle ne termina pas son histoire. Le docteur Patricia Milhaud, dite, je l'appris plus tard, Patou, l'interrompit, en l'embrassant dans le cou et en ironisant :

— Alors mes poulettes, toujours en train de parler cul ?

— Oui, chère, parlons cul, c'est mieux qu'une transfusion, dit le look Saint-Laurent.

Ce langage ne convenait pas à une femme de diplomate, lui fit remarquer Marianne Losserand.

— Que Charles aille se faire foutre et le Quai avec, hoqueta Marie-Aude en trinquant avec l'actrice.

— Tous les hommes devraient aller se faire foutre, estima le médecin.

Et comme si la petite fille au foulard fleuri n'avait pas compris, Marianne ajouta :

— Écoute, Anna, écoute la vieille pute. Aucun homme, aucun homme ne vaut que l'on vive ou meure pour lui !

La petite fille rit :

— C'est vrai que tu as eu dix maris ?

Marianne but directement au goulot :

— Je ne peux plus faire le compte de mes maris et de mes amants. Il y a eu tant d'hommes, de femmes. Les vrais coups, les faux coups, les demi-coups. Elle sourit mystérieusement : On en oublie toujours un.

— Mais où est donc passé votre 51ᵉ amant ? chuchota Marie-Aude Shneïder sur un ton de comploteuse.

Moi aussi j'en oublie toujours un, mais jamais le même. Pourtant, pour me remonter le moral dernièrement, je me suis amusée une nuit à en dresser la liste par catégorie socio-professionnelle, par nationalité, religion, manies sexuelles, goûts culinaires, etc. Une sorte d'étude de marché, de mini-sondage. Je leur ai même donné des notes, commentaires à l'appui : V. tirait merveilleusement au bazooka, N. connais-sait Freud par cœur, X. cuisinait très bien le chili con carne, Y. bandait dans l'eau glacée, Z... Bref ! Je suis arrivée à la conclusion que j'avais surtout aimé les douces brutes anal-phabètes, introverties, myopes, qui dormaient toujours un feu sous l'oreiller et voyaient les anges dans un délicieux silence. — *Mais enfin Lola Frïedlander, vous vous trompez de roman !*

Zoubeïda Benzergui, une plantureuse Maghrébine en djellaba saumon, tenait un enfant de deux ans sur ses genoux. Elle pencha en soupirant son beau visage un peu soudanais surmonté d'un tchador rose tendre qui lui mas-quait le front :

— Moi, un seul homme, j'en ai connu. Et *l'youm*, aujourd'hui, il veut encore une femme (elle compta sur ses doigts). Trois, il en a. Moi, *Safi ! Rajel henna-ni !* c'est fini. Les gosses, j'en ai trop. L'opération...

Enfin, je crus comprendre qu'elle ne baisait plus avec son époux et qu'il allait se prendre une autre grosse.

La femme du diplomate avait l'air de plus en plus pétée. Elle me souriait, voulait trinquer avec moi et chantait en imitant la voix de Damia : « Où sont tous mes amants/Tous ceux que j'aimais tant./Jadis quand j'étais belle/Où sont les infidèles »...

Jeanne Martin — avec son manteau de loden beige, ses cheveux fins, sa coiffure dadame, elle avait alors l'air un peu tarte — l'accompagna de sa belle voix grave à l'accent breton. Puis elle but une gorgée de tisane, soupirant d'un ton prudent : « Oh, vous savez... le cul... le cul... »

Cathi remit son histoire de fellation :

— Les filles, vous ne m'avez pas laissé terminer mon histoire. Alors, Yves me dit : « Dans le fond t'as jamais été la reine de la pipe. » Et moi je réponds : « Ça se discute. » C'est vrai...

Elle savourait son histoire comme si le goût d'un sorbet aux fruits de la passion de chez Bertillon lui revenait...

— Avec Jean-Pierre... Vous savez... le maçon, le rocker que j'ai connu il y a deux mois en faisant la scintigraphie à l'hôpital, le mec qui a un cancer du testicule au nom si poétique, un tératome. Et aussi de très belles mains...

Je ne sus jamais la fin de l'histoire. Noémi me tirait par la manche. Quand faut y aller, faut y aller.

Pour m'obliger à franchir sous un ciel sale un des portails qui permet d'accéder à ce curieux périmètre — où s'encastrent énigmatiquement hôpitaux de l'Assistance publique, instituts semi-privés pour soins intensifs, laboratoires de recherches derrière des petits blocs modernes et moroses, des bâtisses vétustes et inquiétantes, des courettes à péristyle, des pavillons anciens en pierre ocre recouverts de lierre, aux fenêtres masquées de stores de toile bleue, reliés entre eux par des passerelles, par de longues galeries vitrées —, pour m'obliger à franchir cette grande porte de fer blanc qui mène de l'autre côté de la vie, je me contais à nouveau la légende : un SS se tient derrière moi, de sa mitraillette il me pousse ; un SS avec une tête de mort sur son calot bien sûr, un *Totenkopf verbanden,* un de ces vieux amis du camp de Birkenau, seigneurie d'Auschwitz, Oswiecim sur la Vistule, où je n'ai voyagé qu'en rêve.

Puis, respirant profondément, je me murmurai en yiddish (cette langue qui fait peur, comme disait Kafka, et qui seule donne confiance pour tenir tête à cette peur), je me dis : « Lolkelè, mon petit agneau, ne *krekhtzes*[1] pas. Tant qu'on n'est pas à la porte de la chambre à gaz, il y a de l'espoir. »

1. En yiddish : geindre ridiculement (croasser).

Une fois de plus, j'utilisai la bonne vieille ruse de : « Rien de pire que Hitler ne peut m'arriver. »

« Profitez-en, ma belle, car bientôt ça ne marchera plus. Vous allez peu à peu " désérotiser ", dirait Adolphe Tsoulovski, la dure et douce rêverie, la douleur enivrante et jouissive qui vous occupe depuis l'enfance. Enveloppée de la robe de chambre en soie blanche de votre mère vous effectuez avec votre père le long voyage en wagon plombé. Vous lui chuchotez : " *Taleleh,* mon papa, nous sommes enfin seuls, je ne te quitterai jamais. Derrière, nous avons laissé cette garce qui va bien vite t'oublier, s'unir avec le marchand de casquettes, changer pour " Nussenberg " le noble nom des Frïedlander chez lesquels pourtant, du temps des Habsbourg, le grand-duc de Lvov venait dîner le soir du *schabbat* ; porter pendant neuf mois et donner le jour à ce vampire de Noémi, la douce, la parfaite Noémi, qui a réussi son bac du premier coup, *elle,* qui a appris l'hébreu et perdu ses étés à récolter les oranges dans les kibboutz, *elle,* qui sait taper à la machine des dix doigts, passer l'aspirateur et repasser les chemises. »

Plutôt être brûlée qu'être enterrée au Père-Lachaise avec mes mère, beau-père et demi-sœur ! — *Le caveau des Frïedlander, il n'existe pas, pauvre pomme. Faites-vous cramer à Oswiecim sur la Vistule, à Treblinka, à Maïdanek et alors, dans le ciel polonais, vos cendres seront mêlées à celles de vos chéris. Et puis changez de disque, Lola Frïedlander. Il est usé. Avancez !*

Comme toujours j'exagère. Les *blocks* étaient des services normaux (Urologie, Maternité, Cardiologie, Gastro-entérologie i tutti frutti...) qui ne nécessitaient qu'un coup de peinture : les *crématoires,* les cheminées des cuisines, les *miradors,* juste des arbres tordus, les femmes en bottes et longues capes sombres, certainement pas des *Aufseherin,* mais de simples infirmières, et les *barbelés,* des grillages qui interdisaient l'accès au vaste terrain où se construisaient les nouveaux bâtiments de l'UTATH annoncés triomphalement par des panneaux bleus : « Ici en 1982 s'élèvera le plus grand centre européen de soins intensifs des maladies sanguines et tumorales. »

— Tu n'es qu'une juive snob, marmonna Noémi à qui j'avais confié mes perverses petites réflexions. N'oublie jamais que ton arrière-grand-mère vendait des harengs à Varsovie. Pour toi, Auschwitz, Malcourt-sur-Seine, c'est comme la Cinquième Avenue à New York.

Un an plus tôt, nous nous étions châtaignées comme des chiffonnières car je refusais de regarder à la télévision *Holocauste* en arguant que c'était un feuilleton obscène.

— Qu'est-ce que tu en sais ? m'avait perfidement répondu ma douce demi-sœur, t'as même pas été déportée ! Pour qui tu te prends ?...

Ce « t'as même pas été déportée », jamais je ne le lui pardonnerai.

Le trouillomètre à zéro, speedée de douleur, j'avançais difficilement par les chemins boueux, au milieu de la noria de véhicules (ambulances privées de France et de toute la CEE, taxis, vieilles guimbardes, Mercedes aux plaques diplomatiques, paquebots avec chauffeur en casquette) qui déversait des malades valides ou grabataires. Ici, je l'apprendrai très vite, on traite sur le même pied huiles ou prolétaires...

— C'est tout de même mieux que de se casser une jambe, dis-je en riant à Noémi que je *shlepais*[1] toujours.

Elle me regarda au lance-flammes :

— Moi, à ta place...

— Mais tu n'es pas à ma place ! hurlai-je.

Merde ! C'était déjà pas si drôle après tout d'en être arrivée là, si en plus je ne pouvais pas tenir le premier rôle ! C'est comme les goyim qui veulent devenir juifs.

Décorés d'immenses fresques champêtres vert et orange, le hall de l'UTATH, les escaliers qui montaient, descendaient et faisaient office de salle d'attente, étaient peuplés d'une foultitude de personnes assises, debout ou allongées sur des civières : énormes, gonflées par la cortisone ou

1. De *Shelp* (yiddish) : traîner avec difficulté.

cireuses, maigres et souriantes, normales, plutôt prospères, mais l'air inquiet.

Mère se rongeant les ongles, accrochée à son enfant au crâne déplumé, dizaine de femmes seules, bien sages, hommes couvés par une épouse ou une fille, vieux coiffé d'un borsalino protégé par toutes les femmes de la famille vêtues de noir. Quelqu'un dégueulait dans une petite bassine en forme de fayot, appelée justement un « haricot ». Dans un couloir, un jeune et beau Rital très baraqué, chemise ouverte, branché à une perfusion, pleurait en gémissant : « Mamma, mamma » ; un homme le consolait maternellement. Et l'odeur ! D'abord je crus que c'était celle des prisons : émanation animale, plus eau de Javel. Mais ici, ça schmectait pas la vieille soupe ni la merde. Non, c'était autre chose : l'éther, peut-être ?

D'abord, je perçus le silence. Silence des couloirs d'hôpitaux. Insupportable. Mais il suffit qu'un malade commence à raconter ses petites misères pour que la cacophonie soit complète.

Un vieux beau qui, dans son costume trois-pièces, semblait avoir chié la colonne Vendôme, clamait que la chimio ne marchait pas : sa tumeur n'avait pas diminué. Un couple de pieds-noirs s'embrassait goulûment, l'homme caressait de façon un peu obscène sa femme qui répétait : « Maurice, le toubib m'a dit que j'étais sauvée. » A un jeune garçon, la mine terrifiée, une femme noire expliquait : « Vous verrez, ce n'est rien. Mais vous risquez de saigner des dents tout le temps. » Je déformais et j'entendis : la chimio donne des hémorragies internes. J'avais beau me dire : « *Bobè maïsé* », ragots de grand-mère, je ne pouvais m'empêcher de prêter l'oreille. « Glagla ! », comme aurait dit Bolivar, mon fils.

Une petite femme menue, d'une cinquantaine d'années, sortit d'une salle de consultation, étira ses bras, fit jouer ses articulations et se parla en riant comme une folle : « Mon pic baisse ! Mon pic baisse ! Bechir m'a dit que je guérirai ! » De quel pic parlait-elle[1] ?

1. Les plasmocytes cancéreux fabriquent tous le même anticorps qui se groupe comme un pic montagneux sur la courbe de l'analyse des protéines du sérum du sang.

Perchées sur une variété de groles — boots, sabots, escarpins —, des jeunes infirmières pimpantes, à poil sous des blouses ou des combinaisons d'aviateur bien ajustées, passaient et repassaient, des seringues ou des tuyaux de perfusion à la main. Certaines distribuaient comme des stars des petits saluts aux malades qui essayaient d'attirer leur attention. C'étaient les « reines de la perf' » et comme tous en cette contrée (malades, médecins, infirmières), elles portaient des diminutifs ou des surnoms : Vivi, Poupoune, Ninique, Yseult, Coco, etc. La promiscuité, la proximité de la mort infantilisent. Ici, seuls les enfants étaient adultes. Les demoiselles en blanc soignaient les malades ambulatoires en hôpital de jour qui rentraient chez eux après leur traitement ; celles en vert, au bas du visage masqué, traitaient au « stérile » les malades, en général des leucémiques qu'on devait mener à la limite de l'aplasie [1].

Je savais déjà que si je voulais survivre, je devais apprendre à me mouvoir en ce lieu, en comprendre les lois, les rites. — *Oui, vous aviez intérêt, ma grosse Lola, à vous mettre vite au parfum.*

Ce hall était une sorte de théâtre traversé par les principaux personnages de ce long voyage que je commençais.

Une ravissante et vieille Antillaise prénommée Marie-Célimène — *mais vous la baptiserez* « Vidal », *comme le dictionnaire des spécialités médicales, car, préposée à la signature des feuilles de maladie, elle connaît mieux la pharmacopée que les médecins* — passa en gémissant : « J'ai p'u de tampons, j'ai p'u de sty'o, j'ai p'u 'ien. » Au passage, elle octroya quelques bisous : c'est fou ce qu'ici on se suçait la pomme. Son éternel gilet au crochet bleu outremer sur sa blouse blanche, la surveillante en chef, cette chère et tendre Adeline Durand, faisait les cent pas en tenant à deux mains sa tête au brushing bien laqué. D'une voix stridente, du ton très mondain d'une maîtresse de maison qui a plus d'invités que de chaises à table, elle se lamentait : « Que vais-je faire ?

---

1. Aplasie : faire chuter par les drogues ou l'irradiation de la moelle osseuse la formule sanguine à l'extrême, éliminant ainsi les cellules polluées mais pouvant aussi provoquer des septicémies.

J'ai deux mourants dans la même chambre. » Elle saluait des malades d'un *Ciao, bella !* et je l'entendis s'exclamer « Comme on a bonne mine ! » devant une femme qui, sur sa chaise roulante, semblait sur le point d'agoniser. Elle avait tendance à parler « petit nègre » car il y avait beaucoup de malades étrangers (Turcs, Yougos, Ritals, Arabes et Africains) mêlés aux membres de la Jet Society qui en jetaient avec leurs « must » : montres (Santos — Cartier — Bulgari — Rolex acier et or), stylos Mont-Blanc, turbans de chez Fabrice ; ce qui ne les empêchait pas d'avoir l'air, eux aussi, un peu dans les frites…

Pas tous. Pas toi, France. Car c'est là que je te vis pour la première fois.

Une superbe créature longue et ronde sentant l'ambre, ai-je écrit au dos d'un dossier, *aux cheveux blonds coiffés à la lionne encadrant un visage plein, doré, des cuissardes et une minijupe de cuir noir. Faisait les cent pas en fumant des Dunhill bleu (j'en ai reconnu l'odeur). Elle s'énervait : « Merde ! Merde ! Je vais pas perdre mon après-midi dans cet hôpital ! » Elle avait l'accent du Sud-Ouest. Elle agrippa Adeline Durand : « La vie est trop courte pour qu'on la perde. J'ai pris rendez-vous il y a un mois avec Samuel par lettre. Ça ne changera donc jamais ici ! »*

Adeline Durand te parla comme à un enfant, le public retint son souffle.

— Enfin, ma petite France, ma petite Detrez, avec une mine comme la vôtre, on ne s'énerve plus. Il y a dix ans… Vous vous en souvenez ? Comment étiez-vous il y a dix ans ? Mour…

Adeline Durand ne termina pas sa phrase. Avait-elle voulu dire mourante ou amoureuse ? Mystère. Ce jour-là, je brûlai de savoir ce qu'elle avait la belle fille agressive qui portait une jupe au ras du bonbon.

On entendait au loin du Vivaldi. Un interne faisait des gestes bizarres, il dirigeait un orchestre imaginaire pour des enfants malades.

Son manteau de l'Assistance publique flottant au vent comme une cape d'évêque (son frère était d'ailleurs archevêque), le célèbre professeur Samari, au physique de derviche, traversa le service qu'il dirigeait de très loin. Il était trop occupé à piquer les crédits à ses rivaux officiant dans d'autres CHU ou centres anticancéreux français qui, comme lui, se faisaient construire de nouveaux bâtiments, sortes d'immenses mausolées dédiés au culte du cancer. Dans sa dernière œuvre *La vie est cancérigène,* il explique qu'il faut éviter de bouffer, de biberonner, faut pas se mettre à poil au soleil et bien sûr, faut pas *shtupper* ou trop se faire sabrer. On murmurait dans les salons que ce renommé savant, candidat au Nobel, qui dormait dans son bureau au milieu de souris sur lesquelles il faisait des expériences, rêvait, pour effacer le Mal — c'est-à-dire le cancer — de la surface de la terre, d'atomiser tous les cancéreux.

Des tics nerveux sur le visage, l'air totalement ravagé, il passa murmurant : « Je n'aime que l'Asie, le Sud, l'Orient. Hélas, l'univers est binaire. Le Nord ayant perdu toute régulation est devenu cancéreux. » Il caressa, comme si elles eussent été des petits chiens, les joues de certaines malades, sans même les regarder, par automatisme.

Lui mordre le pouce ? Me mettre à aboyer ?

Une Italienne se jeta à ses genoux, lui baisa la main en balbutiant : « *Grazie, Professore, grazie !* Vous êtes notre sauveur ! » Et elle lui tendit une paire de chaussettes qu'elle lui avait tricotée.

Les préposées aux consultations se désespéraient : comme d'habitude, tous les médecins étaient en retard — Milhaud, Bacri, Butros, Altman, Bensaïd, Dupraz, etc., allaient seulement se mettre au travail ; il y avait foule et pas assez de sièges ; la salle du sous-sol, le palier du premier étaient bourrés : c'était le boxon.

Je demandai à l'une des secrétaires du « pool » qui fredonnait : « *Change your heart... Everybody's got to learn sometime* », un des tubes de l'année, où se trouvait le professeur Samuel Tobman. On me montra nonchalamment une porte d'où jaillit comme un diable un homme grand et mince d'une cinquantaine d'années, à la calvitie naissante, à la fine moustache, aux immenses yeux noirs attentifs, un peu enfantins, sous de gros sourcils en désordre. Il était vêtu d'une sorte de tablier de boucher à l'immense poche ventrale, enroulé sur une blouse aux manches retroussées, et je remarquai immédiatement sur son bras le numéro tatoué.

— *Et vous vous dites, Lola, que sous le bronzage du play-boy vieillissant, votre œil perçant retrouvait le* schmutztück [1] *de quatorze ans, recroquevillé en 1944 au maigre soleil de la Buna, pour s'économiser et éviter ainsi la « selektion ».*

Samuel Tobman était très beau, charmant, émouvant, même s'il faisait un peu plus archange de la mort que dans ses prestations télévisées. Un micro cassette à la main, il hurla : « Évelyne, Évelyne, y a plus de piles ! Mais quel bordel ! Qu'est-ce qu'elles font ? Ah ! c'est beau l'Assistance publique ! »

Apercevant une malade allongée sur une civière, il rabattit la couverture et se mit à engueuler la malheureuse, effrayant ainsi tous les « nouveaux » : « Debout ! Debout ! Je ne veux pas de civières dans les couloirs ! La maladie ça s'attrape ! Vous allez rendre malades les gens qui n'ont qu'un cancer ! »

Il embrassa tendrement un enfant, soupira d'un air dramatique en découvrant la marée de patients qui l'attendaient et rentra dans son bureau au moment où sa secrétaire, Évelyne, s'approchait sans se presser avec les piles, après avoir de la main mimé un geste qui devait vouloir dire : il est sonné.

J'en eus assez de poireauter et je me décidai à frapper à la porte sur laquelle était écrit : « Consultation n° 7 » et j'entendis sa voix à l'accent faubourien qui devait s'adresser à Évelyne : « Je n'en peux plus. Ils auront ma peau. C'est le bordel. On va finir par mélanger les dossiers. Vraiment, je n'aurai jamais eu le temps de vivre. »

L'angoisse me donnait envie de pisser ; en plus, j'avais, plus pour longtemps, mes ragnagnas. Je pénétrai dans les W.-C. au moment où un homme vidait la poche de son anus artificiel. J'eus un haut-le-cœur. Des femmes, des hommes entraient d'ailleurs dans les chiotards, des petites bouteilles à la main, et en sortaient les flacons remplis d'urine...

---

1. *Schmutztück* : les Allemands désignaient les déportés comme des *Stuck* (parure, bijou, morceau), mais *Schmutztück* veut dire « ordure » ; ironiquement les Allemands l'utilisaient pour désigner les plus pitoyables des déportés.

Une femme pleurait en silence, doucement, en se regardant dans le miroir. Son Rimmel coulait. Anna, la petite fille que j'avais aperçue au café, poussa la porte et lui dit avec mépris : « Tu crois que je vais mourir ? » Et elle repartit en éclatant de rire.

C'en était trop. Je m'enfermai dans les cabinets. Mais il n'y avait pas de crochet et je ne savais comment baisser mon pantalon avec mon parapluie, ma canne, mon énorme besace, ma pelisse, mes radios et le supplice que m'occasionnait chaque mouvement. « Rien décidément ne te sera épargné », me dis-je en rêvant à l'architecte qui dessinerait les gogues de mes rêves. Je sortis, déposai dans les bras de Noémi, qui affichait toujours le même air tragique, mon manteau, mon parapluie, ma canne.

Elle rouspéta : « Je ne suis pas ton portemanteau. » Je la foudroyai du regard puis, après avoir re-respiré un bon coup, je m'apprêtai à frapper à la porte de Samuel Tobman.

Je l'entendis réciter ou dicter — sans doute dans un magnétophone : « Cancer, mot damné qu'on n'ose annoncer ou écrire que par une métaphore. On meurt " d'une longue et cruelle maladie ". Mais qu'une grande tragédie se joue sur cette terre et ce sera le " cancer du chômage ", le " cancer de l'inflation ", le " cancer de la marée noire ", le " cancer du totalitarisme ", le " cancer du terrorisme palestinien ", le " cancer du sionisme ", le " cancer de l'apartheid ". Le cancer représente la non-loi. »

« Poil au doigt », aurait enchaîné mon fils Bolivar.

L'héroïne va-t-elle ouvrir cette porte ? Tomber déjà sous le charme du héros, le professeur Samuel Tobman ? Pas tout de suite. Car sur le mur du couloir s'inscrit le générique de son film imaginaire, intitulé : « Ça sent le sapin ». Avec en gros caractères, bien sûr, et en 100/100 : ET POUR LA PREMIÈRE ET DERNIÈRE FOIS A L'ÉCRAN : LOLA FRÏEDLANDER, et en 50/100, plus modestement : GUEST STAR : LA MORT.

Et elle rembobine le film, pour revoir une des premières séquences.

3

Alors nue sous une chemise de nuit en toile blanche, je mange des oignons verts. Il fait très chaud dans cette cabane en bois au milieu des bouleaux. J'ai enlevé ma perruque mais je ne suis pas rasée comme les autres femmes juives. J'entends au loin la musique d'un manège. Les *fidlers*. Les *feïflers*. Les *tzimblers*. Vous savez, les violoneux. Les flûtistes. Les joueurs de cymbales. Des hassidim dansent en se tenant par la taille. C'est peut-être le jour de Simha Torah. Ils jettent leurs vêtements dans les buissons. Ils chantent : « Nous survivrons parce que nous aimons baiser. » Le bois se met à brûler. Alors j'entends une voix suave qui m'appelle : « Lodja, t'es douce ! T'es douce, Lodja ! » C'est le prénom de ma grand-mère maternelle. Léocadie quoi !... Oui, on m'appelle Lola mais c'est Lodja. Elle est morte à quarante ans. Ses seins étaient devenus tout rouges comme incandescents mais le rabbin a interdit d'opérer. Je sais qu'elle aimait danser. Elle avait voulu quitter le village pour suivre un violoneux.

Alors je comprends, c'est une femme qui appelle son petit garçon. Tadeusz ! Je suis en Pologne. Je cours. J'aperçois la mer. C'est impossible la mer en Pologne ? Je désire m'y baigner mais cette mer m'inquiète. D'ailleurs elle se dérobe toujours à ma vue. Sur un arbre noir, je lis : tu accepteras la mort du Lion quand tu accepteras la rupture avec Rafaël. C'est peut-être le contraire. La rupture avec Lev. Leïbeleh. Léon. Mon cœur. Mon père. La mort de Rafaël. Le père de mon fils. Séduite et abandonnée. Non. C'est le contraire.

Alors je lis dans le journal. Un journal anglais. Les caractères sont si petits. Je lis mal. Mon père. Ils l'appellent Drepper. Avec un D. Il n'aurait pas été déporté. Il nous aurait abandonnées pour se rendre en Angleterre où il aurait vécu avec une Allemande et travaillé avec le KGB. Non. La Guépéou. Non. Le NKVD. Il aurait vécu jusqu'en 1947. On l'aurait abattu dans la rue. Staline ? Je ne sais pas. Des histoires avec des Arabes. La Palestine. Avec des Juifs. Ne riez pas. C'est si clair enfin. Un traître. Il m'aurait trahie. Alors je descends la rue de Belleville pleine de femmes et d'enfants. Un officier allemand ordonne à la foule de se masser à droite. Les camions bâchés attendent. A moi il me dit : pas vous, princesse. Et une limousine s'est arrêtée. Et je suis montée. Alors je suis dans un tank marqué d'une étoile de David. Je dis au canonnier. Il ressemble à mon père. Tire. Tire donc. Et le canon s'érige très haut dans le ciel. Une ville brûle. On marque des hommes avec des croix gammées. Puis avec des étoiles de David. J'ai peur. Alors maman et le marchand de casquettes ont invité Goebbels à déjeuner et elle m'a recommandé d'être gentille et polie. Il est grand, blond, gros avec des yeux très bleus et l'air gentil et bête, et il trimbale un téléviseur portatif avec une très très longue antenne...

Oh, j'en ai marre de ces histoires.

Bon. Je continue. Il dit : « J'ai été jugé à Nuremberg mais pas condamné. » Alors je pense c'est parce qu'il est chez moi et je lui rappelle que je n'avais que quatre ans pendant la guerre. Alors il y a maman et Noémi. J'ai envie de chier. Oui, de faire caca. Je suis debout. Un pot à la main. Je les supplie de me laisser seule. Elles rient. Se moquent de moi. Alors je suis obligée de me cacher et de chier dans ma main. Et je remplis en douce des petits pots de mes crottes grosses et jaunes qui débordent. Alors je marche dans un bois de pins au bord de la mer avec ma grand-mère. C'est merveilleux. Le paradis. Mais curieusement c'est Golda Meir. Merde alors. Une mère en or ? Non. Le père en or, c'est Nahum Goldmann. Il est là, allongé sous un pin. Il me sourit avec tendresse. C'est le roi des Juifs. Moi, je suis sa fille préférée. Golda, ma grand-mère, devient sévère. Elle me reproche d'avoir une « affaire » avec Arafat. Alors je vois

Arafat, tête nue, sans son *koufieh*. Il fume un gros cigare comme Churchill et fait le V de la victoire. Alors Golda s'approche de lui et lui roule un patin. Oui, un patin. Moi, je ris. Alors on ne me laisse pas passer. Il y a un barrage de soldats. Je dis : « Je suis déjà tamponnée. J'ai un laissez-passer. J'ai un *Ausweis*. » Alors je suis poussée sur une grande place. C'est plein de Juifs. Non d'Arabes. Ils nous appellent par haut-parleur. Et ils nous comptent. Et ils nous recomptent. Ils parlent une langue que je ne comprends pas. Mais une langue familière.

Alors je suis dans un groupe de jeunes gens en short. Nous préparons une fête. Un garçon blond aux yeux bleus. Non, roux comme moi, me regarde. Et je sais qu'il va m'embrasser. Je sens sa cuisse contre la mienne. Sa main sur mon ventre. C'est très doux. Ses doigts me pénètrent. Je suffoque. Mais un homme vieux et brun. L'air très cruel. Faysal d'Arabie s'approche. Je pars avec lui. Je sais que je me suis trompée. C'est le premier que je désirais. Ou le contraire. Je ne sais plus. Je suis alors dans un hôtel genre Marienbad. Dans une ville étrange. Étrangère. Durban en Afrique du Sud peut-être. Il n'y a pas de transports. Des hommes en bleu de chauffe entrent par les fenêtres, me passent les menottes. Ils ont déjà dressé mon acte d'accusation. Je suis accusée d'avoir saboté la centrale électrique et d'avoir fait brûler la salle de bains. Je me défends. Je suis la fille de Nahum Goldmann. Je suis une avocate célèbre. J'essaye de citer les procès où j'ai plaidé. Mais je ne me souviens plus des noms des accusés. D'ailleurs j'ai été violée par un homme roux dans la salle de bains. C'est faux. Alors ils m'accrochent, pieds et poings liés, les yeux bandés, dans une cage à oiseaux au plafond. Je fais semblant d'être morte. Alors je marche dans un cimetière arabe. Pas un cimetière où les morts sont enterrés à même la terre. Non. C'est une ville avec des maisons-tombeaux. La Cité des Morts au Caire. Dans une crypte-palais se cache un carrosse. Mon fils Bolivar joue au milieu des tombes avec Aïcha, sa nounou algérienne. Je descends dans la crypte. Le carrosse est un lit à baldaquin comme on en voit dans certaines maisons mauresques. Un bel homme brun à l'air inquiétant essaie de m'attirer vers lui mais je continue par une sorte de long couloir sombre et je débouche sur une falaise qui domine une vallée ou la mer. Et je le vois. Je ne sais si c'est Rafaël ou le bel homme roux. Je hurle : « Je le vois, c'est Lui. » Mais des femmes juives en perruque me retiennent. Il disparaît. Je hurle à la mort... Oh ! j'en ai assez de mes conneries.

— Bien, dit Adolphe Tsoulovski en se levant. Continuez à ne pas vouloir voir le « nœud dur » de votre histoire. Et vous aurez un cancer.

Et il termina la bouteille de Chivas qu'il avait dégustée pendant trois quarts d'heure. A mes frais.

Et je me mis à chantonner comme lorsque j'avais dix ans : « Le nœud ! La queue ! Le braquemard ! Le chinois ! Le bout ! La bite ! Le *shmok* ! Voilà : je dois voir quel est le *shmok* dur de mon histoire. »

Ah ! la journée commençait bien.

Je m'apprêtais à sortir sans lui refiler ses 300 balles.

— Vous oubliez de payer, madame Frïedlander. Vous le regretterez.

Adolphe Tsoulovski (« Avez-vous remarqué que dans mon nom il y a " love "? », répétait-il, penché sur moi comme un dingo) habitait devant la prison de la Santé et il m'avait avoué que le pavillon de bois où trônait son divan avait servi de remise il y a longtemps à la guillotine.

Qu'avais-je fait ensuite ?

Voilà ce qui me reste de ce jour qui était aussi — j'avais oublié de le rappeler à Tsoulovski — celui de mes quarante ans.

A « La bonne Santé », un des bistrots que je fréquentais professionnellement, je m'étais envoyé mon cognac-Valium matinal. Non, ce matin-là, c'était une tisane-Captagon car, totalement abrutie par les somnifères ingurgités la veille, j'avais besoin de me speeder un peu. Tout en écoutant un type chanter dans le juke-box : « Je l'aime à mourir », je palpais sur mon sein gauche, juste au-dessus de l'aréole, la protubérance pas ronde du tout, plutôt longue, légèrement tordue et dure (comme un nœud qui saille ?) qui grossissait de semaine en semaine.

J'attendais Remy, un de mes protégés qui sortait de

prison. Il m'emmerdait, Remy. Arrêté une première fois pour avoir hébergé un copain accusé d'avoir hébergé un copain accusé d'avoir transporté un copain qui aurait descendu un vigile accusé d'avoir descendu un Arabe accusé d'être raton et d'empêcher, en jouant du bendir, les vigiles de dormir la nuit, Remy, vingt-deux ans, fils de concierge mais étudiant à Normale Sup', avait été accusé deux mois après sa sortie de prison d'être le propriétaire de cinq kilos d'explosifs découverts par les RG puis récupérés par la DST dans la chambre de bonne qu'il avait louée pour une copine accusée d'être l'amie d'un Italien qui... Bref! Remy sortait de taule et je me demandais bien pourquoi. Son baluchon à la main, on lui aurait donné le bon Dieu sans confession. De sa molle bouche, il m'embrassa humidement, me tutoya, me dit que j'avais bonne mine et que je devais lui trouver du travail.

Dans la voiture, il me demanda si j'avais reçu un coup de téléphone de Turin. Turin? L'impression de malaise me reprit (celle-là même qui m'avait envahie lorsque le juge m'avait annoncé que pour des raisons médicales et faute de preuves, Remy serait libéré). Et si Remy était manipulé par les flics? Je me remis à flipouiller.

Cela m'arrivait souvent dernièrement : le corps agité de tremblements, la sensation de pédaler dans la semoule et cette voix — la mienne — qui répétait : « En finir. Une fois pour toutes. » Cela survenait généralement lorsque j'accompagnais un client chez le juge d'instruction ou lors d'une audience au tribunal. Au moment où j'entendais le fatidique « Maître, vous avez la parole », le cirage dans la tête, l'aphasie, l'apraxie, l'agnosie comme dit le Robert. Et les sueurs froides et le palpitant qui bat la chamade et les guibolles en coton et la sensation de chiasse et la certitude que j'allais être démasquée, que sous ma robe noire « symbole de la justice, exercice de pouvoirs mystérieux et antiques qui consistent à discerner le mal du bien et de sonder les cœurs et les reins », sous ma robe noire, j'étais pas si blanche que ça, que les gardes mobiles allaient se tourner vers moi, me passer les menottes et me remettre à ma vraie place : dans le box des accusés.

« Mais de quoi vous soupçonnerait-on, Lola Frïedlander ?
me demanderait Adolphe Tsoulovski. Avouez à la fin. »

J'avais l'habituelle impression d'être filée et je lourdais
Remy place de la Bastille, lui promettant d'aviser pour le
travail.

Je devais aller voir à Fleury-Mérogis une de mes clientes,
une fille qui avait fabriqué de faux papiers pour des réfugiés
latino-américains. C'était aujourd'hui au-dessus de mes
forces. Je craquais. Et je rentrai dans un bistrot boulevard de
l'Hôpital, en face de la Salpêtrière. Il s'appelait « A la
Pitié ». Je regardai mon agenda : « 11 heures, Betty.
13 heures, tribunal de Créteil : affaire viol Duteil. 18 heures,
RV au cab' pour Tunisien expulsé. » L'horreur ! Depuis peu,
ce métier me faisait horreur. Plutôt mourir que persévérer.
Je me commandai un kir — caressant amoureusement mon
sein bosselé, tout en philosophant sur ma brillante carrière
d'avocate engagée, comme on dit.

Honnêtement, ma grosse, me demandai-je, les raisons qui
t'ont poussée à être avocate sont-elles claires ? Non. C'est le
moins qu'on puisse dire : défendre la veuve, l'orphelin et
l'opprimé « entre le tumulte des passions humaines et le
trône de la Justice », comme dirait le bâtonnier d'Aguess-
saux ? Point : te protéger simplement de l'accusation d'un
crime inconnu. « Non, monsieur le Kommissaire, vous ne
pouvez m'interroger. Je suis insoupçonnable. Je suis avocate. Regardez ma belle robe noire. »

Ma robe d'avocate m'avait-elle lâchement protégée du
danger ou empêchée de commettre des conneries ? (« Lola,
tu peux perdre ton passeport ? C'est pour une fille qui part
clandestinement en Afrique du Sud. — Non, je ne peux pas,
je suis avocate. Si elle se fait pincer, c'est trop grave pour
moi, pour la profession. Mais ensuite quand elle sera coffrée,
je veux bien faire partie d'une commission internationale de
juristes qui assistera à son procès. »)

En fait ma réputation de courage était totalement surfaite.
J'étais un escroc. C'était Mado, l'intrépide, celle qui n'avait
pas peur des flics « parce que, disait-elle, je suis Française
depuis toujours, ce pays m'appartient et je les emmerde ».

Fin de la guerre d'Algérie. Nous terminons nos études de droit, nous servons d'assistantes, de secrétaires, de coursières, de passeuses de café et de porteuses de valise à Michel, célèbre avocat du Feuleuneu qui n'est pas encore l'ex-jules de Noémi ni la vedette des Assises. Il me demande de conduire en voiture vers la Belgique un des dirigeants de la Fédération de France. (« Avec ton air innocent, Lola. ») Je dis oui, je dis non, puis malgré la pétoche qui me mène au bord de l'évanouissement, je me mets au volant de la DS. Mais j'ai tellement les foies que je dégueule tout le long de la route. L'Algérien doit conduire lui-même et, arrivés dans le village du Nord où des chtimis doivent nous réceptionner pour nous faire, par des jardinets, passer la frontière, je dois m'aliter. Seule, malheureusement, car la révolution n'attend pas et le frère aux yeux de biche est pressé d'aller manger des frites.

Certes, quelques années plus tard, il y a bientôt dix-sept ans, l'appartement que je partageais alors avec Mado était devenu le Q.G. des Dominicains, qui n'étaient pas moines mais originaires de l'une des perles des Antilles. J'ai la mémoire qui flanche et je ne sais plus s'ils étaient du Mouvement du 29 février, du 33 août ou du 42 décembre.

C'étaient, me rappelle toujours Mado, des marxistes du MPD et des castristes du M.-14 juin. Ils s'engueulaient sur des points de doctrine, mais ils se sont tous fait massacrer quelques mois plus tard par les marines américains. Et le plus beau des Dominicains, ce long métis d'Espagnol, d'Indien et de Nègre, qui sentait la vanille et possédait dans mon souvenir une verge dorée, ce si bel homme aussi sombre que mon père était clair, cet étranger si familier, *avocado* fils d'avocat, enfant chéri de la « Ciudad Nueva », le quartier chic de la capitale, prénommé Rafaël Leonidad comme Trujillo, le tyran des tyrans, Rafaël qui s'était entraîné à Cuba, avait tenté de refaire en 1963 le coup de Fidel, de débarquer venant du Mexique sur une plage déserte pour prendre le maquis, avait été arrêté, torturé, puis échangé avec des camarades contre des otages, enfin expulsé vers l'Algérie où lors du 10e anniversaire du déclenchement de la guerre de Libération on m'avait chargée de lui tenir compagnie jusqu'à Paris où… Oh, la barbe !

Donc, Rafaël Leonidad m'avait laissé en souvenir un charmant petit embryon, devenu mon fils, Bolivar-David, dont je n'avais pas avorté parce que Rafa avait été le premier et en vérité le seul homme qui m'avait fait oublier mon père.

« C'est vous qui le dites, ma bonne, dirait Adolphe Tsoulovski. Leonidad ? Votre père ne s'appelait-il pas Lev ? »

Oui, il me baisait, Leonidad Rafaël, en silence, dans les hôtels minables des portes de Paris qui s'appelaient tous « Terminus ». — *Et vous, à force de* gosar y gosar, *à force de* mamaïages, *vous pleuriez, vous pleuriez, Lola, et vous aviez l'impression de chevaucher un cheval fou. Et parfois, il disait :* « Lola es tan corto el amor es tan largo el olvido[1]. » *Et il vous appelait :* Mujer verde *et il vous demandait :* No te dane negrita ? *Et il disait parfois :* Te amo tanto que me voy a morir. *Et vous pleuriez.* Un mois après son départ, j'avais lu dans le journal qu'il avait été abattu sur le pont Duarte. — *Oh, Lola, arrêtez de chialer : vous savez bien qu'il n'est pas mort Rafa, il vous a plaquée tout simplement.*

Non, je n'étais pas une héroïne ! Je n'étais pas Antigone ! Je n'avais pas passé en douce une arme au condamné à mort que Michel n'avait pas arraché à la guillotine. (« Moi ? Comment ? Mon serment ! Moi, je suis contre la peine de mort, je n'accepterai pas que vous soyez coupé en deux... Mais... Mais... Mais. »)

Donc, il y a trois ans, je tâtais mon sein gauche, je m'apitoyais sur mes défuntes amours et je faisais le bilan de ma carrière merdique. Puis, passablement éméchée, je me rendis aux PUF où je cherchai un livre sur le cancer du sein. J'en achetai une douzaine : *J'ai vaincu mon cancer, J'ai combattu mon cancer, J'ai surmonté mon cancer, J'ai terrassé mon cancer, Cancer du sein : le drame d'une strip-teaseuse, Un cancer au Carmel, Soignez votre cancer par les plantes, Le troisième secret de Fatima : la solution du cancer, Cancer, une question à mille balles, Le who's who du cancer.* Mais je ne trouvai pas : *Cancer et problème juif.*

1. Lola, l'amour est si court, l'oubli est si long.

Puis, je me rappelle avoir buté devant le drugstore de Saint-Germain-des-Prés sur Simon Bergman, mon ami d'enfance, mon plus-que-frère. Il me dit une fois de plus que — comme Simone Veil — j'étais une juive somptueuse. Nous fîmes quelques pas, commentant les derniers exploits des Israéliens. Il me dit, prenant l'accent de son père : « Durs sont les temps pour les *Jouifs* », puis il me chanta : *Dem letztn tanz mit dir*[1], la valse sur laquelle mon père et ma mère se séduisirent dans un bal à Belleville en 1936, la veille du départ du beau Lev pour la compagnie Botwin des Brigades internationales en Espagne. Et, mystérieusement, Simon me dit : « Un jour, j'écrirai un livre sur toi intitulé : *Et pendant ce temps que faisaient les Juives nos sœurs ?* »

Je répondis sans doute : « Elles se fabriquaient connement un cancer. »

Il enchaîna douloureusement : « Je t'interdis de mourir. » Puis, avec ironie : « Tu serais la sainte du judaïsme, tu aurais souffert en ton corps pour la réconciliation judéo-arabe. »

Il me regarda. Je le regardai. Et je pensai : « Tu ne commettras point l'inceste. »

C'était une vieille histoire d'amour. Souvenirs. Souvenirs. J'ai quinze ans, Simon à peine dix. Évidemment nous rêvons tous les deux d'être fusillés en criant une connerie quelconque : « Vive le Parti communiste allemand », façon Manouchian, « On ne meurt pas, on tue », paroles prêtées par Simon à Marcel Rayman, un jeune tricoteur de dix-sept ans qui abattit en une semaine de 1942 cinq officiers allemands, « Vive la vie », bien sûr, ou « *Patria o muerte* », et puis au choix « Vive la Révolution », « Le fascisme ne passera pas », « Et je te dis de vivre et d'avoir un enfant », ou bien comme Valentin Feldman à ses Boches exécuteurs : « Imbéciles, c'est pour vous que je meurs ! »

Simon fut accusé d'un crime qu'il n'avait pas commis... A la prison de Fresnes, il attend son procès, il risque sa tête. Il se met à somatiser, comme on dit : une grosseur lui vient au cou. On le transporte, entouré de gardes mobiles, dans un centre anticancéreux à Villejuif la bien-nommée. Son cou se devait-il parfait pour la faucheuse ? Je le rencontre comme

1. *Notre dernière danse.*

chaque semaine au parloir des avocats. Il me semble terrorisé. Je m'étonne : « Mais Simon, un cancer... Quelle importance ? Tu risques de basculer. » Il ricane : « La mort, je m'en fous, je n'aime pas la vie. Mais je ne veux pas être atteint. Pourri. »

Comme moi, il avait raté de peu le train pour Auschwitz. Il échappa à la guillotine. Il échappa à perpète. Il échappa à la prison. Il n'échappa pas aux tueurs en baskets, vêtus et gantés de cuir noir, à ceux qui finissent toujours par vous rattraper.

Ce jour de septembre 1979, il y a maintenant trois ans, Simon me rappela qu'il voulait me faire rencontrer un grand magistrat juif (pour lui, les Juifs : prix Nobel, flics, macs, prostituées, gangsters, parachutistes, chefs d'orchestre, magistrats, révolutionnaires, épiciers, étaient toujours *grands*), un procureur qui avait des tuyaux sur tous les fafs de la police et de l'armée.

A nouveau, je ressentis une inquiétude, une vague tristesse, l'impression d'être pistée, observée. Un homme en uniforme se dirigeait vers nous. Je pensai : « Ça y est, c'est un flic, nous y sommes ! » C'était un employé des pompes funèbres. Ignorant que je ne le reverrais plus vivant, je dis « Salut » à Simon. Sans l'embrasser. Nous ne nous embrassions jamais. Séducteur, il me rappela : « La première fois que je t'ai vue, j'avais cinq ans et je m'en souviens, tu as dit devant toute la famille : " J'en ai marre d'être juive. Je suis trop jeune. " Et ta mère a crié : " *Oï ! Gewalt !* Elle finira sur le trottoir ! " »

Je confirmai : « J'en ai toujours marre d'être juive. Et marre d'en avoir marre. » Il ironisa : « En ayant marre de souffrir elle dit : *Oï* et décida de se faire *goï*. »

(Je ne parlerai plus de Simon, je le promets. Il est mort. Paix à son âme.)

Puis j'allai au Palais de Justice où j'aperçus Michel entouré d'une meute de jeunes avocates admiratives. Il s'était laissé pousser barbe et moustache et ça lui donnait l'air un peu moins convenable. Quand je travaillais avec lui, alors qu'il était l'amant de Noémi, je le trouvais, avec ses boucles blondes et ses yeux myosotis, la séduction même. (« Un véritable homme du monde, comme disait ma mère. Dommage, ajoutait-elle, que ce *shaïgetz*[1] soit marié. »)

Il me vit, abandonna sa cour pour venir m'embrasser. Il sentait « Vétiver » de Guerlain, eau de toilette un peu féminine pour un homme vêtu de flanelle grise et de tweed à dominante beige.

Michel m'entraîna vers la buvette où je recommandai un cognac. Comme d'habitude, il me tenait la main et me répétait qu'il m'aimait, qu'il m'avait toujours aimée, qu'il n'aurait jamais dû s'engager avec Noémi, que j'étais douce et belle... Et patati. Et patata.

— Laisse-moi toucher tes seins.

Voilà que ça le reprenait ! Dans cinq minutes il allait reparler de mon divin sourire qui le brûlait. Et re-patati. Et re-patata.

— Tu bois trop, Lola. Tu prends toujours autant d'amphets ? Je me demande bien pourquoi. Tu n'es pas écrivain.

— Je prends ce que je veux. De toute façon, j'ai envie de crever.

— Toujours à cause de ce Nègre ?

Cette manie qu'il avait de baptiser les hommes qui n'étaient pas bretons comme lui de Nègres ou d'Arabes.

Un jour, cet homme de gauche, s'engueulant avec la malheureuse Noémi qui baisouillait vaguement avec un dentiste juif tunisien, lui avait crié en la secouant comme un prunier : « Toi et ta sœur, vous n'aimez que les Arabes ! Ils ont de grandes queues les Arabes ? Ils vous battent ? C'est ça ! vous aimez être fouettées ? » Puis il avait glosé sur nos fureurs utérines, la terreur que lui inspirait la crudité des récits féminins qui rendraient les hommes sinon homosexuels du moins impuissants. Huit jours plus tard, il avait hurlé au téléphone à Noémi qui avait failli en tomber raide morte : « Fermez vos braguettes. Vos sexes circoncis n'intéressent plus personne. »

Ensuite, à genoux, il s'était excusé, nous avait envoyé des orchidées et des lys safranés, nous avait emmenées, *mishpokhè* Nussenberg et Frïedlander réunies, dîner chez Gol-

---

1. Masculin de *schikse* : un non-juif.

denberg, avait religieusement avalé l'indigeste *gefilte fish* [1], le bouillon *mit lokshn* [2], le foie de volaille haché aux oignons, le gâteau au fromage, le tout arrosé de vodka, lui qui n'aimait que le pouilly-fuissé.

En sirotant mon cognac à la buvette du Palais, je lui confiais pour l'emmerder que Simon était le seul homme que je pourrais aimer parce qu'il était mon frère et que, comme moi, il avait, enfant, décidé de gâcher sa vie.

— Simon, me dit-il, un jour il recevra une bastos perdue avec ses conneries. Et toi avec. Tu ne crois pas que j'ignore ce que vous fricotez ? Quelle impudeur ! Mais, pauvre pomme, Hitler est mort depuis longtemps. Cessez de vous faire remarquer.

Suivit un long discours mille fois rabaché sur le narcissisme juif qui n'intéressait plus personne. « Et Auschwitz, ras-le-bol ! Et il y avait eu d'autres massacres. Et les millions d'Algériens, nom de Dieu ! Et les millions de Vietnamiens ! »

Je n'écoutais pas. Je l'imaginais avec un béret basque, une baguette à la main, lui, l'ancien résistant qui avec un curé FTP avait libéré à 16 ans un faubourg de Quimperlé.

Je m'attendais à ce qu'il me sorte son couplet sur les Palestiniens. Ces chers Palestiniens — dont lui se foutait comme de l'an quarante — mais dont moi, avec mon culpabilisme, j'avais porté des années la cause (« El Kadia », comme ils disent du côté de Damas) comme une croix. (Monsieur le Kommissaire, un Juif a-t-il le droit de commettre une injustice ? Un Juif a-t-il le droit d'opprimer un autre peuple ?) Et j'en passe et des meilleures. Et je me dis : « s'il me parle des Palestiniens, je lui fous une baffe. »

Michel me demanda alors des nouvelles du cabinet où je travaillais en association avec Mado et trois autres copines.

— Je m'en bats l'œil du cab', dis-je. Avocate, pour moi, c'est une imposture.

Il me fit la morale :

— Si tu avais voulu, tu aurais pu devenir une grande avocate. Mais tu n'es pas sérieuse, pas assez « pro ». Trop

1. Carpe farcie.
2. Bouillon aux pâtes.

ceci. Pas assez cela. Notre métier, c'est de défendre. Tu te poses trop de questions… Mais tes yeux tristes, Lola, mais ton sourire fatal, Lola. Mais pourquoi tu m'aimes pas, Lola ? On pourrait être si heureux, Lola. On fait le même métier. On vivrait doucement. Je quitterais ma femme…

Bref, il était reparti sur son éléphant rose.

En fin de soirée, sans doute, passai-je au bureau. J'y trouvai les filles assises dans la cuisine qui nous servait de boudoir collectif. Elles noyaient dans l'alcool le chagrin de Mado qui venait d'envoyer aux Assises un Marocain violeur de trois femmes.

— Jamais plus, sanglotait Mado, je ne plaiderai contre un travailleur émigré.

— *Et vous dites, je crois : misère sexuelle, mon cul ! S'ils sont de la pointe, z'ont qu'à faire la révolution chez eux et moins faire chier leurs bonnes femmes.*

Madeleine me lança un regard outré : « Tu deviens maboule, Lola. »

Je n'attendis pas le travailleur tunisien menacé d'expulsion, et je pris congé de mes associées qui me saluèrent du classique « Et roule ma poule », avec l'accent pied-noir.

Depuis le hall de mon immeuble, j'entendais le ramdam qui venait de chez moi. Musique, rires, hurlements, Bolivar-David, dit Bol'Dav', recevait au lieu de faire ses devoirs (« Ah ! ce n'est pas Einstein n° 2, comme dirait ma mère. Fé ! Normal, il n'est qu'à moitié juif. »)

Quel chantier ! Dans le salon, Higelin hurlant, me semblait-il : « Banlieue boogie blues » sur la chaîne, ils étaient tous avachis les uns sur les autres, filles et garçons mêlés, scotchés comme des débiles à la télé devant Goldorak en se bâfrant de saucisses au colorant E 102, de fromages pour sandwich au stabilisant E 440, de pain de mie sous conservateur E 150 et en s'envoyant du soda au colorant E 122. Et quelle tabagie !

Je fermai brutalement la télé, hurlant :

— Vous voulez avoir un cancer, bande de connards, c'est

ça ? Toutes les *chazeraï*[1] que vous bouffez sont cancéri-gènes !

Et je flanquai une paire de gifles à mon fils Bolivar, chair de ma chair qui à treize ans et demi me dépassait d'une tête. La première baffe de sa vie. Il en fut stupéfait. Je donnais des coups de pied dans les bouteilles, contre les meubles. Tous, terrorisés, ils ne pipaient pas.

Aïcha accourut et me dit en arabe :

— Ma gazelle, mes yeux, tu penses trop, le bon Dieu il t'a donné qu'un seul bébé, bien sûr, il mange trop de cochon mais c'est pas un vrai juif, viens je vais te masser les pieds.

Alors j'aperçus, sur la petite brune de douze ans que je soupçonnais de dévoyer la prunelle de mes yeux, le pull-over de marin que j'avais récemment acheté aux puces et je la déshabillai brutalement :

— Cessez de vous échanger les vêtements ! Qui a pris le zoublon de cuir de Bolivar ? (Dans mon énervement, je parlais verlan comme ces connards.)

Puis je remarquai la présence du meilleur ami de Bolivar, Jérôme (dont la ravissante mère était la vieille amante d'un sénateur RPR proche de l'extrême droite), ce Jérôme que j'accusais depuis la maternelle de militer au Front national, et je hurlai :

— Tu prends racine ici ? Ou quoi ?

Bolivar qui adorait son ami d'enfance me regarda doulou-reusement. Il avait honte, comme j'avais honte il y a vingt-huit ans lorsque ma mère rentrait comme une hallucinée de l'atelier où elle avait surjeté tout le jour et hurlait : « Qui ? Qui ? Qui a enlevé la peau du poulet rôti ? Qui ? Qui a mangé la dernière boulette de viande hachée ? » et flanquait le rosbif — ou ce qui en restait — par la fenêtre, après avoir, avec son délicieux accent, scandé devant mes copines de lycée, filles de riches charcutières ou de concierges auver-gnates : « *Dem feïot arbet !* Oui, le cheval travaille. Et mademoiselle *dem printcess fress't*[2]. La grosse lente s'en-graisse ! » (Oui, un jour j'étais un œuf de pou, un autre un

---

1. Yiddish : cochonneries.
2. Yiddish : « La princesse s'empifre. »

kebab en merde, un autre une mouche se déplaçant dans la crème fraîche… Mais c'est une autre histoire…)

Était-ce ma voix ou celle de ma mère qui gueulait en bégayant :

— Ça suffit cette vie de lumpen ! Ici c'est pas un hôtel. Dehors ! Rentrez chez vous !

La folle, moi, se précipita dans sa chambre en claquant la porte, se prit la tête à deux mains et commença à se donner des coups contre le mur — comme, enfant, elle l'avait vu faire tant de fois. Puis, la comédie ayant assez duré, je me déshabillai devant l'immense miroir entouré des images de mon petit musée personnel : le républicain espagnol atteint dans le dos, de Capa, le garde mobile qui sourit lors de la rafle du Vél' d'hiv, le 16 juillet 1942, le petit garçon à la casquette, les mains en l'air dans le ghetto de Varsovie, le regard d'une petite fille dans une mechta des Aurès, un jeune juif bronzé, un *koufieh* palestinien sur la tête, mon père à Haïffa en 1925, des femmes noires, ayant perdu leurs chaussures, qui courent au milieu des cadavres à Sharpeville, en Afrique du Sud, and so on… Et je me dis : « Je suis une guerre civile. »

Je me caressai le sein gauche, je fis rouler la bosse et je me dis qu'elle se trouvait justement là où ma mère trente-sept ans plus tôt avait cousu l'étoile jaune.

Voilà, nous y étions. Le châtiment tant espéré était là. Les morts allaient-ils ressusciter ?

kebab en merde, un autre une mouche se déplaçant dans la crâne fraîche. Mais c'est une autre histoire.)

— N'est-ce pas vous ou cela de ma mère qui gueulait en bégayant :

— Ça suffit cette vie de lumpen ! Ici c'est pas un hôtel. Dehors ! Rentrez chez vous !

La folle, moi, se précipita dans sa chambre en claquant la porte, se prit la tête à deux mains et commença à se donner des coups contre le mur — comme, enfant, elle l'avait vu faire tant de fois. Puis, la comédie ayant assez duré, je me déshabillai devant l'immense miroir entouré des images de mon petit musée personnel : le républicain espagnol atteint dans le dos, de Capa, le garde mobile qui sourit lors de la rafle du Vél' d'hiv' 16.16 juillet 1942, le petit garçon à la casquette, les mains en l'air dans le ghetto de Varsovie, le regard d'une petite fille dans une mechta des Aurès, un jeune juif bronzé, un koufieh palestinien sur la tête, mon père à Haffa en 1925, des femmes nues, ayant perdu leurs chaussures, qui courent au milieu des cadavres à Sharpeville en Afrique du Sud, and so on... Et je me dis : « Je suis une guerre civile... »

Je me caressai le sein gauche, je fis rouler la bosse et je me dis qu'elle se trouvant justement là où ma mère trente-sept ans plus tôt avait cousu l'étoile jaune.

Voilà, nous y étions. Le châtiment tant espéré était là. Les morts allaient-ils ressusciter ?

4

La perspective de me faire couper le (les) sein(s) me réjouissait assez. Plate, amazone, androgyne : enfin ! J'appelai néanmoins papa Félix qui me prit, malgré les barrages des zélées secrétaires et bien qu'il fût en conclave avec ses assistants. Le professeur Félix Katz est le plus célèbre cardiologue de France, sans doute le seul ex-gauchiste au monde appelé en consultation par les chefs d'État les plus réactionnaires. Je ne sais plus très bien où j'ai connu Félix, professeur agrégé à trente-deux ans et chef de service à quarante, ce qu'il se plaisait à rappeler en précisant : « bien que juif et marxiste ». Avais-je zaibé pour la première fois avec lui pendant une cession du tribunal Russell contre les crimes de guerre américains au Vietnam ? A moins que ce ne fût au Vietnam même, du côté de Vinh-Linh sur le 17e parallèle, sous un bombardement de B 52, lors d'une mission de ce même tribunal. — *Vous vous en souvenez fort bien, Lola : Félix qui avait alors l'air d'un gros chat roux vous chantait le* Horst Wessel, *l'hymne des SA nazies, pour vous obliger à garder sur la piste, dans la jungle, un rythme égal derrière le jeune guide du Feuneuleu, qui lui chantait* Sambre et Meuse ; *puis vous aviez dû vous jeter dans un trou sous un tas de branchages ; à genoux, serré contre vous, il avait ouvert votre chemise et votre pantalon noir ; vous aviez murmuré, entendant exploser les bombes de cinq cents kilos : « Est-ce bien raisonnable ? » et il vous avait répondu : « Mais oui, choupette, mourir pour mourir, autant mourir en gémissant : O ! O ! O ! » Et vous, Lola, demeurée : « Ho ? L'oncle Ho ? »*

49

Bien que fort plaisante, notre aventure avait été fort brève.

« Dommage, avait dit ma mère, ça c'est un *shiddeh*[1] pour toi. *A professor !* »

Mais depuis, malgré son mariage avec une parpaillote qui le tenait bien en main, il était devenu pour moi une sorte de papa à qui je racontais tout. Ou presque. Ça le faisait bander, disait-il. (« Lola, ta voix au téléphone, me donne des érections. T'as une voix à faire le trottoir. »)

— Félix, dis-je. Tu peux venir ? Je suis angoissée.

— C'est original.

— Je crois que j'ai un cancer.

— *Mazeltov !* Enfin ! Dommage qu'on ait découvert le Rimifon. T'aurais fait une belle tubarde.

Il vint, me trouva habillée au lit, éventée par Aïcha qui me faisait les sorts pour éloigner le mauvais œil tout en maudissant El Kelb (le chien), sur la photo duquel elle avait planté sept aiguilles symbolisant sept démons. Ce Rafaël Leonidad qui, elle l'avait toujours dit, m'avait donné « la goisse » et la maladie.

— A poil ! A poil ! dit le bon Félix qui avait, en l'honneur de sa nouvelle maîtresse — une fille de salle peule —, perdu dix kilos.

Il m'examina, palpa mes seins, mes aisselles, mon cou, fit plusieurs grimaces et dit :

— Mais non, c'est rien, c'est ta mastose habituelle.

Je pleurai longuement contre sa confortable épaule qui sentait la sueur fraîche. (Oh, Félix, pourquoi ne m'as-tu pas épousée sous la *'houppa* à la synagogue de la rue des Victoires ? Pourquoi m'as-tu laissée avec mes fantômes ?)

Je me mouchai à sa chemise. Il dit :

— Écoute, choupette, ce n'est rien, avec ou sans sein tu seras toujours aussi jouable, moi je te baiserai quand tu veux où tu veux.

— Jamais. Jamais plus. C'est fini. Je ne baiserai plus.

— Tu ne baiserais plus pour un malheureux cancer ?

— Tu avoues que j'ai un cancer ?

1. Mariage arrangé ; par extension : un bon parti.

— Sans doute. Deux peut-être ?

— Tu dis que j'ai sans doute un cancer pour que je croie que je n'en ai pas ? Alors qu'en fait j'en ai un ? Pourquoi mentir ?

Il rit.

— A part moi qui te supporterait ?

Et c'est ainsi que je me retrouvai quelques jours plus tard après diverses péripéties que je n'ai pas le cœur de narrer — reportez-vous aux nombreux ouvrages de dames sur la question (« Alors-j'attends-dans-le-bureau-du-radiologue-j'ai-le-cœur-qui-bat-ça-n'arrive-pas-qu'aux-autres-et-cetera »), je me retrouvai dans la chambre de l'hôpital Ambroise Paré où on allait me mutiler car j'en avais décidé ainsi : je voulais une cicatrice pour qu'on croie enfin à mon malheur. Qu'il se voie.

Le chauffeur de taxi qui m'avait menée au charcutoir, et auquel j'avais raconté mes malheurs, m'avait jeté, égrillard :

— J'espère que votre mari est manchot.

Je m'étais marrée comme j'avais ri lorsqu'un de mes amis m'avait consolée :

— Franchement, Lola, c'est pas ce que t'avais de mieux. Et puis tu sais, c'est toujours les meilleurs qui s'en vont les premiers.

Et mon père et Rafa, que diraient-ils s'ils savaient que j'avais décidé de me castrer ?

« Mais enfin, Lola Frïedlander, dirait Adolphe Tsoulovski, j'ai parlé du nœud dur de votre histoire. Avez-vous déjà essayé de pénétrer une femme du bout de votre téton ? »

Et Simon, me rappellerait-il ces vers d'Aragon que nous récitions enfants : La nuit qui préféda sa mort fut la plus courte de sa vie / L'idée qu'il existait encore lui brûlait le sang aux poignets...

L'aide-soignant, que j'avais baptisé « Jeannot-Lapin » parce qu'il ressemblait à Jerry Lewis, m'annonça en bégayant qu'une infirmière me piquerait vers six heures du matin. Il ne savait pas que je m'identifiais à Gabriel Péri. Je songeai à l'avocat venant annoncer au condamné à mort que son recours en grâce était refusé. Je dis à mon nibard de se préparer moralement à paraître devant Dieu car — comme dit le rabbin — : « Pénitence et confession, prières et bonnes œuvres ne font pas mourir. Au contraire, elles peuvent avoir pour effet de fléchir la rigueur de l'arrêt de Dieu. » Puis j'attendis, nue (il n'y avait plus de chemise spéciale), que le cortège traditionnel des exécutions capitales (mais pourquoi l'assistance était-elle antillaise ?) m'emportât vers la guillotine. J'étais très calme, bien sûr, puisque je me prenais maintenant pour Olga Bencic menée vers le bourreau et la hache électrique à la citadelle de Francfort.

L'infirmière me parla avec ménagement. Je lui dis :

— J'ai un cancer, je m'en fous.

— Mais non, dit-elle, maintenant on enlève les seins pour une grippe.

Elle ignorait évidemment que j'étais une héroïne de la Résistance dans une superproduction hollywoodienne.

« *Comediante ! Tragediante !* Jusqu'où iront vos mises en scène, vos mises en corps, Frïedlander ? dirait Adolphe Tsoulovski. A dix pieds sous terre ? »

Jeannot-Lapin me rasa les aisselles et je pensai au supplicié en chemise auquel on dégage le cou. Je regardais mes larges épaules, mes seins lourds, mes hanches pleines, mon corps nu, et pour la première fois je le trouvais beau, digne de poser pour *Play Boy*. Et j'en eus déjà la nostalgie et je me dis : « Pourquoi en suis-je arrivée là ? » Et ce corps que je prétendais détester et dont je m'étonnais qu'il puisse inspirer du désir, je m'aperçus que je l'aimais, que je tenais à son intégrité. C'était mon corps. Et cette phrase que je trouvais si conne, « mon corps m'appartient », me semblait pour la première fois pleine de sens.

Chansonnette à la radio : « Emmène-moi danser ce soir joue contre joue comme cette nuit où tu as pris mes dix-sept ans. » Je me mis à chialer doucement, théâtralement, bien que j'eusse vingt-cinq ans lorsque le beau Frankie chantant : « *Strangers in the night we were together...* », je me laissais emporter, pieds décollant du sol, serrée contre Rafa, mouillée des yeux au sexe, parce que je sentais sa bite dorée à l'odeur de vanille durcir contre mon ventre et que la chaleur, la douceur qui m'emplissaient, m'engourdissaient, me rappelaient une sensation d'enfance, peut-être rêvée.

Et je disais : « Rafa, je veux être dans ton ventre et que tu sois dans mon ventre, Rafa, je veux un petit garçon sombre avec une moustache dans mon ventre, Rafa, je t'aime tant que je disputerai ton cadavre aux vautours, que je le mangerai. »

Lorsque je repris conscience quelques heures plus tard, je me dis : « Ça y est, ils m'ont eue comme Simon, j'ai reçu une rafale dans la poitrine. » Puis je me souvins, je me demandai ce qu'ils faisaient de tous ces seins coupés. — *Vous auriez dû prévenir qu'on vous le gardât, pour que vous l'envoyassiez à vos rivales imaginaires.*

J'avais des tuyaux qui sortaient de partout et je ne ressemblais pas aux héroïnes des films sur le cancer, si blanches, si belles, si lisses dans leurs chemises de nuit parme.

En nage, les cheveux crêpés et emmêlés, la bave aux lèvres, putain, qu'est-ce que j'avais mal !

J'ouvris les yeux et j'aperçus, penché vers moi, le visage tragique de Noémi qui plaintivement répétait :

— Elle va mourir ! Aïcha, je te dis qu'elle va mourir !

Et la bonne Aïcha, ma mère arabe, plus ma nounou que celle de mon fils, s'exclamait :

— *Ya Latif ! Ya Latif ! Allah ou Akbah*[1] ! Elle ne meurt pas, ma gazelle si belle, j'irai à La Mecque, j'irai même à Jérusalem chez les *zayounistes,* on l'a ensorcelée. (Et elle me passait du citron sur les lèvres.)

— Je veux un fixe, dis-je. J'y ai droit.

— Ah non ! répondit une voix féminine à l'accent alsacien. On n'a pas d'ordre. On dit qu'on a mal, on vous donne de la morphine et huit jours après on est accroché...

J'eus tout de même droit aux « antalgiques majeurs », car arriva le sauveur, le coupeur, le charmant docteur Derry qui m'avait dit le matin avant de trancher :

— Dans deux ans si tout va bien je vous refais un plus

1. Implorations en arabe : Oh le miséricordieux ! Allah est le plus grand !

beau sein qu'avant, et le téton, vous verrez, c'est facile, on vous prend un bout de la vulve, c'est pareil, c'est mauve.

Et je m'étais endormie en me disant : « Il ne manque plus que ça, je me coupe le nœud dur, et je me retrouve avec deux clitoris, un en bas et un en haut ! »

— Tout va bien, dit Derry, c'était une belle tumeur de deux centimètres et on a enlevé dix-huit ganglions sous l'aisselle gauche on a tout envoyé à l' « anapat' » pour analyser et si les ganglions ne sont pas atteints, vous êtes guérie.

Ensuite, ce fut le pied. Complètement camée au Palfium et au Fortal, je tenais salon, entourée de ma cour de copines, sous l'œil hargneux de Noémi qui trouvait que je manquais de dignité. Bien sûr, elle se trouva par sympathie une boule au sein qui n'était, après examen, qu'une boule de cellulite, et j'eus droit au discours usé :

— Il faut toujours que ce qui t'arrive soit plus intéressant que ce qui arrive aux autres, tu valorises ton cancer pour minimiser ma boule... C'est de ta faute si je suis cadre dans une agence de publicité, tu m'as empêchée d'être avocate, tu m'as empêchée d'être écrivain...

Air connu. Puis, la mine égarée, elle me couvrit de baisers en me jurant qu'elle ne me survivrait pas.

C'est alors que je le vis pour la première fois, *lui*, celui que j'allais successivement aimer, haïr, condamner, pardonner, honnir, admirer, adorer, celui qui me ferait espérer, désespérer, pleurer et rire, ce cher Samuel Tobman.

Plutôt rigolarde, car Mado m'avait apporté à l'hosto du Chivas afin de remplacer le Dolosal qu'on m'avait supprimé pour que je devienne pas accro', je me peignais les pieds en sifflotant : « On n'a pas tous les jours vingt ans », lorsque Noémi ouvrit la télévision un après-midi à l'heure où passent les émissions pour les dames au foyer.

Au milieu d'un groupe de mères de famille pantelantes venues de toutes les provinces, le professeur Samuel Tobman racontait de sa voix faubourienne et lasse une histoire que je jugeais alors digne de la presse du cœur mais qui me fit sangloter, comme si je pressentais déjà que ce serait mon chemin dans le meilleur des cas.

Mme Dupont qui était jeune et belle avait un cancer qui s'était étendu et une fille de cinq ans. Elle avait demandé à Samuel de l'aider à vivre, à n'importe quel prix, jusqu'à ce que son enfant eût quatorze ans. Elle avait, avec un grand courage, accepté les opérations successives (car le cancer était devenu bilatéral, puis avait essaimé dans les os), les rayons qui brûlent, la chimiothérapie qui empoisonne, fait tomber les cheveux, fatigue. La maladie maîtrisée, puis contenue, avait fini par flamber. La jeune femme en avait partout, elle se déplaçait difficilement sur des béquilles et chaque pas était un supplice, malgré les doses massives de morphine. Elle avait supplié Samuel de l'aider à en finir le jour où il n'y aurait d'autre espoir que de perdurer durement grabataire, à l'état de légume. Il avait promis.

Un soir, sa fille venait juste d'avoir quatorze ans, elle débarqua à l'hôpital avec sa petite valise et elle murmura au beau Samuel : « Je veux en finir ce soir. Je me suis battue, vous aussi. Nous avons gagné et perdu. » Il tint sa promesse, mais avant qu'on ne la fasse dormir il avait bu avec elle un dernier cocktail.

Je chialais tellement que je me mouchai dans les draps. Je hoquetais : « Moi aussi, je veux être euthanasée à l'Alexandra ou au Blue-lagoon. »

Vint le jour de mon départ de l'hôpital. Torse nu, mes longs cheveux défaits dans le dos, j'essayais, me mirant dans la glace du cabinet de toilette, de fermer ma braguette. Mon sein droit, le seul de mes nibards que j'avais aimé, maintenant orphelin, semblait de tristesse piquer légèrement du nez. En fait, le côté gauche de mon poitrail, lisse maintenant comme celui d'un adolescent, simplement barré de la fine cicatrice encore rougeâtre, me plaisait. J'éprouvais du désir pour cette grande femme rousse, un peu triste qui me regardait en fredonnant, comme tout le monde cet automne-là : « *Honesty what I need from you... ou... ou...* » J'avais envie de passer ma main dans l'ouverture de son jean, de glisser un doigt sous les poils roux, de la caresser. J'aperçus dans le miroir le visage du docteur Derry, son crâne à la légère calvitie, son regard affectueux. Il m'observait depuis un moment :

— Vous savez… qui a prétendu que la symétrie était la beauté ? dit-il doucement. Un sein, deux seins, trois seins… Bof !

Il fit un geste maladroit et renversa les flacons sur la table de pansements.

— Vous voyez, madame Fr̈iedlander, vous me troublez.

Allais-je lui proposer la botte, là sur-le-champ ? Non. Je passai une chemise flottante, je posai mes lunettes sur le bout de mon nez :

— Peut-on, cher docteur, être et avoir été ? J'ai été punie par où je n'ai pas assez péché !

Non, dit-il, je n'avais pas été punie. Il ne fallait pas psychanalyser le cancer. *Mektoub !* C'était le destin, le hasard. D'ailleurs, j'étais certainement guérie. Les ganglions axillaires n'étaient pas atteints. Et comme mon cancer était situé sur le cadran externe gauche, il n'y avait aucune chance que ceux de la chaîne mammaire interne le soient.

De toute façon, l'important était de tenir une dizaine d'années, jusqu'à ce qu'on trouve le médicament miracle : « On a bien fini par trouver le Rimifon pour la tuberculose ! »

« Arrête ton charre, Ben-Hur, ou je saute en marche », pensai-je.

5

La vie reprit, comme on dit, entre Fresnes et Fleury, Santé, Palais de Justice, divorces, viols, expulsions, bavures policières et autres joyeusetés, entre whisky, Valium, Captagon, fines plaisanteries des copines du cabinet chaque fois que, cafardeuse, je téléphonais à Félix Katz (« Elle croyait l'avoir connu sur la piste Ho-Chi-Minh, elle l'avait connu sur la pine aux Chimistes »), et visites au cimetière de Bagneux où je pleurais compulsivement devant la tombe de Simon sur laquelle des connards avaient écrit : « Mort pour la Révolution ».

La vie reprit entre les scènes d'amour de Bol'Dav' qui avait l'Œdipe un peu tardif et dont je me demandais ce qu'il deviendrait après ma mort, les scènes de ménage de la douce Noémi qui — un jour, où au bord de l'hystérie je faisais le tour des maisons de prothèses pour trouver « the » faux sein en silicone dont la forme, la consistance, le toucher, ressembleraient au « défunt » — m'avait susurré :

— Mais ma mie, le monde ne s'arrête pas de tourner parce que tu as un cancer.

Je passais mes soirées à la biblio' de Beaubourg à dévorer les livres sur le cancer, tous rédigés dans le style poétique des traités de stratégie, pleins de termes inconnus, de métaphores barbares : mégacaryocyte, du grec *mega* (grand), *caryo* (noyau) et cytes (cellules) ; mégaloblastes (précurseurs des globules rouges, trop grands) ; les erythroblastes polichromatofiles (qui aiment plusieurs couleurs), cellules de

Sternberg, des maladies de Hodgkin, cancer vert (localisations osseuses de certaines leucémies), gammapathie monoclonale maligne, cellules K (de l'anglais *killer*), des tueuses de cellules cancéreuses dont la nature est inconnue, et le plus important, métastase (du grec, *metastasis* : déplacement), i tutti quanti...

Je m'étais abonnée à toutes les revues médicales — même aux japonaises — et j'avais compris que 82 % des cancers du sein, n'ayant pas été traités après l'opération par la chimiothérapie, récidivaient : la tumeur primaire avait eu le temps de desquamer et les cellules cancéreuses silencieusement voguaient — se déplaçaient, métastasaient — comme des folles via les canaux lymphatiques ou les vaisseaux sanguins, puis se fixaient orgiaquement sur les organes qu'elles avaient choisi de coloniser en se multipliant, proliférant, trouant par-ci, excroissant par-là, jusqu'à prendre la place du corps de leur objet d'amour. J'avais l'impression de marcher de nuit, dans une sombre forêt, avec la certitude que, tapies dans les fourrés, mes ennemies, mes jumelles, allaient m'attaquer. Avec quelle arme ? Quelle partie de mon corps serait blessée ? L'autre sein ? Les poumons ? Le cerveau ? Le foie ? Les os ? Les ovaires ? Je guettais. Et ça m'épuisait.

La vie reprit et je n'avais rien appris, rien compris, rien coupé, rien payé, malgré ma livre de chair en cash. Plusieurs fois par jour le fantôme de Rafaël me traversait. Impossible de faire la part des songes de la nuit et des rêveries du jour.

C'est dans une maison en bois de style colonial, à Saint-Domingue où je ne suis jamais allé. Il fait lourd, la femme qui me ressemble est lourde. Elle me regarde dans un miroir, ses cheveux sont moites, elle les relève. Dans le miroir, elle aperçoit Rafaël, son maillot de corps en forme de débardeur, son pantalon blanc à pinces, blanc comme celui de mon père sur cette photo prise en Palestine dans les années trente, avec la douce éminence sous la ceinture qui me fascinait à trois ans.

Rafa se serre contre les reins de la femme, il tient ses seins à pleines mains, le gauche surtout dont le téton pointe. La femme a un peu mal. Il relève sa robe, lui dit : « *Mujer,* c'est bien, il ne faut jamais mettre collants ou culotte. » De sa longue main sombre, il ouvre sa braguette, je ne vois pas bien, mais je sens qu'il prend brusquement et doucement la femme par-derrière et je ne sais plus très bien combien j'ai d'orifices. Il est si fort, si grand Rafa, je suis suspendue à son cou, les bras en arrière, oui, mais je n'ai pas mal puisqu'il me porte par la taille. Peut-être ai-je mal. Je pleure.

Soudain, ça me prit comme une décharge électrique au creux des reins. Je gémis, je blêmis.

— Mais qu'est-ce que tu as, choupette ? demanda tendrement Félix Katz.

Buvant de la vodka tiède, nous étions assis les pieds sur la table de consultation de son bureau, au 18ᵉ étage du nouveau service de cardiologie.

— Je cherche mes deux bouts, ou à défaut, un seul, dis-je à Félix.

Sur le poste, j'avais entendu un cancérologue (était-ce Samuel Tobman ?) affirmer : « Beaucoup de cancéreux décident de brûler la vie par les deux bouts. » Ça m'avait fait marrer.

Il imita Aïcha : « T'as la goisse ? » Puis :

— Mais enfin, ma choupinette chérie, tu vas pas nous emmerder pendant vingt ans, la vie, c'est ici et maintenant.

De plus en plus livide, j'avais l'impression qu'on m'empalait jusqu'aux poumons.

— Tu baises trop, dit Félix. Dis-moi le nom de ton nouvel amant.

J'allumai la dixième clope de la soirée :

— Je baiserai jamais plus, je t'ai dit.

Son air était égrillard mais bon :

— Écoute choupinette, on a un contrat. Je suis ton papa, ton médecin de famille, ton frère et si tu veux ton fils, mais tu me dis tout.

Je pleurai, il me consola :

— Eugénie-la-larme-à-l'œil, tu veux une vodka-Valium ou un whisky-Témesta ? Écoute, tu es exactement dans la situation de tous ceux qui n'ont pas de cancer mais ignorent qu'ils ont une chance sur cinq d'en avoir un.

Il m'aimait. Il mentait.

— C'est écrit dans tous les livres, dis-je. Rémission, état mensonger qui fait croire au malade et au médecin que la maladie a disparu alors que cachée dans l'ombre elle s'apprête à reprendre de plus belle.

A nouveau je fus déchirée par un spasme, je ne pouvais plus poser le pied par terre.

— C'est une sciatique, dit Katz. Écoute, poussinette, t'as le droit d'avoir aussi une sciatique ou un lumbago. On peut avoir la syphilis et un bureau de tabac.

Ça ne me faisait plus rire et j'éclatai en sanglots.

— Bon, canaille, on va te faire des radios du bassin et des dorsales, une hystérographie, une urographie, on va doser tes phosphatases alcalines. T'es une vraie plaie pour la Sécurité sociale.

Un mois plus tard, toutes les radios, les analyses de sang étaient normales mais je ne me déplaçais que courbée en deux, appuyée sur une canne et on me répétait : « C'est psychosomatique. C'est dans ta tête. »

Félix eut pitié de moi. Il me prit enfin au sérieux et m'envoya, pour ne pas m'effrayer, passer une scintigraphie dans une clinique de luxe. (« Mais tu sais, si t'as mal partout, c'est bon signe ; une métastase, c'est localisé. ») En me conseillant de me méfier du professeur Bensoussan, le chef du service de médecine nucléaire qui n'était « qu'un cavaleur sépharade ».

« La scintigraphie, m'expliqua la gentille infirmière (en m'injectant en intraveineuse le phosphate de technétium radioactif qui irait se fixer sur le squelette là où les folles cellules auraient pu opérer " un remaniement osseux " — en clair, une métastase —), est une sorte de radio. »

Puis, elle sortit le baratin habituel : cool it down, elle avait une grand-mère ou une tante ou une cousine qui avait eu un cancer du sein, puis des métastases plein les os et grâce à la chimio, au cobalt, elle se portait comme un charme. D'ailleurs, elle venait de refaire sa vie, la grand-mère.

Je pensais élégamment : « Cause à mon cul, ma tête est malade. »

Le produit radioactif mettant plusieurs heures à se fixer

sur le squelette, on me conseilla d'aller me balader sur les Champs-Élysées. Je me croyais radioactive. Complètement à côté de mes pompes et persuadée que j'allais exploser en champignon atomique, je cherchais un taxi pour retourner dans le service de Bensoussan. Un flic — mon visage culpabilissime attirait toujours les flics — s'intéressa à mon sort :

— J'ai un cancer, dis-je, je suis radioactive.

— Ma pauvre petite.

Il me prenait pour une dingue mais arrêta un taxi, en fit descendre manu militari le passager, un gros Allemand, et me dit :

— On doit s'aider entre Français.

Effondrée dans le véhicule, je me souvins des sarcasmes de Noémi : « Oh, toi, même à Auschwitz tu te serais démerdée. Comédienne comme tu es. »

Je ne raconterai pas la séance de scinti — passons sur ces indolores misères —, où la manipulatrice hypocrite consciente de l'étendue du désastre, répétait : « Oh, non, nous on sait pas, y a que les docteurs qui savent tout. »

Bensoussan, la cinquantaine levantine, me fit écouter un chant juif espagnol : « *Por la calle de su dama se passea el amuro Saïdi* », puis se mit à commenter la politique israélienne dans les territoires occupés qu'il critiquait par « élitisme juif » (nous n'avons pas inventé le Dieu unique, mais le Dieu abstrait, nous avons inventé l'abstraction et bla-bla-bli et bla-bla-blo). Chaque fois qu'il disait « Israël », j'étais transpercée de douleur et je me disais : « Youpi ! C'est donc vraiment psychosomatique. J'ai rien ! »

Au bout d'une heure, j'en avais plein le dos de Guigliemo Hebreo, des violes et des flûtes, des amendements à la charte de l'OLP, des résolutions de l'ONU sur la Palestine et des : « Vous préférez la *two four two* ou *la three three nine* ? » Je dis :

— On règlera le conflit du Moyen-Orient une autre fois.

— Bon, ma belle, dit Bensoussan, prenant l'air important en étalant les clichés. Ça pourrait être mieux. Ça fixe en six endroits : le crâne, une côte, une dorsale, une cervicale, la hanche et la L4. D'ailleurs, c'est la plus intéressante.

Je bégayai :

— Mais comment c'est passé ?

J'étais un oiseau rare, ça arrivait une fois sur mille. On l'attendait par ici, elle était passée par là. Il tâta mon cou, grimaça : « Oh, mais il y a dans cette clavicule un paquet de ganglions pollués. »

Il me ponctionna, tout en tenant de joyeux propos : « On voit de tout en cancérologie. On ne sait pourquoi l'un meurt, l'autre vit. Entre nous on peut *tout* se dire, on a un autre rapport avec la mort que les goyim. »

Je répétai :

— Pourquoi moi ?

— C'est la vie, dit-il. Ou plutôt c'est la mort.

C'était la fin de Yom Kippour et, pour la première fois de ma vie, j'avais été à la synagogue de la rue Pavée : tante Rivke m'ayant appris que ce jour-là Dieu, sur le fair-play duquel j'avais de sérieux doutes, inscrivait dans le Livre de la Vie qui devait vivre, qui devait mourir. Je n'avais pu supporter de rester enfermée au premier étage, dans ce lieu clos, avec les femmes et les enfants, observant les hommes si beaux enveloppés dans leurs blancs *tales* de prière : j'avais l'impression d'être au Vél' d'hiv' en 1942. Je m'étais beaucoup repentie les jours précédents : je n'avais rien fait des trente-six ans que Jéhovah en sa grande bonté m'avait consenti en rab' depuis que j'avais raté le train pour Auschwitz ; je n'avais rien fait du sursis d'un an qu'il m'avait en sa plus grande bonté accordé depuis le coupage du sein. Je n'avais jamais su vivre. *Goteniü !*[1], lui avais-je proposé, faisons un deal : donne-moi une dernière chance et j'essaierai d'apprendre à vivre.

A la synagogue, dans la masse d'hommes qui se balançaient en désordre, récitant le Kol Nidre[2], j'avais vu un mongolien (ce qui m'avait fort troublée), puis reconnu le professeur Samuel Tobman, un feutre sur la tête, accompagné d'une vieille dame — sa mère sans doute — qui le

1. On dit que les juifs lorsqu'ils étaient tristes imploraient leur maman : « *Mamaniü !* », lorsqu'ils avaient peur, leur père : « *Tateniü !* », et quand ça devenait vraiment grave, Dieu : « *Goteniü !* ».
2. Prière qui ouvre les offices du jour du Grand Pardon.

regardait d'un air éperdu. Mais je n'avais pas osé lui demander un rendez-vous.

Depuis plusieurs jours, je me lamentais au cabinet, répétant devant mes copines effondrées : « Je veux être euthanasée à l'Alexandra ou au Manhattan », lorsque Pauline, une amie journaliste, dit :

— Le beau Samuel, mais je le connais très bien. Je milite avec lui dans l'Association d'amitié avec le peuple tibétain. Je vais l'appeler : c'est un chou !

Immédiatement, elle téléphona, l'obtint. Il dit :

— Dépêche-toi, ma belle, je suis à la bourre.

Et Pauline raconta par le menu mon cas, l'historique de mon affaire. J'avais pris l'écouteur et j'entendis :

— Elle est mal barrée, ta copine. Non, ne me l'envoie pas. Je suis débordé de malades. Et puis, j'en ai assez qu'on m'envoie des cas désespérés. Tu comprends, ta copine, son cancer est sans doute dépassé. J'en ai assez de réparer les conneries des autres.

Pauline plaida ma cause :

— Écoute, Samuel, t'es le plus grand cancérologue d'Europe. Ma copine, elle est complètement flippée, elle croit qu'elle va mourir...

Il rit :

— Je ne suis qu'un petit bricoleur juif du XXe arrondissement.

— Justement, elle est juive, dit Pauline.

— Je m'en balance qu'elle soit juive, dit-il. Un cancer juif, c'est pas plus intéressant qu'un cancer goï. Elle est jolie ?

Je m'emparai de l'appareil et me mis à marteler :

— Écoutez, je suis vieille, bossue, bigleuse, édentée et en plus, je pue du cul !

Il se marrait :

— Allez, venez demain à l'UTATH quand vous voulez. Je consulte toute la journée. C'est facile à trouver. Tous les chauffeurs de taxi connaissent Malcourt-sur-Seine. Ne vous en faites pas, la morte, je vous tirerai de là...

— Dans une redingote de sapin ?

— Non, dans un pardessus sans manche. (Il riait de plus

belle.) Vous ne devez pas être un cadeau. Allez, mon petit, à demain.

Et c'est ainsi que je me retrouvai ce jour de septembre, avec ma demi-sœur en glu, à la porte du bureau de la star des cancérologues que j'entendais maintenant s'enregistrer sur le cancer et la mode d'automne…

6

Samuel ne répondait pas. Il continuait à déblatérer sur sa mini cassette Sony : « ... La frivolité est un état violent. Carlos était un jeune couturier... »

« Et merde ! » me dis-je, et je poussai la porte. Il leva la tête, m'adressa un sourire enfantin :

— D'où tu sors, toi ?

Je me présentai.

— Ah ! le cancer juif, la morte ! dit-il sans ironie. Assieds-toi.

Comme la majorité des malades en début de carrière, je supposais que le tutoiement était une marque d'affection particulière. Le célèbre cancérologue tutoie presque tous ses malades, surtout les dames de quatre-vingt-dix ans, lorsqu'elles sont comtesses. Elles adorent.

Dans cette minuscule salle de consultation, on se serait cru dans la caverne d'Ali Baba : boîtes de chocolats de chez Hédiard, dattes de l'Office des fruits et légumes d'Algérie, foie gras de chez Michel Guérard, champagne Moët et Chandon, cognac Hennessy, tas de faisans qui pourrissaient dans un coin, ceinture et porte-monnaie de chez Hermès, chemises de chez Sulka ; cadeaux de malades qui ne savaient pas comment remercier le professeur (il n'avait pas de clientèle privée), et dont ils pensaient qu'il avait le pouvoir de tenir tête à la blême camarde ou, au contraire, de l'apprivoiser pour qu'elle les emmenât avec douceur vers le paradis.

Au milieu des piles de dossiers médicaux qui s'amoncelaient sur le bureau et le lino du sol, il s'envoyait des pralines, répondant toutes les cinq minutes au téléphone.

Il se lamentait parce que sa secrétaire avait oublié de lui apporter des cassettes, ses ciseaux, ses feutres et son ruban adhésif, il se caressait le plexus, se massait les tempes douloureusement, tout en me faisant signe de croquer des pralines.

« Allô ? Oui, d'accord, il donnerait sa signature à Amnesty International pour la libération d'un prisonnier irlandais. Allô ? Oui. D'accord, il participerait à un gala de parrainage d'une mission de médecins sans frontières en Afghanistan. Allô ? Oui. D'accord, il chanterait à la télé dans l'émission " Rock against Cancer ". Allô ? Non, monsieur l'ambassadeur, je ne fais pas de privé. Mais vous pouvez toujours dire à votre ministre d'envoyer un chèque à notre laboratoire de recherche. Allô ? Quoi ? Vous voulez vous suicider, madame ? Vous n'êtes atteinte d'aucune affection organique ? C'est votre âme qui vous fait mal ? Non, je ne peux rien vous dire. Je ne suis ni confesseur ni analyste. Vous voulez quand même mourir ? Mais mourez, madame. Vous avez pris 50 comprimés de Valium à 10 mg ? Et ça n'a pas marché ? Au revoir, madame ! Allô ? Non, il n'y a plus rien à faire, j'ai donné ordre de tout arrêter. Ah, elle a un fils. Première nouvelle. Il veut rester sur son lit pour attendre la fin ? Ben, c'est son problème. Augmenter la dose de... J'ai dit une ampoule toutes les deux heures. Oui, j'essaierai de passer... »

Il avait oublié pourquoi j'étais là. Adeline Durand passa une tête hallucinée : elle avait toujours ses futurs macchabées dans la même chambre.

D'ailleurs, toujours sans frapper, secrétaires, infirmières, médecins — qui un carnet de rendez-vous à la main, qui les résultats d'une analyse sanguine, qui une prescription de chimiothérapie — entraient toutes les deux minutes.

« Sam', la formule de la petite Dupont n'est pas bonne : elle n'a que 1 800 blancs dont 30 % de poly. Tu dis quoi ? — On attend. — Samy, les plaquettes de M. Durand ne remontent pas, qu'est-ce qu'on fait ? — Transfuse. —

66

Samuelo, on la transfuse, Mme Kougouna, la malade du Sénégal, elle n'a que 1 500 000 rouges ? — Celle-là, va falloir l'hospitaliser. — Toto (c'est Tobman), la Marocaine qu'a pas de Sécu, qu'est-ce qu'on fait ? — Piquez les médicaments et perfusez-la chez elle. — Sasa, t'es sûr de ce que t'as écrit pour Mme Tartempion ? Ça fait double dose d'Adria ? — T'occupe ! Vas-y, on joue notre dernière carte. — Coco, tu peux pas venir, M. Francini, tu sais, le mafioso corse, il pleure, il ne veut pas se laisser piquer ! »

Rêve-je ou dors-je ? me demandais-je, me prenant pour Ophélie-sauvée-des-eaux. Enfin, le professeur sembla se souvenir que j'étais aussi un futur cadavre. D'un air las, il prit mes tomographies, qui étaient des radios par coupe fine de ma fameuse vertèbre L4. Il les étala sur son appareil lumineux, grimaça :

— Oh, là, là, c'est pas beau, tout ça !

A cet instant entra un long garçon d'une trentaine d'années qui, avec ses cheveux blond vénitien longs et bouclés, ses pommettes de moujik et ses yeux jaunes en amande, me ressemblait comme un frère. Il se plaignit d'une voix douce — où traînait un fond d'accent que je ne pus sur le moment définir (israélien, syrien ?) — que ce connard de Dupraz stockait tout l'interféron pour ses malades.

— Laisse tomber, B. B., dit Samuel, on l'aura à l'usure. D'abord, l'interféron, c'est pas le pied !

Malgré son tee-shirt, ses jeans et ses baskets, Bechir Boutros dit B. B., était médecin, c'était même un des assistants de Samuel Tobman. Il était franco-libanais, catholique orthodoxe, mais son âme était « palestino-progressiste ».

Bechir aperçut mes tomos, s'approcha l'air intéressé et, comme s'il parlait d'un tableau : « Ah, ça, c'est une belle métastase. » Ma parole, il allait me féliciter.

— C'est à vous, tout ça ?

Je souris modestement de ma création.

Ils m'oublièrent.

— C'est le coup de Panson, dit Samuel. On voyait rien aux radios, et pourtant, regarde, la vertèbre est totalement bouffée.

Charmant ! Panson était un célèbre acteur qui venait de passer l'arme à gauche !

— Faut lui mettre un corset, dit B. B. Sinon, la vertèbre va s'effondrer comme la colonne du temple de Jérusalem. Faut qu'elle aille se faire un lombostat chez Garillon.

Ils parlaient de moi comme si je n'avais jamais été qu'un tas de viande. Et ça me donnait le tournis. (J'en étais, il faut le dire, à ma vingtième clope et à mon dixième Valium.)

Samuel montra en silence le début du dossier que Derry, Bensoussan et Katz lui avaient adressé. Bechir ne cessait de hocher la tête : ce qu'il découvrait devait être monstrueux. Il me regarda avec étonnement. Le fait que je respirasse encore devait le stupéfier.

— On lui fait quoi ? Faut lui enlever les ovaires. Une jolie petite opération en boutonnière.

— Non, dit Samuel, une irradiation suffira. Tu vas téléphoner à Patou. Je crois qu'elle fait ça en quatre séances. Faudra aussi lui irradier au moins quatre vertèbres. Et les ganglions du cou. Je vais lui faire une chimio très lourde. Dommage...

Il regarda mes tifs, ma belle crinière rousse, sous laquelle j'abritais depuis toujours ma honte et depuis un an mon corps couturé ; il la voyait déjà jonchant le sol.

— Oh, ça repousse, dit B. B. Et puis...

Il ne termina pas sa phrase, me sourit et je compris pourquoi parfois certains hommes me disaient : « Souris pas, Lola », car le sourire de Bechir me brûla les yeux.

Seule avec Samuel Tobman, je lui annonçai d'un ton tragique :

— Je veux la vérité.

Il ne répondit pas, m'offrit un chocolat. J'insistai :

— J'en ai pour combien de temps ?

Il était visiblement très emmerdé, Samuel. Je réinsistai :

— Il paraît que vous êtes comme les Américains, vous dites toujours la vérité.

— La vérité, il faut la dire tout de suite ou jamais, répondit-il. C'est comme lorsque tu trompes une femme. Si tu lui dis immédiatement, ça passe. Si elle l'apprend un an

68

plus tard, c'est terrible. (Il était ravi de passer du personnel au général.)

— Moi, je préfère avant, dis-je.

— Un an certain, deux ans probable, cinq ans possible.

— Et si le traitement ne marche pas ? (Il ne répondit pas tout de suite, m'offrit une datte.)

J'insistai :

— Un mois, deux mois, trois mois ?

Il me regarda longuement, gentiment, presque tendrement :

— Ça dépend, madame Frïedlander. Faut voir les radios des poumons, la scintigraphie du foie...

Alors je lui racontai en yiddish l'histoire de Yenkle qui rencontre Moshe et lui demande : « *Nou ?* Qu'est-ce qu'il en a dit le *Doktor ?* — Le *Doktor,* il en a dit que j'en avais le *Kannsser. — Aï ! Aï ! Aï !* répond joyeusement Yenkle, *Kannsser ! Shmannsser !* Du moment qu'on en a la santé ! »

Samuel rit et me dit : « Tu connais celle d'Arié Leïb qui rencontre Itzik Shpitzik et lui demande des nouvelles de sa femme ? » « Sheïndel ? lui répond Itzik, elle est morte ! — Morte ? De kva ?, s'inquiète son ami. — D'une grippe. — *Ot ! Ot ! Ot !,* une grippe, c'est pas grave, le rassure Arié Leïb. »

Le téléphone sonna, il regarda sa montre, me fit comprendre qu'il était en retard. Je me levai et dis mystérieusement :

— De chaque convoi pour Auschwitz, une personne sur mille est revenue. Ici, j'ai plus de chances...

Il m'embrassa sur le front :

— Toi, c'est la tête qui va pas.

« Sa-mu-èèl ! » Une CX conduite par un chauffeur freina devant la fenêtre qui donnait sur une sorte de parking.

Et par la vitre arrière, la mort vêtue en Saint-Laurent envoya d'un geste gracieux un baiser au professeur.

— Prends exemple sur Marie-Aude Shneïder, me dit Samuel. Elle a la même chose que toi depuis sept ans, et elle est très courageuse. D'ailleurs, elle va plutôt bien

7

« *Bullshit* », se murmura doucement Marie-Aude Shneïder, alors que la voiture de son père, immatriculée dans la
Moselle, traversait le pont de l'Alma. Apercevant dans le
rétroviseur sa fine main couverte de mini-pansements, aux
veines pétées par les perfusions, repousser la perruque et
gratter vigoureusement le crâne lisse, le chauffeur se dit :
« Vraiment, Mademoiselle ne sait plus se tenir. »

Elle avait chaud Marie-Aude. Et la nausée. Ses faux seins
l'oppressaient. Elle les enleva ostensiblement, pas mécon-
tente de choquer le vieux Nicolas, les glissa dans sa besace
achetée chez Castioni, via Spagna, lors d'un voyage à Milan.
Elle essuya ensuite de son foulard de chez Gucci les perles de
sueur qui gouttaient sur son front, ouvrit la fenêtre et essaya
de respirer.

Tous ces innocents qui marchaient, s'agitaient sur les
trottoirs, inconscients de ce qui les guettait. Elle aussi avait
traîné un jour devant les vitrines, elle aussi avait couru les
joues en feu vers un jeune homme qui lui faisait des signes
sur l'impériale d'un autobus. Elle enviait cette femme
ployant sous les filets à provisions qui se hâtait vers le métro
surpeuplé, elle enviait la très vieille dame arabe qui tirait
péniblement une demi-douzaine d'enfants derrière elle ; elle
enviait même ce groupe d'adolescents mongoliens que leur
moniteur entraînait vers la tour Montparnasse.

Un spasme la coupa en deux. D'accord, elle n'aurait pas
dû biberonner avant de faire sa chimio. Mais de toute façon,
on vomissait quand même. Et puis d'autres ingurgitaient

bien des tranquillisants pour affronter la consultation où l'on s'attendait toujours à apprendre que « ça a encore pris ailleurs », puis la séance de perfusion. Elle saisit un sac en papier (elle en avait fauché un paquet dans l'avion en revenant d'Italie) et elle tenta de rendre un peu de bile. Le chauffeur écoutait comme d'habitude France-Culture : « Quel est le sens de la vie pour les philosophes grecs? » demanda une voix nasillarde. Marie-Aude se moucha avec les doigts, elle rota par hasard et ça lui plut. Elle recommença : « Je rote donc je suis », se dit-elle. Gêné, le chauffeur toussa. Marie-Aude lui ordonna de mettre RTL et elle se mit à chantonner avec une certaine Lio : « Hé toi/dis-moi que tu m'aimes/même si c'est un mensonge/la la la la la la....»

En boitant, elle prit l'ascenseur. Elle savait : il ne fallait plus porter ces bottes à si hauts talons. Mauvais pour son squelette perforé par les métas. Mais depuis que Samuel l'obligeait à avaler des androgènes, elle ressentait moins les douleurs de la hanche gauche et de la jambe droite.

Bien sûr, les hormones mâles lui donnaient des poils aux jambes et un léger duvet sur les joues, il lui semblait que son clitoris avait doublé de volume (en fait, elle avait lu dans le Vidal « risque de virilisation »), ce qui aurait pu l'intéresser lorsqu'elle avait douze ans et se masturbait honteusement dans la baignoire, mais qui ne lui était aujourd'hui d'aucun secours. Par bonheur elle n'était pas, comme elle le craignait il y a quelques mois après avoir lu un livre sur le cancer écrit par une Soviétique, en train de prendre l'aspect d'une athlète d'Allemagne de l'Est. Même si parfois, elle se disait : « Mieux vaut devenir le père de mes enfants que de dormir à trois pieds sous terre. » Car Marie-Aude voulait vivre. A n'importe quel prix. Même à l'état de transsexuel.

— Monsieur a téléphoné trois fois. Puis il est venu déjeuner sans prévenir avec deux messieurs. Madame avait oublié de me donner les consignes pour le menu. Il n'y avait que des œufs. La mère de Madame a téléphoné pour demander pourquoi Madame n'avait pas été chez le notaire pour la donation de la maison de Bretagne à la sœur de

Madame. Madame Bettina a téléphoné pour demander si Madame irait tout de même au golf. Mademoiselle Sophie et Mademoiselle Marie se sont battues...

Marie-Aude n'écoutait pas la litanie de la bonne mauricienne engagée à prix d'or.

Elle se précipita dans la salle de bains et vomit enfin longuement dans le lavabo. Puis elle se jeta, jupes relevées, sur le trône des W.-C. Ça sortait de partout. Le cancer, c'est rien. Ce qui est insupportable, ce sont les tripes qui ne répondent plus, ce ventre réduit à l'état de tuyauterie bouchée, tuyaux qui fuient, gargouillis malodorants.

On vous rencontre dans les salons : « Comme vous êtes pâle et belle », et vous ne pensez qu'à une chose : Être seule dans les toilettes. Et vomir. Et émettre des vents. Et déféquer. Vous vider. Allongées au milieu de leurs amoureux pâmés, les tuberculeuses crachaient poétiquement dans leurs mouchoirs brodés quelques gouttes de sang ; les cancéreuses, elles, à cause de la chimio, dégueulent sur des Kleenex et ont l'impression d'être un énorme ballon puant.

Les jérémiades de la domestique continuaient dans le couloir. Sa perruque souillée à terre, Marie-Aude se releva, du vomi plein la blouse et de la merde sur la jupe. Elle se flanqua toute habillée sous la douche.

— Maman, Marie a mis mon tee-shirt et je n'ai pas pu aller au tennis ! Maman, faites quelque chose !

Sophie avait sept ans, de blondes nattes ; indifférente au spectacle de sa mère chauve, les vêtements mouillés plaqués au corps, elle s'exprimait en anglais.

Marie-Aude lui ficha une paire de claques, le regretta aussitôt mais ne put s'empêcher de hurler :

— Cessez de me parler en anglais. Et sortez immédiatement, cette salle de bains est mon territoire !

La petite fille déguerpit en silence. Elle savait pourquoi sa mère était souvent injuste avec elle : c'était en l'allaitant, il y avait sept ans, qu'on avait découvert sur l'un des seins de Marie-Aude la première tumeur particulièrement dangereuse, d'abord inopérable.

Souvent, Marie-Aude couvrait de baisers la petite fille en soupirant : « Je n'aurais pas dû. »

Marie-Aude s'assit sur le bidet couleur jaune de mars assorti au carrelage ocre jaune et elle pleura rageusement en répétant : « Je suis ma-la-de, Marie-Do est ma-la-de. Marie-Do veut retourner à l'hôpital. »

Elle se déshabilla, fit un chiffon de sa pelure de chez Giani Varese achetée via Bocca di Leone à Rome où elle espérait absolument retourner au printemps, et regarda longuement dans le miroir sa peau mate, son nez fin et busqué, ses immenses yeux noirs un peu tombants, son ovale parfait, ce visage de madone qui, lorsqu'elle l'exposait dans les soirées, couronné d'un chignon natté, faisait s'exclamer : « Cette ambassadrice de France a l'air d'une reine ! » Elle se tira la langue, gonfla ses joues, loucha : « Je suis un monstre. Marie-Aude *ter-mi-na-ta*. »

Un seul désir, se fourrer au fond de son lit, seulement reliée au monde extérieur par le téléphone, une bouillotte sur le ventre, son fox-terrier « Interféron » serré contre elle dans le noir. A la surprise de tous, elle avait déménagé et avait installé en quelques mois ce grand appartement dont elle ne profitait pas mais où elle s'était réservé cette chambre, un utérus tapissé de tissus damassés dans les tons violet, indigo, bleu, où trônait ce gigantesque lit au sommier inclinable télécommandé comme la chaîne aux immenses baffles sur laquelle elle écoutait nuit et jour des airs d'opéra.

Un petit verre ne lui ferait pas de mal avant de dormir. Elle sonna, demanda par l'interphone la bouteille de whisky, des toasts et du chèvre. « Comme ça, au moins, j'aurai de quoi vomir », se dit-elle.

Suivi de Patrice, son fils aîné, ce fut Charles, son époux, qui lui apporta le plateau.

— Encore une que les Prussiens ne boiront pas, leur dit-elle en vidant son premier verre.

Charles lui répéta les tendres remontrances habituelles : était-il raisonnable de tant boire ? Était-il raisonnable d'embrasser goulument ce chien plein de microbes avec des globules blancs aussi bas ?

— Vous allez vous infecter, darling, et on sera encore obligé de vous hospitaliser.

— Ce chien, c'est encore ce qu'il y a de plus propre dans

cette taule, dit-elle. (Le mot « taule » lui plut. Elle le reprononça.) Quant à l'alcool, si la cave est vide, faites le plein. Mais si vous voulez, je peux me remettre au gros rouge.

— Darling, darling, dit Charles en lui prenant la main.

Grand, mince, un peu voûté, le visage très jeune malgré ses cheveux blancs, Charles adorait sa femme qu'il avait épousée à Metz vingt ans auparavant. Il croyait qu'elle ne lui avait jamais pardonné la liaison qu'il avait eue — la seule de sa vie — avec un jeune attaché d'ambassade pakistanais, il y avait quinze ans, à Delhi, alors que Marie-Aude attendait Patrice. Mais la belle Marie-Aude ne songeait plus au jeune homme brun aux yeux de fille qui l'avait tant fait souffrir huit ans avant qu'elle ne découvrit cette tumeur qui depuis, malgré des périodes de silence trompeur, n'avait cessé de proliférer. Elle ne pensait plus aux douleurs de l'âme, mais à celles du corps.

— Laissez-moi, dit-elle, montrant la porte aux hommes de sa famille.

Recroquevillée sous le duvet rose assorti au bonnet de nuit qu'elle avait posé sur son crâne, elle composa un numéro de téléphone. Et tendrement :

— Ma chérie-chérie, pourquoi ne m'as-tu pas attendue ? Je suis repassée à « La belle vie », tu étais déjà partie. Je t'aurais déposée chez toi. J'avais besoin de faire piapia avec toi. J'ai aperçu la grosse Belge. C'est affreux. Tu aurais vu la tête qu'elle avait... La dame en rouge ? Oh, celle-là, on ne la voit plus. Inutile de demander pourquoi. J'ai juste aperçu Samuel, il faisait une sale tête comme d'habitude. Pauvre amour, il a trop de travail. Que ferions-nous sans lui ? C'est un saint...

A l'autre bout du fil, Marianne Losserand toussa. On l'entendait qui tentait de respirer calmement, de contrôler son souffle court.

Depuis quelques semaines son cancer du sein, contrôlé depuis neuf ans, malgré diverses métastases (le parcours fréquent : un sein, l'autre, une vertèbre, une hanche), s'était remis en activité : elle sortait d'une pleurésie, craignait une récidive aux poumons, bien que le professeur Samari qui la suivait, lorsqu'il assurait ses consultations, fût resté évasif et optimiste : la pleurésie n'aurait été qu'une conséquence de la radiothérapie ancienne.

— Tu sais, dit-elle à Marie-Aude, je ne suis pas folle. Si on me refait cette chimio agressive, c'est que j'y ai repiqué. C'est de ma faute, j'ai attendu trop longtemps avant de reconsulter. Samuel a raison : il ne faudrait jamais arrêter cette saleté de chimio. Et puis, je ne m'attendais pas à avoir de l'Adria et à reperdre mes cheveux...

— Les cheveux, c'est rien, tu sais bien, ça repousse, la consola Marie-Aude.

— Oui, ça repousse. Mais j'ai perdu mon innocence. Je n'y crois plus. Il y a quelques années, je pensais m'en sortir, alors je me bagarrais. Maintenant...

Marie-Aude tenta de lui remonter le moral, ce moral qu'elle avait elle-même fort bas — mais c'est la loi à Malcourt, chacun (malade, infirmière, médecin) sans illusion, ment à tout le monde :

— Chaque jour de gagné, c'est une victoire sur le cancer. Ils finiront bien par trouver un médicament miracle.

— Accroche-toi, Jeannot ! ironisa Marianne. Tu le sais bien : aucune de nous ne s'en sortira.

Marie-Aude reprit une gorgée de whisky ; elle dit sans conviction :

— Mais *personne* sur cette terre ne s'en sortira. Tout le monde doit mourir un jour ou l'autre.

Marianne siffla avec dérision. Puis elle fut secouée par une quinte de toux.

— Où as-tu mal, chérie ? demanda Marie-Aude. Entre nous, on peut tout se dire. Que ferions-nous sans nous ?

— J'ai mal nulle part. Je manque d'air, c'est tout. Tu entends bien. Et puis cette fièvre...

— Il ne faut pas s'écouter. Si tu écoutes ton corps, tout semble anormal. Moi, j'ai mal à la tête, toujours au même endroit, et je vois des points noirs voleter. Parfois la nuit j'entends mon cœur battre et même *ça* m'inquiète.

Soudain, elle se mit à fredonner avec une extraordinaire voix de soprano le boléro des « Vêpres siciliennes » de Verdi : « *Mercé, dillette amiche* »...

Marianne rit :

— Toi tu as du souffle. Pourquoi n'es-tu pas devenue cantatrice ?

Une fille de la grande bourgeoisie lorraine, apparentée à la grand-mère d'un président de la République, pouvait-elle devenir artiste ? Pourquoi, alors qu'elle venait d'entreprendre des études de médecine, vivait seule et libre à Nancy, avait-elle épousé cet attaché d'ambassade ? Ce bel homme plus âgé qu'elle, dont elle n'était pas vraiment amoureuse et qui l'avait, tendrement il est vrai, obligée à mener cette vie mondaine qu'elle détestait ?

— Après l'Italie, iras-tu l'été prochain au festival de Bayreuth comme tu le souhaites ? demanda Marianne.

— Bien sûr. Tu viens avec moi, comme convenu ?

Marianne ne répondit pas et se remit à tousser.

— Tu n'aimes plus Wagner, ma chérie ? s'étonna Marie-Aude.

Marianne se tut. Et son silence semblait dire : à quoi bon faire des projets ?

— Je t'embrasse, ma douce, murmura-t-elle en raccrochant rapidement.

« Son gigolo a dû débarquer » pensa Marie-Aude en se recroquevillant dans le lit en position fœtale — ce qui calmait sa douleur dans les reins.

Elle traitait de « gigolo » Emmanuel, l'amant de Marianne, qu'elle ne connaissait pas. Il aurait pu être son fils et, bien que professeur de philosophie, il se faisait entretenir par l'actrice qui pourtant n'avait pas tourné depuis plusieurs années. De quoi vivait Marianne ? De quoi vivait la majorité des femmes rencontrées à l'hôpital, dont beaucoup étaient veuves, divorcées ou célibataires ? On a beau dire que tous les hommes sont égaux devant la maladie, la mort, c'est faux. Marie-Aude le savait. Il y a des cancers de luxe et des cancers de pauvre. Certaines femmes n'avaient pas les moyens de prendre, pour se rendre à l'hôpital, le taxi pourtant remboursé par la Sécurité sociale. Pelotonnée au fond de sa CX, combien de fois Marie-Aude n'avait-elle pas croisé ces silhouettes titubantes de fatigue ? Elles devaient traverser l'immense complexe hospitalier, ses cours, ses passages couverts, ses jardins, ses terrains vagues, puis attendre longuement sous la pluie les rares autobus qui les mèneraient peut-être vers une des portes de Paris. Supporter alors la foule, l'étuve du métro, souvent ensuite prendre un train bondé pour regagner leur province, peut-être encore un autocar, et *enfin* se mettre au lit.

« J'ai toujours été privilégiée », se dit Marie-Aude.

A quoi cela lui avait-il servi ? Elle pensa à la mort, ne réussit pas à l'imaginer, sinon comme une sorte d'apesanteur dans une grande lumière orange. Elle s'endormit et rêva qu'elle tournait sur un manège, jambes écartées sur un cheval de bois, alors que son père, sa mère, ses sœurs, Charles, les enfants et Samuel, son cher professeur, glissaient sur un tapis roulant dans l'autre sens.

Charles, assis sur le lit, la regardait dormir. Il pleurait. Mais elle ne le savait pas.

8

Entendant claquer la porte palière, Marianne avait vivement raccroché, s'était précipitée vers sa coiffeuse pour se nouer rapidement un foulard prune sur la tête, se passer un peu de carmin sur les joues, sur les lèvres, du jaune pailleté sur les paupières et se donner ainsi meilleure mine.

Par l'échancrure de sa gandoura mauve brodée de fil d'or — souvenir de sa gloire passée lorsqu'elle était le grand amour de feu Aziz El-Taghirt, le ministre de la Défense d'un riche émirat pétrolier — on apercevait ses deux petits seins ronds, ces tétons auxquels elle tenait tant qu'elle avait toujours refusé de les faire bistouriser, quitte à se retrouver comme aujourd'hui avec les poumons tumorés.

Déjà télébranché sur le divan du living, Emmanuel était affalé, un cigare à la bouche. Que pouvait-elle bien lui trouver ? Il se prenait pour Woody Allen ou Dustin Hoffman (« La mode est aux hommes fragiles », disait-il).

Bon prétexte pour se faire entretenir et nurser. Petit, mince, brun de peau et moustachu, un visage de vieux bébé auréolé de boucles noires, il avait pour lui un regard vert d'eau très doux, sa voix rauque, une bouche sinueuse et ferme. Et son outil de travail dont il se servait très parcimonieusement depuis quelque temps.

— On va où ce soir ?

Comme tous les soirs, Emmanuel voulair sortir. « C'est bon pour ta santé, disait-il. Te laisse pas aller. » Cinéma, restaurants, traînailleries dans les bistrots d'étudiants, peu lui importait. Il fallait quitter cet appartement. « Ici, c'est mortifère, disait-il, délétère. Si nous ne sortons pas, je vais refaire une dépression. »

Elle avait quarante-six ans, lui largement vingt de moins, lorsqu'elle avait rencontré le jeune homme il y a quatre ans à la sortie d'une projection-rétrospective de l'œuvre du fameux J. D., qui lui avait confié ses plus beaux rôles — souvenez-vous du célèbre *Rendez-vous à Saint-Germain-des-Prés* où elle personnifiait, pieds nus, dansant le be-bop, ses longs cheveux décolorés à l'eau oxygénée, mais son superbe nez pas encore raccourci, la jeunesse « existentialiste » de l'après-guerre. Ce soir-là, lorsqu'elle était tombée dans ses bras, elle était déjà malade. Mais en rémission, comme on dit, elle se croyait guérie.

Elle avait coutume de dire à ses amies : « Les hommes, je préfère leur mettre des couches que de leur passer le bassin » mais elle n'avait pas de goût particulier pour les jeunes gens. Celui-ci, en plus, lui arrivait à l'épaule et elle détestait les hommes qui ne la dominaient pas de deux têtes. Il est vrai qu'il ressemblait, en modèle très réduit, à Aziz El-Taghirt qu'elle n'avait pas revu depuis longtemps mais dont elle venait alors d'apprendre la mort par la presse — on l'avait suicidé de trois balles, à la suite d'une tentative de coup d'État.

En fait, l'histoire n'avait jamais été éclaircie. Le superbe Abdel Aziz El-Taghirt, prince de sang mais baathiste, avait été retrouvé nu, son somptueux sexe dans une main, un fusil de chasse dans l'autre, aux côtés de deux mannequins teutonnes, dévêtues elles aussi, et le corps entrelardé de coups de poignard, sur l'immense lit rond de sa chambre d'amour, au milieu de sa résidence d'été.

La presse à scandale de Beyrouth avait écrit qu'il y villégiaturait depuis peu avec quelques amis, officiers comme lui, sous prétexte de complot politique, en compagnie de call-girls peu sémites qui, telles des bacchantes, gambadaient comme des folles autour de la piscine en s'aspergeant de Moët et Chandon. Des tribus autochtones pures et dures les auraient observés à la jumelle soviétique et se seraient introduites dans le petit palais pour purifier *bil dam,* par le sang, cette insulte à l'Islam.

Marianne avait beaucoup pleuré. Ce petit palais, elle le connaissait pour y avoir vécu des jours, des semaines, des mois, en compagnie de domestiques noires, en relisant Pavese, attendant que celui pour lequel elle avait peu à peu abandonné sa carrière, vint l'honorer de ses faveurs.

« La fièvre monte à El Pao », se répétait-elle, et lorsqu'il arrivait enfin, entouré de ses nombreux gardes du corps, annoncé par la sirène des BMW, elle en éprouvait une sorte d'orgasme. Alors, ils se couchaient pour une semaine, se nourrissant uniquement de *Mtaball;* en dehors du Dimple, il n'aimait en effet que le caviar d'aubergines.

« Tu es ma femme, lui disait-il en anglais. Un jour je te tuerai. Cette demeure sera ton tombeau. » Et ça l'allumait.

Elle ne voyait pas d'autre explication aujourd'hui à son engouement pour cet homme massif et moustachu qu'elle appelait « ma louve noire » et qui rêvait de lui faire neuf enfants pour avoir un compte rond, car il en possédait déjà trente et un. De plusieurs femmes, il est vrai.

Il n'avait connu que des femmes vénales, et ses refus répétés lorsqu'il lui proposait de lui acheter un hôtel particulier à Paris, une propriété au bord du lac Léman ou un « penthouse » à Munich, l'étonnaient toujours.

Il adorait l'Allemagne, se demandant souvent pourquoi Hitler, ce « génie militaire », avait fini par être vaincu. Son ulcère d'estomac, sa flatulence, ses colites spasmodiques, peut-être ? En fait, il avait deux idoles : Hitler et Moshé Dayan. Au moment de la guerre des Six Jours, alors que son gouvernement siégeait sans désemparer la nuit pour décider des mesures à prendre afin de barrer la route à la « soi-disant entité sioniste », il venait à l'aube retrouver Marianne dans un des appartements secrets qu'il possédait dans la capitale de son pays et lui murmurait avec jubilation : « Nos cousins les Juifs, quand même, quelle tannée ils mettent aux Égyptiens ! »

Le jour de ses quarante ans, elle avait fini par rompre avec le terrible et tendre chef de toutes les armées. Elle en avait assez de ces fatigantes allées et venues en avion pour ne passer que quelques heures dans les bras du beau général. Sa romance commençait à ressembler à un mauvais polar. De plus, elle venait de tourner un film pour lequel elle avait obtenu un prix et sa carrière semblait repartir, bien que son visage d'ingénue éternelle, ses ravissants traits à la Botticelli fussent de moins en moins à la mode. (« Mais, ma pauvre Marianne, aujourd'hui les stars doivent ressembler à ma concierge, à une vendeuse de Monoprix. T'es trop belle. T'as trop de classe », lui disait-on.)

La dernière image qu'elle gardait d'Aziz était celle d'un homme effondré, un verre de Dimple à la main, un Davidoff à la bouche. L'air étrange dans sa tenue de sport Adidas qui lui donnait l'air d'un CRS-maître nageur, il avait exigé la liste de ses amants.

— Mais je sais tout : mes hommes te suivent partout. N'oublie pas qui je suis. Lis les journaux. Lis le *Herald*. Sans moi le régime ne tiendrait pas. J'ai des accords avec la DST, la CIA, le KGB et même le Mossad.

Il lui avait alors mis un pistolet entre les mains en lui disant d'un ton très tendre, la fixant de ses yeux vert pâle :

— Tue-moi. Débarrasse-moi de cette vie. Et ensuite suicide-toi. Je suis ton Titus. Tu es ma Bérénice. Notre sang lavera le pays de tout ce pétrole qui m'a pourri.

Puis il avait fredonné sa chanson préférée : « Ne me quitte pas/Je te raconterai l'histoire de ce roi/Mort de n'avoir pu te rencontrer/Laisse-moi devenir l'ombre de ta main/L'ombre de ton chien... » Avec presque la voix de Brel. Le roulement des R en plus, bien sûr.

— Alors, on sort ? demanda Emmanuel. Change-toi. Je ne supporte plus tes déguisements. Tu peux pas mettre comme tout le monde une robe de chambre en pilou ?

Lorsqu'elle l'avait rencontré, Emmanuel l'appelait « ma sultane ». Il la suppliait de quitter ses jeans pour enfiler les dépouilles de ses amours harémiques. Et elle se travestissait pour le jeune pensionnaire de la rue d'Ulm qui, le week-end, se faufilait dans son lit en lui disant : « Raconte. Raconte quand tu étais star et favorite du prince. » Et elle racontait. Et il buvait ses paroles, lui disait : « Tu sais tout. Tu es la mère du monde. »

Puis il lui faisait l'amour comme Dieu lui-même n'y parviendrait jamais. Tout était parfait : la forme de son corps mince et androgyne, la texture de sa peau mate, sa fragrance de sueur saine mêlée de cigarettes mentholées, son sourire étonné aux dents un peu écartées, son rythme aux dérapages contrôlés, son imaginaire plein de fantaisies, ses fantasmes classiques et ses rares paroles incongrues qui la faisaient rire.

A l'époque, elle avait encore un peu d'argent et elle jouait à la jeunesse : un week-end improvisé à New York, une semaine chez des copains hollandais. Emmanuel s'était installé chez elle, mais, lorsqu'il avait obtenu un poste dans un lycée de banlieue, il n'avait pas jugé utile de participer aux frais du ménage. Elle le suivait silencieusement aux réunions — il était encore membre du PC, tendance « italienne » —, mais peu à peu il s'était lié à des mao-talmud et elle l'accompagnait maintenant aux séminaires sur Levinas où elle s'ennuyait prodigieusement. En entendant parler de l'Autre, avec un A géant, et du « Sens ultime d'un texte, Texte ultime », elle se disait, tout engourdie : « Ce jeune homme qui s'écoute parler sera dans deux heures dans mon lit, je prendrai délicatement sa verge circoncise dans ma bouche et je la sucerai doucement jusqu'à ce qu'il me supplie de cesser, puis à califourchon sur lui, je le violerai. Il me dira : tu es le désir à l'état pur. Et je le croirai. »

Il sortait d'une longue dépression nerveuse provoquée par son incapacité à écrire le livre de philosophie qu'il prétendait porter en lui, alors que la plupart de ses anciens condisciples de Normale Sup' étaient directeurs de collection, attachés de cabinets ou journalistes, avaient tous plus ou moins trouvé un créneau en publiant de-ci, de-là. Depuis peu, Emmanuel avait décidé de devenir réalisateur et il la tannait pour qu'elle organisât des dîners de têtes. Il était de ce genre d'individus qui ne partent jamais d'une soirée ou d'une nuit d'amour sans un plein carnet d'adresses et de numéros de téléphone nouveaux.

— Si nous ne sortons pas, convie Dumont, dit Emmanuel, tu le connais suffisamment pour l'inviter au débotté. Je lui raconterai mon projet d'émission sur la génération de Mai 1968. On pourrait coproduire avec l'Italie et l'Allemagne.

Qu'en savait-il de Mai 1968 ? Et Mai 1968 avait-il le moindre intérêt ? Marianne fut saisie d'une quinte de toux. Elle but au goulot une rasade de cognac.

— Tu devrais plutôt m'aider à écrire ce scénario sur une vieille actrice. On dit ça? Ou une actrice vieillissante? A laquelle on ne donne plus de rôle, qui se meurt d'un cancer, pendant que son jeune amant, un génie, il est vrai, se demande comment il va la quitter... Ça serait un peu mélo. Mais enfin...

Emmanuel la prit dans ses bras, l'assit sur ses genoux un peu pointus, l'embrassa sur les yeux, plutôt sur l'ombre à paupière dorée qui se colla à ses lèvres. Il ne l'embrassait plus jamais sur la bouche (« Je dois puer du bec avec tous ces médicaments », se dit Marianne.) Distraitement, il caressa ses seins. Elle se laissait tripoter. Elle se trouvait injuste : après tout, au pire moment, il lui massait tendrement son ventre ballonné, il disait, le nez fourré entre ses cuisses : « Ma chérie, soulage-toi, j'aime toujours tes exhalaisons. » Et il la baisait en se prenant pour un héros de Bataille.

— Si je te quitte, dit-il, l'air innocent, tu en mourras? Oui, tu en mourras. Alors, je ne te quitterai pas...

Marianne se leva, le tira par la main, le poussa dans le couloir :

— Fous le camp, ce n'est pas un petit roi comme toi qui me mangera.

Comme dans une pièce de boulevard, nota-t-elle, il sortit, lançant sa dernière réplique sur un ton tragique :

— Idiote, je t'aime.

Puis elle entendit son sifflement joyeux dans l'escalier.

Elle prit alors un cigarillo, téléphona à l'hôpital, demanda le cobalt. Puis le docteur Milhaud :

— Comment est ma dernière radio? Elle avait beau employer un ton désinvolte, son visage était devenu livide.

— Il y a toujours un petit quelque chose sur la plèvre gauche, répondit le médecin. La chimio a fait du bon travail, mais il y a encore un petit rien.

— Qu'est-ce qu'on peut faire? demanda Marianne.

Le silence de Patricia Milhaud sembla durer des siècles :

— On peut essayer d'irradier. Mais ça fait déjà beaucoup de rads.

Marianne écrasa son cigarillo car elle se remettait à tousser :

84

— Je suis foutue, quoi ?

Patricia rit :

— Comme vous y allez ! Mais non, une métastase pleurale ou pulmonaire isolée, même deux, ce n'est rien. Ça se traite. Il faut sans doute changer de chimio. Il est vrai que vous avez déjà eu de nombreux protocoles. J'en parlerai à Samuel. Je vous rappelle, mon petit...

Elle s'excusait, elle devait recevoir une malade.

— Elle est bien plus mal que vous, s'exclama-t-elle d'un ton joyeux en raccrochant.

9

Quelques jours plus tard, c'était moi, « Lola-la-mal-barrée » ou « Lola-broie-du-noir » (comme m'avait baptisée Samuel) qui m'avançais, sans ma canne, toujours sciée en deux par la douleur, mais, en plus, corsetée du cul au sternum par ce qu'ils appelaient un « lombostat », qui m'avançais secouée par des quintes de toux dans les sous-sols de l'UTATH à la recherche du docteur Milhaud, responsable de la cobalthérapie dans le bloc dévolu à la médecine dite *nucléaire*. D'un grand coup de ciseaux, en holocauste à la chimio qui me rendrait bientôt chauve, je m'étais coupé ma longue natte. Demain, je me raserai.

« Mais pourquoi tu fais ça, avait gémi Noémi, toujours des gestes théâtraux, toujours la mise en scène. Peut-être, ils vont pas tomber tes cheveux ! »

Ils tomberont. Où serait le bénéfice de la maladie s'il n'y avait les cicatrices, les mutilations, la punition, qui me donnaient cet air de jubilation qu'ils prenaient tous pour de l'angoisse ? Car enfin *nous y étions*.

Où ? Je ne savais exactement. Peut-être enfin, à la merci de la femme SS, celle face à laquelle plus personne ne pouvait rien pour moi. Ni « papa ». Ni « maman ». Je sentais déjà son parfum. J'entendais son appel métallique : Lodja ! Lodja ! Comme dans le rêve de cette nuit. Enfermée dans une cave sombre, bandée des pieds à la tête comme une momie, je fais pipi et caca sur moi, j'appelle ma mère mais personne ne répond, je crie, j'appelle au secours et j'entends mes pleurs de bébé. Et soudain, cette voix douce et tranchante qui me terrorise : Lodja ! Lodja !

Depuis quelques jours, j'avais l'impression d'être emportée dans un wagon plombé vers une destination inconnue, une sorte de train fantôme, mais je n'étais pas à la foire du Trône. Je ne pouvais plus dire : « Pouce, je ne joue plus. C'est pour *du beurre.* » C'était pour de vrai. Pour la première fois de ma vie, c'était POUR DE VRAI !

Dans le bâtiment administratif, j'avais abandonné ma canne et ma demi-sœur. C'est pas assez d'avoir un cancer, il faut en plus sans cesse remplir des papiers pour l'ordinateur de la Sécu, de l'Assistance publique, pour le grand fichier des futurs macchabées. Et je m'appuyais sur Mado qui sifflotait pour dédramatiser ; je lui avais expliqué qu'on m'avait enserrée dans ce corset plastifié, qui me donnait des plaies dans le dos, pour éviter à ma fameuse vertèbre métastasée de s'effondrer, ce qui aurait risqué de me rendre paraplégique. En ballerines, je marchais littéralement sur des œufs tant j'avais peur de me casser la gueule, comme si mon squelette allait s'effriter d'un instant à l'autre. (Connasse qui n'a pas su courir et danser quand il était encore temps !)

Depuis que j'étais malade, la plantureuse Mado, dite aussi « la Reine mère » (car sans elle, le cabinet serait en faillite), était ma bouée de sauvetage. J'étais comme une gamine avec elle, car elle m'en jetait : pendant la guerre d'Algérie, elle avait été arrêtée, s'était évadée de prison ; c'était *elle* une véritable héroïne. Pas une frimeuse comme moi. Même si, après l'indépendance de nos anciens départements, Mado avait réussi à me traîner dans quelques aventures, sur lesquelles je ne m'étendrai pas aujourd'hui, en Afrique du Sud, en Espagne à l'époque de Franco ou dans la Grèce des colonels.

Je ne lui trouvais qu'un défaut : elle aimait trop bouffer et picoler. Même dans la clandestinité, il fallait qu'elle descendît dans un hôtel trois étoiles, ne fût-ce qu'une nuit, pour se faire servir au plumard un bon gueuleton bien arrosé. Et lorsque je m'inquiétais, elle me répondait avec son accent marseillais, avant d'attaquer sa volaille rôtie : « Lola, tu ne sais pas vivre. »

Ce jour-là, bien que nous fussions paumées dans les sous-sols depuis une heure, confondant le service des Isotopes, celui des Scanners, avec celui des Irradiations, mélangeant le césium 137 et le bêtatron, les portes où était inscrit en rouge « Danger. Rayon gamma » avec celles où on lisait « Danger. Rayon bêta ou alpha », Mado ne cessait de me rappeler qu'après « on allait se faire une petite bouffe », ce qui me donnait la nausée car depuis que j'avais mis les pieds en ce lieu, il y avait une semaine, j'avais perdu l'appétit. Et je me disais : « Bouffe, Lola, tu ne sais pas qui te mangera. » Et je me répétais en yiddish (chacun ses vices), comme tante Rivke lorsqu'elle voulait m'obliger à finir le gâteau au fromage : « *Ess, ess, Kindelè, s'geït a krieg*[1]. » Et je me rappelais ce que la même tante Rivke m'avait raconté : « Au camp, celles qui dès le premier jour ont eu la gorge nouée et n'ont pu ni manger ni dormir, celles-là sont mortes les premières. Pas dans les chambres à gaz. Pas de fatigue. Pas de maladie. Pas de coups. Non. Elles sont mortes de peur, de stupeur. Alors Lola, si tu manges pas, si tu dors pas, si tu ne prends pas ça pour un rêve, c'est pas ton *Rak*[2] qui te tuera. C'est ta peur. »

Depuis quelques jours, j'allais de service en service, je me déloquais, je me rhabillais, on me prenait des litres de sang, me ponctionnait, me scarifiait, m'enfournait comme une miche de pain dans des machines qui n'étaient que des scanners, m'ultra-sondait, me radio-immunologisait, me lasérisait, me scintigraphiait, me xérographiait, m'échographiait. Et j'en passe et des meilleures. Le Grand Jeu, quoi ! On m'assurait que j'étais un cancer privilégié. Tout était vérifié : foie, poumons, reins, cerveau, côtes. Des fois que les démentes cellules se soient fixées ailleurs que sur ma colonne vertébrale ! Et les manipulateurs prenaient des airs mystérieux et n'expliquaient pas ce qu'ils voyaient sur leurs

1. « Mange, mange, petit enfant, une guerre arrive. »
2. Cancer, en russe.

écrans, leurs ordinateurs. Et chaque fois c'était la même terreur : « J'en ai *partout.* »

Punie, ma belle ; punie pour ne pas avoir laissé votre corps jouir sans culpabilité. Maintenant, dans la douleur, il se rappelle à vous. Il n'est plus qu'un objet que l'on scrute, que l'on pénètre avec des instruments barbares : cytoscope, endoscope, colonoscope. (« Masochisme sexuel, comme dirait Adolphe Tsoulovski. Se faire pénétrer par ce qui fait mal. ») Lola Frïedlander, vous n'êtes plus qu'un dossier, le 060680.U.V., la tumeur T3, N2 + M6, grade 3. Votre curriculum se résume à un certain nombre fluctuant de globules blancs, de polynucléaires, de macrophages, de monocytes, de plaquettes et autres frivolités. A une masse de cellules bénignes, malignes, à l'ADN tordu, monstrueuses (c'est écrit), à effraction capsulaire (oui, elles entrent par effraction dans les tissus, ces charmantes). Pleurez, Lola ! Pleurez dans les chiottars, toujours sans portemanteau, pleurez parce que vous n'arrivez pas à enlever votre corset, et que ça vous empêche de vous vider et que votre belle pelisse doublée de vison traîne dans la pisse sur le sol carrelé.

Par de sombres couloirs aux murs écaillés, couverts de tuyaux, où passaient des femmes vieilles et laides, poussant de grands chariots pleins de carottes, nous errions Mado et moi. Drôle d'odeur ! Cadavres en putréfaction ? Gaz zyclon B ?

— Ça sent le cramé, dis-je.

Bonne goï, Mado répondit que ça sentait simplement le linge bouilli et la graille car les cuisines et la lingerie étaient sans doute situées dans les sous-sols.

Pour faire « joyeux », ils avaient donné aux salles de radio-diagnostic des noms de peintres célèbres. Dans les couloirs de « Léonard de Vinci », une petite fille chauve, en robe de soie rose, portée par un solide Antillais aux gestes délicats, hurlait : « J' veux voir maman ! » Elle était pas près de la revoir, sa mère. La grande majorité des gosses hospitalisés sont issus de familles « en détresse », comme on dit, ou viennent d'Afrique du Nord. Les gosses de riches, on les soigne le plus souvent à la maison pour ce type de maladie, leurs mamans les accompagnent simplement en hôpital de jour et leur tiennent compagnie la nuit lorsqu'ils doivent y séjourner plus longtemps.

Un petit garçon algérien, en pyjama bleu de l'Assistance publique, refusait de me sourire malgré mes avances en mauvais arabe. Un petit blond, la tête à moitié rasée, courait comme un foldingue. Celui-là était avec sa mère qui gémissait qu'avec tout ça la ferme était à l'abandon et qu'elle n'avait pas pu aider son mari pour les moissons.

« Van Gogh » était occupé par un groupe de Polonais qui entouraient un jeune homme accablé devant lequel une superbe créature vêtue de cuir pleurait.

A « Renoir », une femme vulgaire, genre charcutière, racontait la longue et douloureuse complainte de sa tumeur du sein à une quinquagénaire qui, elle, lui détaillait le traitement à l'iridium de son cancer de l'utérus : « Alors ils m'ont mis dans le vagin des aiguilles et des perles radioactives. Et alors ils m'ont... » Un bel homme sombre — *de ceux qui vous branchent, ma bonne ?* — nu sous une robe de chambre de l'AP et assis sur une chaise roulante, se tenait la poitrine où l'on apercevait des bandages. Avait-il un cancer des poumons, le bel Andalou qui me faisait penser à Rafael ? Ou était-il l'amant de cette chauffeuse de taxi septuagénaire, épouse d'un garde républicain, qui m'avait avoué : « J'ai un homme dans la peau. Il est espagnol. Il se meurt d'un cancer des poumons. » Une Éthiopienne — *pourquoi pas Érythréenne ?* — belle comme la nuit, gémissait sur un brancard, une perfusion au bras. Mado continuait de siffloter comme si nous nous promenions dans Broadway : « *Just singing in the rain ! Just singing in the rain !*

Nous remontâmes. A l'étage, annoncé par une pancarte : « Consultation sein », des femmes, des dizaines de femmes, de vingt à soixante-dix ans, attendaient, entraient et sortaient des cabines de consultation, le visage défait ou rayonnant. Je me dis : « C'est l'abattage, comme à Barbès. »

Une dame avec perruque, au teint cireux, était prostrée sur une chaise roulante.

— Bientôt, j'aurai cette tête, dis-je.

— Non, celle-là, elle devait être dégueu' de toute façon, dit Mado.

Elle se trompait. Je verrai des femmes superbes devenir peu à peu des vieilles sorcières et je témoignerai de l'inverse : des cadavres ambulants grossir, rosir et se transformer en reines de beauté.

Enfin, redescendant dans les bas-fonds, nous découvrîmes le bloc du cobalt où j'avais rendez-vous avec le docteur Milhaud. C'était coquet, ils avaient peint les murs en orange et mis des guirlandes. Mais la salle d'attente était pleine de flics, dont deux avec des mitraillettes. Je me dis : encore un fantasme.

Mado, m'ayant vu blêmir, ironisa :

— Ça doit être pour toi.

Je haussai les épaules, mais j'avais les jambes coupées. Non : sans doute un forcené s'était-il enfermé dans une des bombes au cobalt s'imaginant pouvoir ainsi faire exploser une des banlieues de Paris.

Je reconnus vaguement deux gardiens de Fresnes qui avaient passé des blouses blanches pour se donner un look « infirmier ». Ils entouraient un vieil homme menotté au type méridional qui semblait, lui, très heureux de faire une petite balade. Il souriait aux manipulatrices, jeunes femmes à l'air maternel. Les autres malades dans la salle d'attente semblaient être pris en otages. Moi, j'étais hébétée. Je me répétais : « Avoir un cancer ou être condamné à perpète ? Avoir un cancer et être condamné à perpète ? » La maladie, ça ne protégeait donc pas de la veuve, de la dinguerie, de la taule ?

Marmonnant entre ses dents, Mado se leva, dit à l'un des flics, un jeune au visage angélique :

— Dites, vous ne pourriez pas aller plus loin avec vos flingues ?

Il obtempéra. Puis elle s'en prit au maton :

— Comment, ce pauvre a un cancer, et vous lui laissez les menottes !

Il haussa les épaules :

— Écoutez, ma petite dame, il a tué cinq personnes... Et

il sortira peut-être de prison, mais vous, sans doute, pas de votre cancer.

Elle haussa les épaules :

— J'ai pas de cancer !

— Lui, si, dit le taulier. Du larynx comme Jo Attia, soigné ici d'ailleurs il y a quelques années. Trop picolé, trop fumé. Il peut plus parler, pépé.

L'assassin condamné à mort par la maladie était de très bonne humeur. Il me lançait des sourires coquins. Je lui répondais comme une dame patronnesse. Depuis que j'avais un cancer, je me sentais un peu moins coupable. Le cancer, comme Auschwitz, ça innocentait à jamais ? Trop facile. Mais en ce jour, j'y croyais.

Mado avait entamé avec les gardiens son débat préféré : la suppression des QHS. Tahar Hadjal venait de s'y suicider. Elle le connaissait ce garçon dont on avait fait une bête sauvage.

— Mais faut leur donner une formation professionnelle, dit-elle.

— Comment ? dit le gardien (qui plus tôt avait précisé qu'il militait à la CGT et que le chômage était la cause principale de la délinquance). Comment ? On leur donne une formation. Regardez : le Juif. Celui qui s'est fait buter. Simon Bergman. Il a passé des tas d'examens, il a eu plein de diplômes en prison... C'était pourtant un sacré petit con...

— Pardon ? dis-je le cœur battant, m'approchant des gardiens.

— ... Oui, pour qui il se prenait, celui-là ? poursuivit le garde-chiourme. Fallait lui parler avec respect. Tout ça parce qu'il était juif. Et il s'est permis d'empêcher la mutinerie à Fresnes. Il leur a dit que cela ne profiterait qu'aux gardiens, que les détenus, on les manipulait... Les Juifs, je vais vous dire, ils se tiennent tous les coudes. Il s'en est sorti grâce à Simone Veil. Encore une Juive...

— Parce qu'il s'en est sorti ?

Il répéta, abruti :

— Tout ça parce qu'il était juif !

— Vous n'aimez pas les Juifs ? demanda Mado.

— J'ai pas dit ça. D'ailleurs, je lis tous les livres sur les camps de concentration. Mais Simon Bergman, je pouvais pas l'encaisser. Non mais, pour qui il se prenait ?... Et lui (il désigna le malheureux enchaîné), lui aussi, vous verrez, il s'en sortira. Y a pas de justice. — *Si Mado n'avait pas été témoin de la scène, vous auriez, Lola, encore cru être victime d'une de vos banales hallucinations. Vous jubiliez. Moment parfait où la réalité dépassait la fiction.*

— Vous êtes madame Frïedlander ?

Le docteur Milhaud avait une troublante voix rauque. Je notai que malgré ses cheveux presque ras, elle avait l'air moins androgyne que lorsque je l'avais aperçue au café. Elle avait troqué son jean blanc pour une minijupe en cuir blanc assorti à ses boots plates en daim, elle portait nonchalamment sa blouse blanche jetée sur les épaules, le bip-bip dépassant d'une poche, et elle eut un délicieux geste d'impatience pour regarder l'heure sur sa Rollex de plongée, ce qui me rappela un commandant cubain rencontré en 1963 à Cuba lors du fameux voyage de l'UEC. — *Ah, pauvre Lola, on n'a pas tous les jours vingt ans !*

Le docteur Milhaud m'entraîna tendrement par l'épaule vers une salle de consultation :

— J'ai votre dossier. Samuel m'a parlé de vous. Il ne faut pas baisser les bras. Il y a toujours une solution.

Elle m'assit sur une chaise, me proposa une cigarette, s'en alluma une, se cala dans son fauteuil et, les jambes posées sur une autre chaise, elle me fit ce qu'elle appelait des « propositions honnêtes » :

— Voilà ce que je propose. Ne parlons plus du passé. Il ne faut jamais, dans l'histoire d'un cancer, rabâcher les mauvais souvenirs. L'opération qui a laissé des cellules, la mauvaise « anapat' » des ganglions, l'absence de traitement, de contrôles, d'analyses. Repartons à zéro. Voilà ce que je propose : nous irradions vos ovaires en quatre séances, en cadrant aussi sur L4... On aurait dû vous enlever les ovaires il y a un an. A quoi ça sert, les ovaires ? Vous ne voulez plus avoir d'enfants ? Tant de femmes rêvent de ne plus avoir leurs règles. Si un ovule est déjà engagé, vous aurez encore une fois vos règles, malgré l'irradiation des ovaires. Alors attendez pour enlever votre stérilet. Puis, terminé. (Elle s'arrêta, me voyant m'enfiler un Valium.) Ça ne va pas, ma charmante ?

— Ça va très bien, dis-je, mais moi, les règles j'aime ça. J'aime surtout quand le sang coule le long des jambes en long filet. Rouge vif.

Je n'allais pas lui raconter la longue histoire de mes relations aux menstrues. La première fois à l'âge de dix ans, le sang noir dans le lit de Tsiporka, l'amie de ma mère, un soir de réveillon où on nous avait couchés, tête-bêche, garçons et filles, dans le même lit. Et les cris de ma mère : « *A Brokh !*[1] », parce que j'avais sali les draps. Toute ma vie ensuite j'adorerai tacher les draps, et je m'en mettrai plein les doigts, et je humerai, et j'aimerai l'odeur du sang séché, et les hommes qui m'aimeront, aussi mon sang aimeront, et Rafa prétendra même qu'il avait un goût sucré. (« Mais enfin, dirait Adolphe Tsoulovski, c'est tout à fait contraire aux lois de votre tribu. ») Justement. Justement.

— Bon, poursuivit le docteur Milhaud, ensuite on fera un champ sur quatre lombaires à raison de trois séances par semaine pendant trois semaines, puis un champ sur les ganglions du cou et de l'épaule. Quatre semaines. Puis on avisera.

Elle me donna de nombreuses explications techniques, mais je n'y pigeais rien. Et d'ailleurs j'en avais plus rien à cirer après l'annonce du futur génocide de mes ovules.

— Bien sûr, vous pourrez commencer en même temps la chimio. Si Samuel le décide. Vous êtes solide. Vous supporterez.

Je dis, l'air mutin :

— De toute façon, j'en ai pour un an maximum.

— Vous savez, un an c'est très long !

Elle s'était mise à me parler à voix basse comme si elle me livrait un secret. Elle se leva :

— Venez, on va marquer le « champ ».

J'entendis : « On va vous tatouer un numéro au *camp*. »

---

1 Yiddish : « Quelle tragédie ! »

Je me retrouvai nue sur une planche dans une immense salle obscure, entourée de plusieurs jeunes femmes qui sous les ordres de Patricia Milhaud, par un système très complexe qui leur permettait de viser mes vertèbres et mes ovaires, marquèrent à l'encre indélébile des tracés en forme de clôture de barbelés autour du champ de l'irradiation. Mon ventre ressemblait à un petit camp. Le docteur Milhaud leur fit reprendre le tracé.

— Ne me brûlez pas le zizi, dis-je, faussement enjouée. Un sein en moins, ça va. Mais le zizi...

J'avais le souvenir de Marise qui, après des séances d'irradiation sur le rectum, deux mois avant sa mort, me téléphonait : « Le pire c'est qu'ils m'ont brûlé le zizi. Je ne peux plus baiser. Ce sont des salopards. Tous les médecins hommes sont des salauds. On devrait faire un article dans la page " Idées " du *Monde* sous le titre : " Les cancérologues sont des nazis ". »

Je bougeai.

— Restez calme, dit Patricia Milhaud, en me caressant la joue. Tout ira bien, moi je ne vous brûlerai pas le zizi, comme vous dites.

C'est le lendemain que j'ai connu Zoubeïda Benzergui. Toujours flanquée de Mado, j'attendais qu'on vienne me chercher pour entrer dans *ma* bombe qui répondait au nom d' « Émilie ». Pour dédramatiser, je suppose, ils avaient donné des prénoms de femme aux bombes au cobalt. C'était malheureusement le jour où les manipulatrices étaient en grève pour obtenir, comme leurs camarades des scanners, des primes de risque. « Nous aussi, disaient-elles, nous sommes exposées aux radiations. C'est dangereux. » Charmant !

Au milieu d'un groupe de femmes grises, la belle Maghrébine, aperçue au café, étincelait. Elle était vêtue d'une djellaba safran et sa tête était couverte d'un *hirab*[1] jaune pâle. Elle me sourit timidement et je lui rendis son sourire Puis elle soupira avec un joli accent du Sud marocain ·

— Patience... Maladie... Toujours attendre.

----

1. Hirab : voile.

Je demandai si elle aussi avait un cancer du sein? Montrant son ventre, elle répondit :

— *Sellat al kirsh.*

Je me dis qu'elle devait avoir un cancer des ovaires ou de l'utérus. Elle me fit toutes sortes de mimiques ravissantes, leva les yeux au ciel, prononça le nom d'Allah, puis elle conclut : *Mektoub!*

Sans conviction, je dis : « Le destin ça n'existe pas. » Et pourtant moi aussi j'y croyais au mektoub. Tout arrive à son heure. En bien. En mal.

Dès que je vois une femme arabe, je fonds. Sans doute à cause de la gentille Aïcha qui a élevé mon fils. Et j'engageai la conversation. Bonne mère arabe? Mauvaise mère juive? (« Mais c'est très intéressant tout ça », dirait Adolphe Tsoulovski.)

Zoubeïda Benzergui attendait *el t'bib,* car on lui faisait, disait-elle, des *rrougnon,* sans doute des rayons. Comme beaucoup de malades, les pauvres, les vieux, les illettrés, les émigrés, elle ignorait en quel lieu elle se trouvait, qui la soignait, les détails de son traitement. Elle dit quand même en riant :

— *El t'bib, el kebir, Smul,* il est *maboul* un peu non? *La ou lala?* (Ça pour être timbré, *meshugè,* comme on dit chez moi, il l'était Samuel, me disais-je en tentant de suivre le discours de Zoubeïda, où se mêlait l'arabe, l'espagnol et le français.) Avais-je des enfants? Elle, avait neuf filles et un garçon — Mehdi, le petit qu'elle portait sur les genoux. Et, à trente et un ans, elle était déjà grand-mère.

— Paris, pas bien. Le Sahara, c'est beau. Tu connais Goulimine? Un jour, tu viens chez moi...

On l'appela. Elle se leva, faisant de la main des gestes gracieux.

Et moi j'entrai dans « Émilie » qui trônait dans une grande pièce tapissée de bois et moquettée pour qu'on ne s'aperçoive pas qu'elle était plombée. Quelle hypocrisie! En gémissant des *Oï,* des *Aï* et des *Vaï,* je m'allongeai péniblement sur la mince table de bois et, sous l'œil ironique de deux jeunes manipulatrices qui se croisaient les bras, deux médecins inconnus qui se donnaient des airs importants appuyèrent sur divers boutons pour que l'énorme bombe descendît vers mon ventre.

« Récite, me dis-je, le *Kaddish* pour tes ovules qui vont commencer d'agoniser dans les minutes qui suivent. »

Ils m'abandonnèrent dans cette pièce obscure, seulement éclairée par le rayon rouge du laser qui partageait mon corps et la lueur multicolore des boutons qui clignotaient. Je savais que les irradiations étaient indolores mais j'étais complètement terrorisée. On allait m'oublier. On ne retrouverait qu'un petit tas de cendres radioactives. Au long de ces interminables minutes j'essayai, pour m'apaiser, de réfléchir à la couleur des pantalons que j'allais m'acheter : rouge de Venise ? rouge de Pozzuole ?

Il me revint cette histoire racontée la veille par tante Rivke dans un grand éclat de rire :

« J'ai vu Sonia la semaine dernière. Elle m'a encore remerciée : " Grâce à toi, à Auschwitz, j'ai eu beaucoup de chances. Grâce à la solidarité de tes amis communistes, tu m'as obtenu un bon travail au " Canada ", dans un hangar à côté des chambres à gaz où je triais, lavais, repassais les vêtements des Juifs qui arrivaient de toutes les villes d'Europe directement du train à la chambre à gaz. Ensuite, les vêtements étaient distribués à la population allemande. Nous, on volait, on troquait, on s'organisait, on mangeait un peu. Grâce à toi, Rivke, j'ai survécu. Parfois, la nuit, je rêve de là-bas. On a quand même eu de bons moments. Ça valait la peine, puisqu'on en est revenues, nous... " »

— Plus que trente secondes, madame Frïedlander, plus que dix secondes, plus que... me dit par l'interphone la jeune manipulatrice non gréviste qui me suivait sur un écran de télévision.

Soudain, le ronron de la machine s'arrêta. Le fil rouge du laser, les lumières et les boutons multicolores s'éteignirent. Mais personne ne vint ouvrir la porte. Je n'osai pas bouger d'un millimètre. C'était comme dans un cauchemar. Je hurlai : « Maman ! Au secours ! » Pas de réponse. Impossible de me lever : on m'avait dit de ne pas bouger. J'étais certaine que ma vie allait se terminer ainsi, j'allais claboter sous cette bombe.

Enfin la porte de mon petit bunker s'ouvrit. La lumière s'alluma, et Patricia Milhaud, souriante, me gronda comme si j'avais eu quatre ans :

— Eh bien ! Eh bien ! On s'est crue abandonnée ? Vous savez, ici, tout est électronique. Il y a toute une variété de sécurités. Il ne peut rien vous arriver. On n'est pas à Hiroshima.

Elle me regarda me rhabiller, sourit lorsque je dis : « Heureusement que je ne suis pas strip-teaseuse au Crazy Horse », caressa mes cheveux :

— Vous avez vraiment de très beaux cheveux roux. Dommage que Samuel... avec ses saloperies... Enfin, ça repousse.

J'étais complètement engourdie, prête à m'endormir dans ses bras.

Il pleuvait lorsque je sortis du groupe hospitalier, confortablement installée dans la voiture de Mado. J'aperçus Zoubeïda qui marchait le long de l'avenue à la recherche d'un arrêt d'autobus.

Enfin la porte de mon petit bunker s'ouvrit. La lumière s'alluma, et Patricia Milband, souriante, me gronda comme si j'avais eu quatre ans :

— Eh bien ! Eh bien ! On s'est crue abandonnée ? Vous avez, ici, tout est électronique. Il y a toute une variété de sécurités. Il ne peut rien vous arriver. On n'est pas à Hiroshima.

Elle me regarda me rhabiller, sourit lorsque je dis « Heureusement que je ne suis pas strip-teaseuse au Crazy torse », caressa mes cheveux :

— Vous avez vraiment de très beaux cheveux roux. Dommage que Samuel... avec ses saloperies... Enfin, ça épousse.

J'étais complètement engourdie, prête à m'endormir dans ses bras.

Il pleuvait lorsque je sortis du groupe hospitalier, confortablement installée dans la voiture de Mado. J'aperçus Zoubeida qui marchait le long de l'avenue à la recherche d'un arrêt d'autobus.

10

« Certaines *N'essara*[1] sont aimables », se disait Zoubeïda en changeant à Belleville pour prendre la direction Nation. Il n'y a qu'une station jusqu'au métro Couronnes, mais son enfant dans les bras, elle n'avait pas la force de marcher le long du boulevard de Belleville, aux trottoirs encombrés d'hommes désœuvrés qui ne se poussaient jamais pour laisser passer les femmes. Zoubeïda m'avait menti en montant dans la voiture de Mado. (« Moi aussi je vais à Réaumur-Sébastopol. ») Nous l'avions déposée et, lorsque notre 2 CV avait disparu, la Maghrébine s'était engouffrée dans le métro.

Des policiers lui demandèrent ses papiers. Elle montra l'ordonnance du professeur Tobman et un papier à en-tête du service « Cobalt » où étaient inscrits ses rendez-vous pour les irradiations. Le policier agitait l'ordonnance :

— C'est pas une carte de séjour, ça !

Elle n'avait pas de carte de séjour, elle ne possédait aucun papier sur elle l'autorisant à rester en France, bien que son mari, H'saïn, y vécût et y travaillât depuis de nombreuses années. Deux fois de suite, on l'avait refoulée vers le Maroc. Mais quelques mois plus tôt, elle avait enfin pu revenir sur le territoire français, espérant ainsi aller rendre visite à sa fille aînée qui vivait dans les Bouches-du-Rhône. H'saïn le lui avait interdit car il avait répudié Mesnya qui s'était mariée

1. Arabe marocain : Nazaréennes, désigne les Européennes en général.

avec un Marseillais, un bon garçon d'origine arménienne au demeurant.

C'est à Paris que le ventre de Zoubeïda s'était mis à grossir, un jour, en quelques heures, comme si elle eût été enceinte de six mois. Terrorisée et abattue par la douleur, elle était restée prostrée, mutique, se préparant simplement des tisanes de pelures d'oignons car elle s'imaginait avoir des gaz dans le ventre. Une aide-soignante africaine, cliente de l'épicerie de H'saïn, rue Vaucouleurs dans le XIe arrondissement, l'avait entraînée à l'hôpital ; un médecin s'était affolé et l'avait envoyée dans une lointaine banlieue voir celui qu'elle appelait : *El t'bib Smul.* Sans Sécu (H'saïn n'était pas salarié), sans carte de séjour, comment aurait-elle pu s'engager dans cette longue et hallucinante aventure où examens, opérations, traitements, bilans, analyses se succèdent ?

« On ne peut pas laisser crever cette petite », s'était écrié le célèbre cancérologue. Et Zoubeïda souriait car elle comprenait mal le français, encore moins les hurlements de Samuel qui malgré ses grimaces ne l'intimidait pas, mais au contraire la faisait marrer : « *Meskin,* le pauvre, se disait-elle, il travaille trop de la tête, il va tomber malade. »

Le professeur avait paumé un après-midi pour trouver un chirurgien ami qui accepterait de la faire entrer en douce dans son service grâce à la complicité de sa surveillante générale, puis de l'opérer. Il avait appelé Adeline Durand pour lui soumettre le cas : « Bof ! On va chouraver les produits, avait-elle répondu, et une fille de confiance ira lui faire la chimio à domicile. T'en fais pas, Samu. On s'arrange toujours. »

Et c'est ainsi que Zoubeïda avait d'abord vécu un véritable cauchemar car on lui avait fait du « Cis-Platine », une chimio qui dure des heures et vous vide par tous les orifices. Puis on l'avait opérée et maintenant, avec la complicité de Patricia Milhaud, on allait lui faire du cobalt à l'œil.

Lorsqu'elle avait aperçu sa longue natte brune comme un scalp sur l'oreiller, Zoubeïda avait pleuré pendant des heures. Personne ne l'avait prévenue et elle ne savait pas que l'alopécie n'était pas due à la maladie mais uniquement au traitement, qu'elle était passagère, réversible. Zoubeïda se croyait maudite.

Le mot cancer, elle ne l'avait jamais entendu lorsqu'elle vivait dans le désert. A Dar el-Beida, ensuite, parfois on entendait que telle ou telle femme *met'iona* par les soucis avait été emportée par *Sellat el bezouéla*[1] ou *Sellat el ouelda*[2]. *Sellat* comme *Saratan* était une sorte de démon qui prenait possession d'un corps et le rongeait, ou prenait sa place et le menait lentement vers la mort.

— C'est pas une carte de séjour, ça !

Mon Dieu, le policier n'allait pas déchirer le papier ! Zoubeïda était illettrée et tous les papiers, surtout ceux qui provenaient de l'hôpital, étaient sacrés. Elle en avait des suées. Elle tenta d'expliquer au policier son histoire : pourquoi elle avait dépassé les trois mois de séjour autorisés aux touristes, pourquoi elle ne vivait pas en France avec son époux. Comment faire comprendre en quelques mots et dans une langue étrangère sa vie, sa drôle de vie qui l'avait menée à trente et un ans si loin de la tente de ses parents du côté de l'oued Drâ ; loin du sable, de l'infini, de la liberté ?

Mehdi, son enfant, se mit à pleurer.

— Bon, ça va, dit le flic. Mais la prochaine fois, on vous emmène au poste. Faut régulariser la situation. Papiers. Des papiers. Il faut des papiers. — *Dites, Lola, vous n'allez pas écrire :* Papieren ! Ausweis ! *C'est pas la Gestapo !*

S'il n'avait pas pluvioté, Zoubeïda aurait continué par le boulevard de Ménilmontant vers le cimetière du Père-Lachaise car elle adorait elle aussi les cimetières, particulièrement ceux des Européens avec leurs tombeaux en marbre, leurs chapelles aux portails rouillés, leurs arbres, leurs promeneurs, le manège des jeunes gens qui comme des femmes essayaient d'entraîner les vieux veufs aux pleurs hypocrites, prostrés devant les tombeaux de leurs épouses, vers des endroits tranquilles, des allées désertes. Zoubeïda avait toujours aimé les jeux de la séduction, bien que par

1. Cancer du sein.
2. Cancer de l'utérus.

réaction, elle avait eu tendance dernièrement à suivre une de ses filles qui était devenue *Muhtajibat*[1] et écoutait du matin au soir sur des cassettes le Coran chanté par Abdel Bassit Abdessamad, le seul qui la fît vibrer.

Elle se souvenait des hommes voilés de bleu indigo de son enfance tournant à dos d'*azuzâl*[2] pour séduire les femmes qui, lançant des cailloux, choisissaient ensuite l'élu de la nuit. Elle entendait encore les rires sous les tentes, derrière les dunes. Elle se souvenait aussi des petites filles dansant le *Gedra* en cercle pour les amoureux. — *Et vous, Lola, ça vous allume les souvenirs exotiques de Zoubeïda ?*

Plus tard, mariée en échange de quelques moutons, enfermée en compagnie de ses belles-sœurs, de sa belle-mère, de la première épouse de H'saïn, dans un appartement exigu de la médina de Casa, elle aimait, de la terrasse, montée sur un tabouret, faisant mine d'étendre le linge, observer dans la rue le manège des prostituées, mâles et femelles.

Aussi petit qu'elle était grande, aussi maigre qu'elle était plantureuse, H'saïn trônait devant son épicerie, assis sur une chaise en buvant du thé à la menthe et aux pignons avec Marcel, son voisin : un restaurateur juif tunisien. Lorsqu'elle pénétra dans la boutique, H'saïn n'eut pas un regard pour Zoubeïda. Il l'aimait pourtant sa grosse à la peau ambrée, mais il ne savait pas comment le lui exprimer. D'ailleurs, elle ne lui parlait plus. Avait-elle compris que Zineb, la jeune fille en jeans à l'allure délurée qui lui servait de commis et de coursière, partageait sa vie ? (A-t-on jamais vu une femme commis dans une boutique arabe ? Les commis y sont des cousins qui se relaient tous les six mois.)

Le visage fermé, de son allure de reine, Zoubeïda traversa la boutique sans un regard pour Zineb qui, derrière sa caisse électrique, se poussa pour la laisser pénétrer dans l'arrière-boutique. Elle se paya le luxe d'attraper une olive au

1. Sœur musulmane.
2. Hongre, cheval châtré.

passage, de la croquer et de recracher le noyau au visage de la jeune émigrée.

« Comment ? se demandait Zoubeïda en grimpant jusqu'à l'appartement au premier étage, comment une fille de vingt ans qui avait été à l'école pouvait-elle accepter de se marier avec un homme de cinquante-trois ans qui avait déjà deux femmes au Maroc, une vingtaine d'enfants et une dizaine de petits-enfants ? » Il était vrai que H'saïn, bien que petit et maigre, était bel homme. Pas grand et fort comme on l'entendait au Maroc, mais il possédait, en contraste avec sa peau mate, des cheveux châtain clair, des yeux gris comme beaucoup de Berbères et, sous son épaisse moustache presque rousse, une belle grosse bouche et d'immenses dents très blanches. Il plaisait aux femmes et pas seulement parce qu'il leur offrait des bijoux. Non. Il avait la réputation — du moins c'est ce qu'insinuaient perfidement à Zoubeïda ses belles-sœurs — de leur donner du plaisir.

Il y avait dix-huit ans, Khadidja, la première épouse, haïssait Zoubeïda car H'saïn négligeait complètement sa couche pour la petite fille de treize ans. Zoubeïda n'avait jamais vraiment apprécié les caresses de son mari : elles se terminaient toujours par une grossesse. Maintenant, elle était bien contente qu'on lui ait « tout enlevé ». Satisfaite et inquiète : allait-il la répudier maintenant qu'elle n'était plus bonne à rien ?

L'appartement était composé d'une pièce, aux murs tapissés de chromos de Paris et de posters de Claude François, meublée d'un lit, de plusieurs armoires, de valises, de cartons, de matelas et de tapis empilés, et d'une vaste cuisine qui servait de séjour et de salle de bains. Sur le lit traînait le blouson de cuir en vinyle de Zineb. Plouf ! Zoubeïda le jeta par la fenêtre puis avec un sourire très doux elle arracha les portraits de celui qu'elle appelait : *ade mechi rajel*[1].

Épuisée par la séance d'irradiation, par le trajet en métro, elle coucha Mehdi sur un petit tapis, puis elle se lava à grande eau dans la cuisine car elle voulait faire ses prières avant que n'arrivât Vivi, une des infirmières de l'UTATH. Elle fit brûler de l'encens et de l'ambre sur un brasero et

---

1. « Celui-là n'est pas un homme. »

prépara l'eau de rose dont elle avait l'habitude d'asperger ses amies en guise de bienvenue.

C'est alors que Zineb monta chercher le paquet de Marlboro qu'elle avait oublié dans la poche de son blouson. Point de blouson. Mais Zoubeïda nue, splendide malgré son gros ventre, sans la moindre pilosité, du crâne au sexe qu'elle avait bombé, ravissant, comme celui d'une petite fille. La caissière elle, était maigre ; de dos on la prenait pour un garçon et elle était obligée de s'épiler au sucre et au citron des pieds à la tête car un duvet sombre recouvrait ses cuisses et son visage. Mais H'saïn l'aimait pour ses longs cheveux noirs et lisses d'Asiate (sa mère était vietnamienne) qu'elle n'avait jamais coupés et qu'elle portait en queue de cheval. (« Une chèvre avec une queue », pensait ma nouvelle amie.)

— Tu crois aux sorts toi ? lui demanda en arabe Zoubeïda.

Elle avait remarqué que son matelas avait été transpercé de coups de rasoir ; de plus, elle avait été prévenue par la sœur de Zineb que celle-ci avait été voir un marabout malien qui lui avait préparé une poudre de queue de souris pilée. La jeune fille l'aurait en douce glissée dans le café de sa rivale, puis elle aurait transpercé sa photo de sept coups d'aiguilles représentant les fameux sept démons. Mais elle n'avait pu se rendre au cimetière pour couper la main d'un mort avec laquelle elle aurait dû rouler du couscous, qu'elle aurait ensuite fait avaler à celle qu'elle voulait ensorceler.

Zoubeïda avait une longue expérience de la sorcellerie. Depuis son enfance elle avait vu les femmes de la même famille se rendre chez la sorcière ou le marabout pour se débarrasser d'une rivale (belle-mère, belle-sœur, concubine, seconde épouse) pour reprendre mari, séparer des amants, rendre stérile ou fertile une ennemie. Ça marchait rarement comme prévu. Pourtant, lorsqu'elle avait attendu son troisième enfant, on lui avait glissé dans son coffre à bijoux un morceau de cordon ombilical desséché et elle avait fait une fausse couche. — *Vous aussi, Lola, vous y croyez aux sorts. Vous l'avez dit à la Marocaine dans la voiture : « Je me suis ensorcelée moi-même, je dois me désensorceler. »*

— Tu crois aux sorts, toi ? redemanda Zoubeïda à Zineb. (La jeune fille fit celle qui ne comprenait pas...) Tu as les ongles peints en rouge, tu bois du vin, tu fumes comme un homme, tu montres ton cul, ton *taboune* moulé dans un pantalon, tu écoutes de la musique américaine au lieu d'écouter le cheikh Kœchk. Et tu vas voir le marabout. Ça sert à quoi de vous envoyer à l'école ?

Elle savait bien que cela n'avait rien à voir avec l'éducation. Même les bourgeoises, celles qui étaient docteurs, professeurs, toutes les femmes au Maroc se rendaient un jour ou l'autre chez l'envoûteuse ou la *chawaffa* qui prédisait l'avenir, exorcisait, désensorcelait. — *Comme vous, Lola, ma belle, qui vous êtes longtemps allongée sur le divan d'Adolphe Tsoulovski, le sorcier sophistiqué.* Zineb n'avait pas retrouvé son blouson ; elle comprit en apercevant les posters déchirés que la femme de H'saïn l'avait balancé par la fenêtre. Elle se précipita sur la jeune femme poings en avant, puis se reprit :

— Si tu n'étais pas malade, entchoulée, je te donnerais une tannée.

Une tannée ? *Qahba !* Le mot putain siffla entre les dents de Zoubeïda ; elle asséna à sa rivale une paire de claques qui la fit chavirer.

— Ça recommence ?

Son pied de perfusion, ses flaçons, ses tubulures et ses aiguilles à la main, Vivi venait de faire enfin son apparition, et Zoubeïda se jeta dans ses bras comme si elle eût été sa mère. Pourtant, Vivi n'avait que vingt-trois ans. Mais c'était une des vedettes de l'UTATH, où déjà n'officiaient que les championnes du monde de la perfusion ; les malades se battaient pour être piqués par cette beauté brune à l'autorité naturelle.

Vivi, qui avait même été interviewée à la télé en compagnie de Samuel du temps de leurs amours clandestines, ne provoquait jamais d'ecchymose ; elle visait juste, ne faisait pas mal.

— Si tu n'es pas sage, si tu continues à t'énerver, à faire la folle, je ne viendrai plus te faire la chimio, dit-elle à Zoubeïda en allumant sa quinzième clope de la journée.

« Je finirai par avoir un cancer », se disait-elle. Mais à six heures du soir, elle commençait à en avoir plein les bottes, Vivi, des cancéreux, du cancer, des cancérologues, des centres anticancéreux, des médicaments anticancéreux, etc. Et en plus, sous prétexte qu'elle était militante CGT comme Adeline Durand et que Samuel l'adorait, elle se tapait des heures supplémentaires : chimio à domicile et à l'œil pour les malades sans Sécu, euthanasie à la place des médecins qui se barraient en week-end à Trouville.

Tout en tapant à tour de bras sur la main de Zoubeïda pour faire ressortir une veine, elle récapitula tout ce qui lui restait à faire avant de se coucher : aller chercher son gosse chez la nourrice, courses au Codec du centre Belle-Étoile, lessive, préparation du dîner pour ce con d'André qui, malgré leur séparation de corps, refusait de quitter l'appart' qu'ils avaient acheté ensemble... A l'intuition, comme une sorcière, elle visa juste dans la veine. Elle aspira un peu de sang, vérifia si le « retour » se faisait bien, c'est-à-dire si le produit toxique ne passait pas à côté de la veine. Tout était parfait. Elle se calma : piquer, perfuser, ça la mettait dans un état d'euphorie.

Elle planait : « Je dois être un peu vampire », se dit-elle.

11

Depuis une semaine je recevais des appels téléphoniques des vieilles copines de tante Rivke qui savaient *tout* sur le cancer : « *Oï! Veï! Kaïn horeh*[1]! La chimio c'est atroce », m'avait dit Bronka. J'avais sorti mon célèbre principe : « C'est tout de même pas Auschwitz. » *Kwa?* C'était pire qu'à Auschwitz! Là-bas au moins ça allait vite (ça se discute!), le zyclon B faisait effet en quelques minutes. Mais le *Kantsser...* c'est la mort lente. « Tant mieux, avais-je répondu, je suis pas pressée. »

Bien sûr, ma douce demi-sœur, Noémi, s'était *pour me soutenir* informée et elle m'avait rapporté des descriptions apocalyptiques de la chimio ; ça me rappelait ma veille d'accouchement où pour me soulager — déjà ! — elle m'avait prévenue : « Tu verras, c'est comme si on t'écartelait, comme si on te hachait les reins. » J'avais ensuite prétendu que la douleur des parturientes, finalement, était proche de la jouissance ; elle m'avait alors jeté : « Mais tu ne m'aimes pas ! Mais qu'est-ce que je t'ai fait ? »

Hier, après la séance de prélèvement où Samuel m'avait félicitée pour mon courage, Noémi avait marmonné : « Oh, on s'en faisait une montagne, mais c'est pas si terrible que ça ! »

Alors ce matin, lorsque la mine gourmande et l'œil tragiquement allumé, elle s'apprêtait à m'accompagner (je l'imaginais en train de danser autour de moi une danse de

---

1. En yiddish, exactement : rejette l'œil du diable ; donc, protégez-nous.

mort), j'avais précisé : « C'est *mon* cancer. Ce bout de voyage, je veux le faire seule. » Dans ce nouveau rôle, je souhaitais bien un public. Mais inconnu. (« Avouez, dirait Adolphe Tsoulovski, vous vouliez vous éclater sans elle. »)

J'avais dans l'oreille la voix traînante de Samuel : « Un an sûr, deux ans peut-être. » J'avais en tête le bon regard de Katz : « Choupette, tu es trop lucide pour que je te raconte des histoires. Si le traitement ne marche pas dans trois mois, c'est fini. » — *Et vous lui avez fait jurer de ne pas vous laisser souffrir. Le malheureux promit et depuis, une fois par semaine, vous le réveillez aux aurores pour lui annoncer une nouvelle douleur baladeuse. Et, ensommeillé, il vous répond :* « *Si tu continues à courir après les métastases, à nous faire chier, à te faire chier, c'est la piquouze tout de suite* » ; *puis après un bâillement :* « *A cette heure-ci, tu ferais mieux de baiser.* »

Donc dans trois mois, à Pâques ou à la Trinité, *ça* pouvait être fini. J'avais été chez le notaire (rédiger son testament ne fait pas caner) pour établir donation de mon appartement au fruit de la passion, Bolivar-David, qui, l'apprenant, avait éclaté en sanglots. Puis j'avais précisé que j'interdisais aux Nussenberg de participer au conseil de famille, à Noémi de toucher à mes papiers (j'avais d'ailleurs changé tous les verrous de mes portes, placards, cassettes, cachettes) ; puis j'avais insisté : je voulais à la fois être brûlée (eh oui !) et la présence d'un rabbin à mon enterrement car *avant et après tout j'étais juive*. Et c'était même cette certitude, plus une certaine *khutzpah*[1] qui me tenait en vie.

L'incinération étant contraire à la tradition juive, j'hésite toujours. Ce qui fait peur, c'est la peur. Et j'ai plus peur d'être enfermée dans un cercueil, de geler l'hiver dans la terre humide, que de cramer une heure. D'un autre côté pour Bol'Dav', une tombe pour se recueillir, c'est mieux. Moi, j'ai assez souffert de ne pas savoir où se trouvaient les cendres du beau Lev. (Mais comme dirait Tsoulovski :

1. Yiddish : mélange d'effronterie, insolence, arrogance illustrée par une histoire : un homme, qui avait tué père et mère, demande la clémence du tribunal car il est « orphelin ».

« Votre désir d'être, vous aussi crématorée, est-ce bien clair ? Associez. » Ah merde !)

Je n'étais pas triste, j'étais complètement speed. Jamais je n'avais été si affairée : je rangeais, je planifiais ; une machine à calculer à la main, je comptais mes globules et les sommes, inflation comprise, nécessaires pour que Bolivar terminât ses études. J'étais d'ailleurs prête à faire des passes pour lui laisser un magot. Mon unique rotoplo pouvait-il tapiner ?

La veille, Samuel m'avait présentée à la star de la perf' : « Occupe-toi de ma petite copine. Elle s'appelle " Lola-broie-du-noir ". »

Et Vivi, qui aurait pu être ma fille si j'avais enfanté à dix-sept ans, m'avait maternellement prélevé des litres de sang pour vérifier mon ACE, ma ferritine, ma prolactine, mes bêta 2 microglobulines et autres marqueurs biologiques qui permettent de suivre les progrès ou la reculade du cancer. — *Lola, on connaît votre rêve : devenir cancérologue. Mais c'est râpé !*

Elle m'avait calmement envoyé un aller-retour lorsque j'avais fait mine de tourner de l'œil, m'avait gentiment prêté sa main pour que je la mordisse lorsque Samuel m'avait aspiré une *carotte* de moelle osseuse dans l'os iliaque afin qu'on sût si j'en avais *partout* ou seulement dans ma célèbre *ellekatre*, m'avait ensuite scarifié les cuisses avec du BCG pour stimuler mes défenses immunologiques.

Or aujourd'hui, Vivi semblait avoir totalement oublié mon existence. Et je flippais.

Assise sagement sur une vieille chaise branlante dans une des salles de l'hôpital de jour, j'essayais en vain d'attirer son attention. Ses seringues à la main, tortillant du cul sous sa blouse de Nylon blanc transparent, elle allait et venait, comme une reine, perchée sur ses talons dorés.

Officiaient aussi pourtant, Cricri au visage d'ange, Iseult à l'allure de bonne sœur, Coco qui rapportait bruyamment que la psychologue lui avait fait passer un test (« Un malade vient de mourir, Comment l'annoncez-vous à la famille ? »), Lulu et son « Je craque » écrit au pochoir rouge sur son tee-shirt, Dédé, Tata, Zézette, d'autres infirmières dont j'ignorais alors les noms, mais je n'avais d'yeux que pour Vivi qui ne répondait à aucun de mes sourires serviles.

Il est vrai que ces jolies filles qui faisaient les trois-huit avaient fort à faire dans ces cent mètres carrés qui ressemblaient à un salon de coiffure — dont tous les clients auraient été chauves — où se pressaient, recroquevillés sur des lits instables, des fauteuils croulants, des femmes, des hommes et des enfants.

En ce lieu étrange où l'on « branche » les gens (« Je vous branche, madame Friedlander ? ») on traite les malades par la chimiothérapie en hôpital de jour : on leur perfuse en un temps qui varie entre dix minutes et douze heures des cocktails de plusieurs produits bizarres censés tuer les délirantes cellules mais qui détruisent malheureusement aussi les bonnes.

Il y a ici des mots de passe que le branché vraiment *branché* apprend très vite mais qui, ce jour-là, me semblaient du martien. Exemple : *Réponse,* bonne volonté d'une cellule cancéreuse à accepter d'être tuée par un produit chimique. *Perf',* perfusion. *Chimio,* chimiothérapie. *Adria,* adriamycine, substance extraite d'un champignon, horreur des horreurs, produit rouge qui brûle horriblement s'il passe à côté de la veine, mais qui hait les cellules cancérisées du sein, peut stopper une évolution mortelle mais rend provisoirement chauve. (« Ça repousse mieux après, disent les infirmières. La preuve ? On en donne aux moutons en Australie pour qu'ils fabriquent de la bonne laine. ») Le mot *plaquette* (« Ah, ma bonne madame Dupont, on n'a plus de plaquettes ? »). Pas de plaquettes, donc pas d'hémostase, le sang ne coagule plus : hémorragie interne. On transfuse et on s'aperçoit que les plaquettes, c'est pas rouge, mais jaune. Les malades sont obsédés par leur formule sanguine dont le détail leur permet ou non de continuer leur traitement, qu'on appelle des « cures » parce qu'il se donne en cycles réguliers. Et ils errent, angoissés, à se demander s'ils ont assez de globules rouges, de globules blancs, et entre autres (parmi les blancs) de polynucléaires. (« Ah, mais j'ai presque plus de blancs », dit une jeune femme comme si elle avait oublié d'aller chercher du liquide à la banque.)

112

C'était le premier jour de ma première cure. (Il devait y en avoir douze, puis dix-huit, puis vingt-quatre. Maintenant, ô Impitoyable Yahvé, j'en accepte vingt mille, mais laisse-moi connaître la fin de l'histoire et aussi mes petits-enfants !)

A genoux, occupée à taper à tour de bras sur la saignée du coude d'une malade qui suppliait : « Vous croyez, ma petite Vivianne, que vous trouverez une veine ? », Vivi ne m'avait toujours pas remarquée. (Les veines qui pètent sont, avec le nombre de globules blancs et de plaquettes, la grande préoccupation des cancéreux. Au bout de quelques cures de chimio, on se retrouve avec les bras, les mains, le cou même parfois, couverts d'hématomes et l'on vous prend pour un camé.)

— Vivi, à toi de jouer ! Accroupie elle aussi, en déséquilibre au pied d'une malade, une des infirmières n'arrivait pas à trouver une bonne veine : ça passait toujours à côté. Dans le grand sac poubelle, elle avait de rage balancé seringues et perf', elle déclara forfait et alluma une cigarette pour se calmer les nerfs.

— Calmos, dit Vivi qui s'empara doucement du poignet de la malade, laquelle se crispa, hurlant « Jésus-Marie ! » avec l'accent italien. Vivi, telle une sorcière, visa une seule fois et ce fut la bonne. La malade se détendit, embrassa la main de Vivi et raconta qu'à l'hôpital de Naples on l'avait perfusée à côté, ça l'avait brûlée jusqu'à l'os, son mari d'ailleurs, paix à son âme, il était lui aussi mort d'un cancer, il disait faut-pas-se-soigner-à-Naples-faut-aller-à-Milan...

On entendait les râles de ceux qui vomissaient.

— C'est bon la choucroute aux saucisses, Marielle ? demanda Vivi à une jeune fille amputée d'une jambe — son pantalon flottait — qui de sa main libre essayait de manger sur un plateau-repas le menu de l'AP.

— L'intendant de l'hôpital n'a jamais eu de chimio, dit un malade qui fumait près de la porte.

— Au contraire, répondit Vivi avec ironie. Avec ça, on va directement au refile.

Le fumeur était Ange Francini dont je ne savais pas encore qu'il était un des parrains du milieu parisien. — *Avec sa tête de belle brute féline, son élégance un peu voyante, il vous eût émoustillée, ce vieux Corse leucémique, si vous eussiez été ce jour-là émoustillable.*

Avec lassitude, Ange m'offrit une cigarette turque à bout doré, me proposa d'aller déjeuner en sa compagnie dans une auberge près de la prison de Meaux. Je n'aimais pas les auberges.

— Venez chez moi, je vous ferai une salade de lentilles aux échalotes, ça enlève la nausée.

Je refusai. Oh, mon bel Ange, comme je regrette de ne pas avoir bouffé votre salade et de ne pas vous avoir accompagné pêcher la langoustine à Propriano. Vous disiez, me dessapant du regard : « Mais la place de cette petite n'est pas dans un hôpital ! » M'auriez-vous mise au turf ? « Vaut mieux se les geler sur un trottoir que dix pieds sous terre », m'expliquera un jour le vieux marlou atteint de leucémie méloblastique aiguë.

Je notais ce jour-là, car je me mis à prendre des notes : *senteur florale mêlée à des odeurs d'antiseptique, d'éther et de subtiles exhalaisons humaines : chevelures, pubis, aisselles, doigts de pied, intestins, trou du cul, urètre, vessie, prostate, voies spermatiques, gland, écoulement vaginal, haleines. Malades angoissés qui parlent comme des moulins, d'autres plongés dans un abîme. Les enfants, on a calé les bras des plus petits entre deux planches, sont très dignes, ils font semblant de lire tranquillement des illustrés, les mères des enfants leucémiques ont l'air hagard, certaines sont agitées de tics. Toutes les femmes lancent des regards lourds sur les enfants malades semblant dire : plutôt mourir dix fois que de voir mon enfant malade. J'évite de regarder la grosse fille amputée qui me fait penser à Bolivar. Ostéosarcome, on m'a dit, métastase pulmonaire six mois après l'amputation.*

Comment se souvenir exactement de tous les futurs macchabées qui me côtoyaient ce jour-là ? J'en ai depuis tant vus, tant connus, tant aimés, tant pleurés. Ébauche de silhouettes dont il ne reste dans le souvenir qu'un bout de phrase : *Voulez-vous des rillettes c'est ma belle-mère qui les fait. J' suis seule avec le p'tit, son père il m'a quittée, mes parents habitent à Besançon qui c'est qui va s'occuper de lui quand j' serai plus là ? Et vous vous avez encore envie de faire l'amour ? Vous avez un cancer on dirait pas vous êtes belle ça vous va pas-de-cheveux moi je suis trop moche. Vous êtes pas croyante prier ça aide. Vous y croyez vous à la méthode Solomides ? Y veulent pas me réintégrer dans mon boulot mais moi j'ai une femme et des gosses. Ah s'il y avait pas les gosses. Tous les dix ans j'ai un autre cancer maintenant c'est les intestins j'ai 82 ans je me soigne pour mes arrière-petits-enfants. Avant d'avoir un cancer je m'ennuyais c'est vrai ici on voit du monde remarquez ça tourne, Vous avez vu la télé paraît qu'en Amérique ils vont trouver un médicament miracle faut tenir encore deux ou trois ans. J' vous dis pas bonjour aujourd'hui j' suis pressé faut que je voie le docteur y paraît que ça a repris au foie.*

Et le vieux monsieur au cancer du sein (« Je suis ridicule, non ? ») et la dame qui en avait dans les ovaires et les deux seins, que j'appelais le « Petit Chaperon rouge », dont le mari disait : « Elle a bonne mine aujourd'hui, c'est grâce à Héléna Rubinstein. »

Je me souviens de la très belle jeune femme aux cheveux bruns très courts en robe de chambre de soie blanche qui faisait les cent pas ce jour-là dans le couloir, triturant un tube de Tranxène, répétant en se tordant les mains : « Mais je ne dois pas m'en faire, on me transfuse des plaquettes et je sors demain. »

Un homme qui ressemblait, avec sa barbe blanche et son vieux costume élimé, à un rabbin un peu clochard, lui parla tendrement en grec. C'était Anatoli, un pope grec qui faisait aussi fonction d'aumônier et d'accompagnateur pour les nombreux malades étrangers. Elle, c'était Maria Poulantzas, que je baptisais « Mains diaphanes », à cause de sa langueur. Anatoli me sourit, me dit :

— Fais pas cette tête. On vit tant qu'on a décidé de vivre. La vie, la mort, c'est une balance. Baa-laance ! répéta-t-il avec l'accent américain. Tiens bien en main la rampe !

Mains diaphanes, elle, avait l'air de décrocher. Plus tard, j'appris qu'elle avait un cancer des os, un sarcome d'Ewing généralisé, une petite fille de trois ans et un mari jeune, riche et beau, comme elle, dont elle craignait qu'il ne la quittât. C'était même son unique tourment.

Une place se libéra, je m'installai dans un fauteuil. Mains diaphanes, qui pleurait doucement et se parlait à elle-même en grec, m'aida à m'asseoir, me passa un coussin, m'enleva mes bottes et me glissa un tabouret sous les pieds. Chaque fois qu'ensuite je serai pleine de sollicitude pour une « bleue », je me souviendrai de la belle Grecque que je n'eus pas le temps de connaître.

Je la revis une fois. C'était comme aujourd'hui une de ces glauques journées d'automne où l'humidité vous pénètre les os. Assise près d'un distributeur automatique de sandwichs, son tube de Tranxène à la main, elle attendait une ambulance. J'ai mis des pièces dans l'appareil, j'ai pris deux sandwichs aux crudités dégoulinants de mayonnaise et je lui en ai tendu un. Sans un mot, elle l'a pris. En silence, indifférentes aux malades qui passaient, on s'est mises à mâcher, en faisant beaucoup de bruit, en nous essuyant la bouche avec les mains. Du regard, j'ai essayé de lui dire : « Tant qu'on mange, on est en vie. » — *Vous pensiez à tante Rivke qui, la nuit au camp, se levait pour voler des épluchures de pommes de terre et, assise sur un cadavre, bouffait. A tante Rivke qui dit : « Tant qu'on chie, qu'on pète, qu'on rote, qu'on mange, qu'on dort, qu'on ronfle et qu'on pense : on vit. »*

— Maria, retournez dans votre chambre, dit Vivi. Vous n'avez rien à faire dans l'hôpital de jour.

— Je ne supporte pas les bavardages de ces deux vieilles qui ne parlent que de leur cancer et qui ont peur que leur mari prenne une maîtresse. Moi, je n'ai que vingt-quatre ans !

Alors, on entendit dans le couloir les hurlements de Samuel : « Ah, c'est beau l'Assistance publique ! Et pourquoi aujourd'hui je n'ai pas de secrétaire ? »

Il entra, suivi d'Adeline Durand qui, bien que surveillante générale, avait un balai à la main. Il y eut comme un frisson dans l'immense salle.

Je cherchai le regard de Samuel. Mais, sans binocles, il ne reconnaissait personne, et son beau clignotant noir caressait le vide.

116

Allongé sur un lit, un homme chauve en survêt' blanc lui agrippa la main :

— Professeur, vous me foutez en l'air. Avant j'étais en pleine forme.

— Mais donnez-moi le champion du monde omni sports, l'athlète parfait et avec la chimio j'en fais une loque, répondit Samuel, montrant du doigt un beau garçon blond et bronzé, champion de foot de son état, mais dont je ne sus jamais quel mal le minait car il ne parlait à personne.

Le survêtement blanc, Jo Grin, le roi du sportswear, avait un mélanome malin, un grain de beauté cancéreux ; il fit mine de se rendormir en murmurant gouailleusement :

— Je peux même plus me taper des minettes.

— Envoyez-vous des minets, répondit sur le même ton le professeur qui était déjà reparti.

Vivi s'intéressa enfin à ma personne :

— Qu'est-ce qu'on vous fait aujourd'hui ? me demanda-t-elle, comme elle aurait dit : Brushing ? Coupe ?

Terrorisée, je bredouillai :

— J' sais pas.

Elle lut ma feuille de chimio où était consignée en détail ma cure :

— Bon : Adria, Oncovin, pendant deux jours. Puis Endoxan, Cinkefu, trois jours ; puis... (elle ouvrit de grands yeux), mais il a mis double dose !

Elle me regardait, l'air désolé, et je ne sus si cela signifiait : Vous devez être bien mal en point, ou : Vous allez déguster.

Alors que l'infirmière ouvrait son réfrigérateur où se trouvaient les produits puis s'affairait devant son petit évier, je matais Jeanne Martin, qui avec désinvolture, d'un geste d'initiée, manipulait son goutte-à-goutte tout en lisant. Malgré son physique banal, sa coiffure cloche qui ressemblait à une perruque trop frisée, je l'enviais.

Sa tubulure à la main, Vivi s'approcha. J'étais en nage, je claquais des dents. La jeune infirmière, elle, rayonnait, se pourléchait les babines en cherchant à l'instinct le long de mon bras dans l'invisible réseau de mes veines, où elle pourrait piquer. Je me mis à pleurer.

— Ah, madame Frïedlander, on n'est pas rendu si vous commencez comme ça, dit-elle.

J'avais déjà, sans qu'elle m'eût fait passer le moindre produit, envie de dégueuler, et je commençai à gémir.

— J'y vais, dit Vivi. Et elle me piqua agilement le long de l'avant-bras droit. Je n'avais rien senti. Et pourtant, lorsqu'elle approcha sa seringue pour faire passer le produit anti-cancéreux dans la tubulure, je suppliai :

— Je vous en prie...

Et, tout occupée à ce que le produit très toxique ne passe pas en dehors de la veine, Vivi de son ton de petite cheftaine :

— Allez, allez. C'est pas le moment de débloquer. Moi, je suis dans la veine. Ça peut pas brûler.

Alors Jeanne Martin posa calmement son livre, s'installa à mes genoux, me caressa de sa main libre les joues, les cheveux et me dit de son accent breton :

— Respirez, mon petit. Faites le petit chien, comme pour l'accouchement sans douleur. Allez... Heu ! Heu ! Heu ! Et à petits coups elle expira avec moi.

— Vous vous appelez comment, madame ?

Déjà, je transférais sur elle et sur son parfum à la lavande.

12

Dans le taxi qui la ramenait, par les embouteillages du périphérique, vers son HLM de la banlieue nord, Jeanne Martin. claquait des dents, en se disant : « Putain d'interféron ! »

Seule une dizaine de malades avait alors le privilège de recevoir en France cette molécule alors rarissime [1]. Sur la foi d'une campagne de presse un peu légère, ils prenaient pour une sorte de potion magique contre le cancer ces ampoules qui, à elle, lui donnaient trois fois par semaine 40° de fièvre. Ce qui la mettait de fort mauvais poil.

Pour obtenir quelques boîtes d'interféron, le professeur Samuel Tobman, qui pourtant sentait intuitivement que ce n'était pas la panacée, était tout de même obligé de faire des bassesses au docteur Dupraz auquel le ministère avait confié cet essai thérapeutique. Et Jeanne ignorait si les malades sélectionnés étaient ceux qui avaient le plus de chances de s'en sortir ou, au contraire, les plus mal barrés, ceux sur qui les autres traitements avaient échoué. « Ils doivent penser : Foutu pour foutu », se disait-elle parfois.

Dans le rétroviseur, le chauffeur de taxi, un vieux monsieur en casquette qui l'avait chargée à l'hôpital, l'observait :

— Faut pas vous en faire, ma petite dame. Ma sœur, elle a eu un cancer il y a vingt-cinq ans et elle se porte comme un

---

1. Interféron : substance antivirale, produite par certaines cellules et dont l'essai empirique a été tenté dans certains cancers.

charme. Et en ce temps, on n'avait pas tous leurs trucs de maintenant...

Jeanne s'en tamponnait de son discours ; elle s'obligea à regarder le spectacle de la rue : la mode de cette année était au bordeaux.

— C'est le sein ou l'utérus ? poursuivit le vieux.

Nous y étions ! Y a que ça qui les intéressait. Débiter leurs cochonneries. Comme ce chauffeur de taxi qui lui avait dit : « Celles qu'ont un cancer du sein ce sont des refoulées, j' l'ai lu dans l' journal, y en a plein chez les bonnes sœurs. Et celles qu'en ont un à l'utérus, c'est des sacrées baiseuses... »

— C'est ni le sein ni l'utérus.

Il en resta baba comme deux ronds de flan. Ah ! si on pouvait plus avoir ses petits fantasmes !

— J'ai un myélome, un plasmocytome, si vous voulez, dit, très dame du monde, la solide quadragénaire. Avec une protéine en trop dans le sang...

— Ah, v'zavez une maladie du sang, une leucémie...

— Non, c'est une autre maladie, proche de celle qu'avait Georges Pompidou, ou de celle de l'Algérien Boume-diene...

Il riait, content, gentil :

— Ah, vous vous refusez rien : une maladie de président !

Au moment de lui rendre la monnaie, il chercha dans sa chaussure :

— Cachette secrète. J'y mets l'argent. Et les adresses de mes petites amies. Pour la bourgeoise. Je faisais ça pendant l'Occupation.

Elle ne saurait jamais si c'était alors pour une activité résistante ou déjà pour perpétrer l'adultère.

L'ascenseur était évidemment en panne. Jeanne n'avait pas le courage d'entamer immédiatement l'escalade des six étages. Elle chercha de la monnaie dans sa poche et, de la cabine téléphonique, elle appela un numéro en province. Elle chuchotait comme si elle avait comploté :

— C'est Jeanne... Comment ça va aujourd'hui ? T'as vomi ? Des aphtes ? Faut prendre ce truc jaune, oui, la mycostatine. Quand tu viens pour ta chimio ? Tu me manques, mon amie. J'ai vu une nouvelle aujourd'hui. Elle

120

crevait de trouille... Je supporte plus cet endroit. Je lui ai parlé. Pourtant j'avais décidé de plus me faire de copines... ça tourne trop. Celle-là, elle avait l'air dans les vapes...

Dans sa ferme de Bretagne, Maryvonne, à l'autre bout du fil, expliquait qu'elle n'avait pas le moral : elle n'était plus bonne à rien, à part donner à manger aux poules et préparer le dîner de son petit-fils, dont les parents étaient morts dans un accident de voiture. Une fois de plus, elle s'en prit à l'une de ses belles-filles chez laquelle elle vivait depuis qu'elle avait un cancer de l'œsophage. (« On a bu trop de gnole, Mémé », disait cette garce de Jacqueline qui allait et venait en blue-jeans, conduisait le tracteur, militait dans un syndicat de jeunes agriculteurs et avait complètement tourné la tête de son Jean qui s'était endetté : véhicules, machines diverses pour traire, pour sarcler les betteraves, sans parler du congélateur, de la machine à laver le linge, la vaisselle...)

— Tu comprends : lorsque je me suis mariée il y a plus de cinquante ans, j' vivais dans une maison en terre battue...

Jeanne lui coupa la parole : la vie dans une ferme de Bretagne, il y a vingt ans, elle connaissait. Enfant, elle avait vu sa mère se lever à l'aube et — après avoir trait les vaches, enlevé le fumier, refait la litière, s'être occupée des porcs, des lapins, de la basse-cour et des enfants — charrier des litres d'eau, laver le linge au lavoir puis aller travailler aux champs. C'était pour échapper à ce destin que Jeanne, à l'âge de seize ans, était montée à Paris et s'était placée comme bonne à tout faire.

Dès qu'elle avait rencontré Maryvonne, qui se déplaçait difficilement car elle avait de nombreuses métastases osseuses, elle s'était prise d'affection pour la vieille paysanne qui lui rappelait en plus dur sa mère : emportée d'ailleurs d'un cancer digestif en deux mois.

— N'oublie pas, dit-elle en riant, toi et moi, dès qu'on peut, on part au Club Méditerranée de Moorea... Pieds nus dans le sable. Tahiti...

Elle n'avait pas mis assez de pièces, la communication fut coupée.

Assis autour de la table de la salle à manger avec des copains, Maurice, son mari, discutait politique. Le parti avait

raison. Il y avait trop d'émigrés, on n'était pas raciste mais...
Bien sûr, y aller avec un bulldozer comme à Vitry pour
démolir un bidonville, c'était un peu fort. (Voilà que ça les
reprenait, la drogue, la zone, les enfants d'émigrés.) « Un
vrai cancer », dit Maurice qui, apercevant sa femme, se mit à
rire bêtement.

Sans un mot, elle alla se changer dans la salle d'eau. Le
parti, Maurice, le syndicat, tout ça commençait à lui pomper
l'air. « Tu deviens d'un anticommunisme primaire », lui
disait Maurice. En fait, elle éprouvait pour son mari, pour le
parti, le même amour haineux, car elle leur avait consacré le
meilleur de sa vie.

Maurice était de cinq ans son cadet lorsqu'elle l'avait
épousé, il y avait dix-huit ans, à la fin de la guerre d'Algérie.
Elle était alors serveuse dans un café du XIᵉ arrondissement ;
ils s'étaient connus à Charonne où lui se trouvait avec des
gars de son atelier de menuiserie. Légèrement blessé par les
flics, il s'était réfugié dans le café qui se trouvait en face de la
prison de la Petite-Roquette. Elle l'avait trouvé si grand, si
beau, qu'elle en avait cassé trois assiettes.

C'était toujours un très bel homme, même s'il buvait trop
de bière. Il cavalait un peu ; mais la nuit, lorsqu'elle faisait
mine de dormir, il se faufilait en elle avec autant d'appétit.
C'est du moins ce qu'elle racontait à Maryvonne : « Il me
retourne, me met la main au panier, puis habilement il se
faufile en moi. »

— Ça te fait pas mal ? demandait Maryvonne. Tous ces
traitements ça vous dessèche.

Si. Parfois ça lui faisait mal depuis qu'on lui avait fait une
« totale », un peu avant qu'on ne découvrît son myélome.
Elle en avait parlé au professeur Tobman.

— Mais le désir, c'est pas une question d'hormones, ma
bonne Jeanne, lui avait-il répondu. C'est dans la tête. On ne
baise ni avec son utérus ni avec ses ovaires. J'ai des malades
qui découvrent l'homme de leur vie à soixante-cinq ans. Elles
sont amoureuses, elles ont du désir, donc du plaisir.

Et il s'était lancé dans un de ses habituels récits :

— J'ai une malade, elle a soixante-cinq ans, un cancer du
rein, peu de chances de s'en sortir. Elle vient de rencontrer
l'homme de sa vie. Peut-elle quitter son mari ? me demande-

t-elle. Peut-il, lui, divorcer ? Je lui ai répondu que l'important était que le galant connaisse la vérité. Alors s'ils s'aimaient... Elle était pressée : ils devaient aller à Cabourg pêcher la crevette. En fait, le pouvoir, le fric, tout ça, ça ne compte pas. Les humains n'aspirent qu'à une chose : aller pêcher la crevette avec l'amour de leur vie...

Tout en agitant ces pensées, Jeanne s'était mise à ranger la chambre de ses fils, dont le plus jeune, Thomas, ne lui adressait plus la parole depuis qu'elle était malade. Les enfants n'aiment pas la maladie. Ils ont raison. Souvent, elle se disait : « Si je crève, ce sera mieux pour eux. »

Courbée en deux, elle ramassait chaussettes, slips sales, vieux magazines, pots de yogourts vides, pelures de bananes... Elle ne comptait plus. Un jour, elle avait ramassé trois cents détritus, objets, merdes, dans l'appartement. Elle mit de l'eau à chauffer pour laver la vaisselle du dîner de la veille et du petit déjeuner. Le chauffe-eau était foutu et, tout à ses réunions de cellules, Maurice n'avait pas eu le temps de s'en occuper.

Elle se regarda dans un miroir. Ses cheveux, qui avaient repoussé depuis qu'on la traitait à l'interféron, étaient ternes et trop fins ; elle avait beaucoup grossi, les traits de son visage dont on vantait jadis la finesse étaient gonflés par la cortisone. Il lui restait ses grands yeux pâles et ses belles mains fines.

— T'as pas des mains d'ouvrière, lui disait Maryvonne, t'as des mains de pianiste.

C'est pas pianiste que Jeanne aurait rêvé d'être, mais peintre. Depuis qu'elle était malade, elle s'était mise à dessiner en cachette : des femmes, des fleurs, des oiseaux, la mer. C'est pour ça qu'elle voulait partir en Polynésie avec Maryvonne : pour peindre la mer. Et elle découpait dans les magazines, les pubs, les articles, genre : Passeport pour les cocotiers. « Pauvre conne », se dit-elle en s'apercevant que le réfrigérateur était vide. « C'est pas à Tahiti que tu vas aller, ni à l'île de Pâques, mais au Monoprix. »

Elle passa un manteau sur sa robe de chambre en Nylon cloqué, prit un cabas et redescendit dans la rue. Mais elle se ravisa, se dirigea à nouveau vers la cabine téléphonique.

Le visage douloureux, elle écouta le message du répondeur automatique de sa correspondante : « Ne raccrochez pas. Vous me feriez trop de peine. Cathi Duparc est absente. Mais soyez gentil, laissez-moi votre nom, votre numéro de téléphone. Un message, c'est encore mieux. J'adore vos messages. Et je vous rappellerai. » La voix au léger accent lyonnais était jeune, joyeuse.

— Cathi ma petite, prends-moi. Ça ne va pas.

Jeanne s'inventait que la jeune coiffeuse, tapie derrière le répondeur, écoutait en ricanant les messages. Aucune réponse, sinon la fin du message : « La communication est terminée. Merci de m'avoir appelée. »

13

La main petite, bronzée, les ongles courts, peints en rose, passait avec désinvolture le changement de vitesse automatique, puis fouillait dans un immense fourre-tout en cuir fauve et manipulait un carnet de rendez-vous où on lisait sous un rageur trait en biais couvrant plusieurs jours : chimio.

La main changea la cassette du lecteur hi-fi et une voix qui chantait faux se mit à fredonner en même temps que Barbara Streisand : « *I will never give up* [1]. »

Je pourrais écrire que Cathi Duparc au volant de sa Golf GTI noire, en traversant la porte de Paris, me croisa, écroulée dans l'ambulance Guedj-Frères que j'étais obligée d'emprunter à présent pour me rendre à l'hôpital : en fait, je l'ignore. Mais je sais comment elle était habillée.

Celle que j'avais prise à « La belle vie », le jour de mon arrivée à Malcourt-sur-Seine, pour une loubarde de luxe, portait aujourd'hui un blouson de daim bleu outremer à col de fourrure, sur un jean dans le même ton, rentré dans des boots bleu marine. Les couleurs de son turban, camaïeu bleu océan, mauve et gris tourterelle, étaient assorties à son fard à paupières et à ses yeux.

« Même quand j'avais pas de fric, je savais ça, me dit-elle plus tard. Quand on est de petite taille, faut jamais mélanger les couleurs ». Et, curieusement, je compris cela comme une sentence métaphysique, une prescription de la Thora, une leçon de survie.

« Je ne renoncerai jamais. »

Cathi ressentait une vague nausée, elle songea un instant à s'arrêter pour prendre un peu de champagne dans un café-tabac place de la République. Ça étonnait les autres malades : elle, c'était ni le Perrier, ni le Coca qui calmait son envie de dégueuler, mais le champagne, quand il était bon.

Elle était en retard : la jeune fille au pair avait cours ce jour-là, et elle devait aller chercher elle-même son fils à la sortie de l'école. Gaspard, dit « Gaston » par ses copains, son fils adoré, le fruit de ses coupables amours avec un inconnu rencontré à la sortie d'un bal. S'appelait-il Paolo ou Pietro ce maçon italien qui vivait dans la région de Grenoble ? Elle n'avait pas souvenir d'avoir échangé deux mots avec lui : il souriait en silence en mordillant sa lèvre inférieure comme le faisait souvent Gaspard.

— Ah, mademoiselle Duparc, je voulais justement vous parler.

Cette salope de dirlo se faisait un plaisir de l'appeler « Mademoiselle » devant tous les copains de classe de Gaspard.

— Mais pourquoi elle t'appelle pas Madame ? Comme les autres mamans ? T'es mariée, s'obstinait à répéter l'enfant « naturel » qui faisait mine de la croire légalement unie à Yves, le banquier quinquagénaire qui l'aimait et partageait par intermittence sa vie depuis que Gaspard était né : c'est-à-dire environ sept ans.

En fait, depuis qu'elle était malade, Yves ne parlait plus de quitter sa femme :

— T'es pas un coup vraiment jouable, lui avait-il dit un soir d'ivresse, j'aurais l'air fin ensuite si je me retrouvais seul.

Gaspard aimait beaucoup « Papa Yves », il aimait aussi beaucoup « Papa Jean-Pierre », le nouvel amour de Cathi qui pourtant, fauché et malade, ne lui offrait pas comme le banquier de somptueux cadeaux achetés dans les aéroports. Mais Jean-Pierre avait une allure extraordinaire. Son crâne déplumé par la chimio, il l'avait tatoué de couleurs vives, il avait dessiné le tracé de ses canaux lymphatiques cancéreux, il portait des bottes cloutées, des blousons scintillants. Maçon et menuisier, il construisait des cheminées et des cabanes mais il savait aussi se servir d'une batterie car il jouait dans le groupe « White's cells », un orchestre *Oï music,* une musique punk très violente jouée en Grande-Bretagne par les skinheads, des connards qui se rasaient le crâne. Et puis surtout, suprême charme pour Gaspard, Cathi était toujours gaie lorsque le jeune rocker, qui chantait violemment la brutalité du chômage, passait la nuit avec elle. Le matin, le petit garçon les rejoignait au lit. Et ça, c'était le pied, car Jean-Pierre tartinait merveilleusement les toasts.

— Si ça continue, Gaspard va redoubler, siffla la directrice.

Puis, sans se préoccuper de la présence de l'enfant qui tenait sa mère par la taille et souriait innocemment à la vieille salope rance :

— L' fait rien en classe, l'est tout l' temps dans les nuages. Bien sûr j' connais vot' situation. Mais c' t'enfant souffre terriblement psychiquement. Faudrait l' faire voir par un psy. Mère célibataire (elle allait dire fille-mère) père inconnu mère malade oui j' sais ça va beaucoup mieux mais l' ptit lui y croit que v' zallez mourir. Il dit à ses copains d' classe : ma mère elle a le cancer du foie, on a dit à la télé que c'était le pire et pire que la crise cardiaque. C' t'enfant y souffre. Mais vu les structures de l'école... Ben oui maintenant Paris-Centre c'est plein d'étrangers sans parler des petits Arabes j'ai maintenant des Vietnamiens des Chinois alors là c'est terrible pour le calcul ça va ils ont ça dans le sang c'est des commerçants de Cholon mais ils savent pas le Français alors des gosses comme le vôtre on peut pas vraiment s'occuper d'eux vous devriez le mettre dans le privé d'ailleurs l'école publique...

Elle fit un curieux geste de la main, comme les empereurs romains qui envoyaient les gladiateurs à la mort.

« Je vais lui latter la gueule », se dit Cathi qui avait de plus en plus la nausée car la directrice utilisait « Femme » de chez Rochas, un parfum qui lui avait toujours donné envie de gerber.

— V' comprenez c' t'enfant y peut pas s'ituer dans l'espace c'est pour ça qu' l'est dyslexique. Non mais faut l'envoyer au centre psycho pédagogique... (Elle se pencha vers Gaspard)... Allez un bisou chéri...

Et Gaspard, cet enfant merveilleux qui croyait encore que la vie était une fête, lui rendit de bon cœur son baiser. Il était dans la lune, n'avait pas vraiment entendu, sinon le « il va redoubler ». Et dans la voiture, il demanda, inquiet :

— Tu crois que je vais redoubler, maman ?

Et Cathi, une fois de plus, le rassura : il était le plus beau, le plus intelligent, jamais maman ne laisserait son merveilleux petit garçon, son amour, sa vie, redoubler. Et elle lui reposa la question fatidique :

— T'es inquiet ? Tu crois que je vais t'abandonner ?

Aussitôt, elle s'en voulut : ce n'était pas la réalité qui faisait peur à Gaspard, mais sa façon *à elle* d'en parler tout le temps.

— Non, je suis pas inquiet, répondit Gaspard avec un ton de petit homme, en farfouillant dans les cassettes pour bien montrer que le sujet était tabou pour lui, qu'il refusait d'en parler avec elle.

Au début de sa maladie, lorsque, après l'avoir opérée inutilement pour un kyste à l'ovaire, puis un calcul à la vésicule, on l'avait « refermée », mise sous morphine, en disant à Yves : « Il n'y a rien à faire. C'est un cancer du foie, ça ne pardonne pas », elle avait eu une longue conversation avec Gaspard qui avait alors cinq ans :

— Maman va peut-être partir, tu ne la reverras plus, mais toujours elle veillera sur toi, comme les anges.

Et Gaspard avait répondu :

— Oui, je sais, t'as un cancer, tu vas mourir.

C'était la voisine qui l'avait dit à son fils : « La pauvre Mme Duparc, elle a un cancer, c'est mortel ! » Et le gamin l'avait immédiatement répété à Gaspard : « Ta mère, elle est foutue. »

Au début, Gaspard était assez fier que sa mère ait un cancer. Certains avaient un papa gendarme, d'autres médecin, lui, il avait une mère avec un cancer. Alors, il l'interrogeait curieusement :

— Mais c'est quand, maman, c'est quand que tu vas mourir ?

Puis lorsqu'on l'avait mise entre les mains du professeur Samuel Tobman, qu'elle avait passé par toutes les horreurs de la chimiothérapie lourde, Gaspard avait organisé sa petite vie sans elle, autour de la jeune fille au pair, d'Yves, des nombreux amies et amis de sa mère qui, par son métier chez le célèbre coiffeur Arturo J., s'était créé de nombreuses relations. Gaspard avait beaucoup voyagé : Disneyland, camp de scouts en Californie, lacs scandinaves, mini-safari en Afrique, camping sauvage en Italie... Le fils de la cancéreuse était très populaire.

Pourtant, parfois, il faisait des cauchemars : une immense araignée, telle une grue géante, l'attrapait, le broyait ; un taureau l'éventrait ; comme le Petit Poucet, conte qu'il affectionnait particulièrement, il était abandonné dans la forêt, mais dans le rêve il ne retrouvait jamais son chemin.

La nuit, il dormait avec un canif de scout, un épluche-légumes, une ceinture cloutée et une poignée de porte pour se défendre des ogres, voleurs et vampires...

— C'est quand que tes cheveux repoussent vraiment ? demanda Gaspard.

Voir sa mère chauve, c'est ce qui l'avait le plus secoué, plus que l'immense cicatrice en biais qui barrait son torse de la taille au-dessous des seins. Il adorait les longs cheveux blonds de Cathi ; petit, il coiffait longuement ses boucles, embrassait ses mèches. Lorsque, pour la première fois, elle lui avait montré son crâne lisse comme une tête de veau, il avait chantonné : « Oh, la vilaine sorcière » ; et elle avait pleuré, bien qu'elle se fût trouvée très belle. Ses cheveux à présent repoussaient mais, pour Gaspard, qui voyait sa mère comme une fée, ce n'était pas assez fourni.

— J'ai toujours tenu mes promesses ? Eh bien, je te promets que pour ton anniversaire j'aurai les cheveux aussi longs que la plupart des dames.

Il fit un bras d'honneur :

— Ton cancer, voilà ce que je lui dis.

La jeune femme se mit à rire, monta quatre à quatre les étages tout en appuyant sur son côté droit, sous les côtes, là ou se trouvaient son foie, sa vésicule, viscères maudits, opérés, chimiothérapés, dépollués, où ne se lovait plus, lui avait-on assuré, la moindre cellule monstrueuse...

Mais elle n'y croyait pas et plusieurs fois par jour des bouffées d'adrénaline lui provoquaient des décharges électriques. A droite. Justement.

14

— Allez, allez, madame Frïedlander, le diable, il est moins terrible que la peur du diable ! Détendez-vous.

Était-ce Mohamed, dit « Momo » de Biskra, Algérie, ou Abraham de La Goulette, Tunisie, qui me recouvrait tendrement d'une couverture écossaise ? J'étais trop sonnée pour savoir. Recroquevillée sur un brancard trop petit dans l'ambulance conduite par ces deux Maghrébins, un musulman, un juif (une des caractéristiques des ambulances Guedj-Frères qui travaillaient en cheville avec l'UTATH, car Marie-Célimène, l'Antillaise préposée aux tampons, avait un flirt poussé avec Élie Guedj, ancien « roi du burnous » de Constantine, reconverti depuis les événements dans les transports des mal barrés), recroquevillée donc comme une junkie en état de manque, j'entendais comme dans un film d'horreur le *titata... titata* de leur spécial klaxon ; j'entrevoyais à travers la vitre dépolie les rubans déformés des trottoirs des boulevards extérieurs, la voie expresse rive droite sur les bords de la Seine, les rues encombrées du centre de Paris : mon chemin de croix.

Incapable de faire conversation, tant j'étais épuisée, ne supportant plus les poisseux : « Tu te sens bien, ma chérie ? », très vite, j'avais interdit que parents et amis m'accompagnassent. Je devins incapable même à la fin des séances de chimio, de faire deux pas depuis le taxi, de payer et de remonter seule chez moi. C'est alors que Momo et Abraham, Rachid et David, Mamadou et Joseph entrèrent dans ma vie, superbes dans leurs blouses blanches, avec leurs bras bronzés et tatoués et leur dragage (« Vous êtes notre chouchou, madame Frïedlander, vous au moins vous êtes pas fière »), leur conversation tarée, leur débilité — ils avaient échoué à tous les examens, certains avaient fait de la taule pour de minables braquages —, leurs valeurs d'éternels loosers et les rêves qu'ils ne réaliseraient jamais. Mais ils étaient tendres, joyeux et passaient et repassaient des cassettes d'Eddy Mitchell qui me faisait rire : « Moi-j'ai-vendu-mon-âme / au rock-and-roll / et dit-au-Bon-Dieu : save-my-saoul… »

Lorsque je partais avec mes anges gardiens préférés, je m'asseyais à l'aller à côté du chauffeur, ce qui était interdit. Abraham, qui ressemblait à Enrico Macias, portait sur la poitrine au bout d'une chaîne un immense *Mougen Douved* [1] en or, avait passé quelque temps en Israël, avait même participé à la guerre du Kippour mais le pays « système D et Cie » ne le rendait pas lyrique : « Et puis, disait-il, tout est entre les mains des *Vouss-vouss.* » Il parlait des juifs ashkenazés qui demandent toujours en yiddish *Vouss?* (Quoi?)

Mohamed, c'était l'homme du désert. Un fantasme. Grand, mince, la peau mate, les yeux dorés, un petit nez busqué, des cheveux châtains filetés d'or. Et des mains! — *Ah, ma bonne Lola, elles vous auront troublée les mains des messieurs et leurs doigts qui dans les pubs allument machiste-ment leur pipe comme votre adoré père sur cette photo prise pendant la guerre d'Espagne.*

Abraham était exubérant et papouilleur. Momo, lui, me souriait gentiment en silence jusqu'à ce que je rougisse, me tendait sans un mot sa superbe paluche aux larges phalanges pour que je m'y accrochasse en descendant de l'ambulance.

Aujourd'hui, je ne pouvais avancer. De leurs bras, Moha-med et Abraham me firent une chaise à porteur. Sur le pas de leurs portes, les commerçants me regardaient avec une curiosité malsaine. J'avais la sensation qu'on chuchotait derrière mon dos. La boulangère se détourna comme à la vue

1. Étoile de David.

132

d'un spectacle obscène. Il me semblait entendre ce même fou rire qui me prenait à la vue d'un corbillard.

J'avais honte. HONTE. Honte de m'être mise dans cette situation. Je me répétais : « Pauvre conne ! *Shlemmazel*[1] ! Te voilà bien ! Si le traitement ne marche pas, non seulement tu vas passer l'arme à gauche, mais en plus ta *ellekatre* va s'effondrer, tu seras morte et *ensuite* paraplégique ! »

Bolivar, chemise de nuit et bouillotte en main, me guettait d'en haut ; il dévala l'escalier, m'arracha aux bras des ambulanciers et me hissa avec la force de ses treize ans et demi. Et je pleurais contre le cou de l'homme de ma vie. Aïcha déjà me déshabillait, m'allongeait sur ma couche dans ma chambre aux volets clos, s'étendait contre moi, me massait, m'embrassait pour me réchauffer, faisant semblant de chercher des poux dans mes absentes mèches, en répétant : « *Ya Latif !* » Et son odeur de lourde sueur mêlée au musc agissait sur moi comme un Valium.

J'en avais bien besoin. Pour la première fois de ma vie je savais que personne ne pouvait rien pour moi. Je l'avais pressenti le soir où — une dizaine de jours après le début de la chimio — j'avais senti un léger fourmillement sur la surface de mon crâne. J'avais compris : mes douilles, déjà coupés à zéro, allaient tomber. Et j'avais tiré. Par poignées, ils venaient. Alors je m'étais amusée à me déplumer comme un poulet ; puis, par simple friction du doigt, à me tracer des autoroutes sur le crâne, une sorte de coiffure de Sioux. Ensuite, à me redessiner un immense front, le rêve de ma vie. Ensuite, toute trace de tiffure ayant disparu, je ressemblais à Yul Brynner.

C'était ça pour moi la castration. La rupture avec l'enfance. Le manque qui ne serait jamais comblé.

Je me regardai dans le miroir de ma chambre, moi dont Simon disait, quand j'étais jeune : « Lola sans ses cheveux longs, c'est Réaumur sans Sébastopol. » Alors je frottai sur mes sourcils : eux aussi disparurent. Je tirai sur mes cils :

---

1. Yiddish, de l'allemand « *schlimm* » (mauvais) et de l'hébreu « *Mazel* » (chance). Infortuné, pauvre type. On dit que seuls les *Shlemmazel* croient au *Mazel*.

plus de cils. Les poils des jambes, des aisselles, les poils du cul : itou. Je commençais à avoir une crise de fou rire.

A ce moment entrèrent ma douce mère, Mira, sa fille Noémi et ma tante Rivke. Bien sûr, Rivke me dit :

— Tu pars pour la chambre à gaz ?

Et toutes deux nous nous tordîmes. Ma tante n'arrêtait pas de se gondoler, elle en pleurait presque :

— Si tu nous avais vues à Auschwitz quand on s'est retrouvées nues, rasées, tatouées. Il y en a qui se sont mises à pleurer. Mais Tsiporka et moi, on a commencé à rire. Mais à rire. *Oï ! Mir hobn gelakht !*[1]

Noémi prit un air pincé, fit mine de sangloter :

— Pourquoi t'as fait ça, Lolo ?

Puis elle sortit de son sac une perruque. Je l'essayai.

— T'as l'air d'une *shikseh,* me dit maman avec mépris. Ce qui dans sa bouche voulait dire que je ressemblais à une « bonniche ».

— Mais non, dit Noémi, faut la recoiffer, c'est tout.

Je hurlai :

— Tu me vois avec ces boucles beiges en acrylique 100 % sur le crâne ?

— Moi, à ta place...

Moi à ta place quoi ? Je ferais pas la fine bouche ? Je la regardai : bien à plat dans ses baskets, cambrée dans son jean bien ajusté, ses deux petits seins souriant au plafond sous le tee-shirt collant, ses longs cheveux corbeau artistiquement noués en chignon 1900. Je la haïssais.

Elle sortit de son sac une deuxième perruque : brune, longue, lisse, elle me donnait l'air de Juliette Gréco au « Tabou » à la Libération. Je l'envoyai valser.

Alors Aïcha ôta de son chef les multiples et multicolores foulards qu'elle y nouait gracieusement et me les lia autour du crâne avec une adresse merveilleuse et, accrochant à mes oreilles ses immenses anneaux d'or, s'exclama :

— Ah la belle Chaouïa des Aurès !

Puis, de sous son tablier, elle sortit son flacon de khôl gris et me fit des yeux de sultane. Bolivar voulut me tirer le portrait :

1. « Oï, on a tellement ri ! »

— Mamouk, tu es digne de poser pour *Vogue*.

Avouez, Narcisse, que vous le pensiez aussi ! C'est l'heure de vérité, vous disiez-vous. Il m'a fallu attendre d'en arriver là, d'avoir une casquette en peau de fesse, pour admettre qu'avec mes pommettes de moudjikesse, mon nez galicien, mes yeux vénitiens, mon stupide sourire jocondesque, j'ai une assez belle gueule. Ah ! si Rafa avait pu me voir ! Reproche vivant, je me montrerais ainsi à lui : « Voilà ce que le malheur a fait de ta *mujer verde* qui se penchait nue vers toi, ses deux seins bandants, sa longue natte battant ses reins cambrés pour toi, voilà ce qu'il reste de celle que tu appelais *loca yegua*. »
— Beurk ! Beurk ! Jument folle ? Ça c'est original !

Aïcha me croyait enfin endormie. Mais les yeux fermés, je songais à l'Halotestin, le nouveau médicament que le professeur Tobman m'avait prescrit. Je m'étais rancardée : c'était un androgène, une de ces hormones mâles qui, si elles n'intervenaient pas en cours de grossesse, feraient de tous les nouveau-nés des femelles. Cela me terrifiait. Je préférais mourir que de me retrouver avec une barbe et une voix grave. Plus qu'un sein, plus de cheveux, et maintenant envolée ma célèbre voix d'hôtesse de l'air qui m'avait permis d'attendrir tant de juges d'instruction et de présidents de tribunaux, cette voix qui m'aurait permis de terminer mes jours peinardement en annonçant les vols à Roissy-en-France.

Pour me consoler, point de Félix Katz. Il donnait aux USA une série de conférences. Je lui avais tout de même envoyé à Boston un télex : « Plutôt mourir que de devenir mâle. » Le jour, la nuit, allongée dans le noir, le corps douloureux, la bouche pleine d'aphtes, le ventre de flatulence je me demandais comment je pourrais me tuer plus vite que le cancer.

Depuis longtemps j'avais réglé le problème Bolivar : Mado, dont le mari, Juan, était comme Rafaël Leonidad des Caraïbes, l'élèverait avec ses fils : la location de l'appartement hérité de mon père servirait à payer ses études.

Le suicide, ça me connaissait. Agée de sept ans, à la naissance de Noémi, recroquevillée dans une penderie

135

contre un costume de tweed qui portait encore l'odeur de mon père, j'avais ingurgité un tube d'Équanil mélangé à un litre de vodka. A mon réveil à l'hosto, j'avais murmuré à ma mère qu'elle n'était qu'une traînée, que papa, il était vivant, amnésique quelque part en Russie, qu'il reviendrait, me retrouverait, m'emmènerait sans un mot, sans un regard pour elle. Charmante petite fille ! Déjà !

Ensuite, régulièrement, tous les cinq ans, je remettais ça, j'avalais ma dose et je me retrouvais en réanimation, une sonde dans la vessie, une perf' dans le bras, le torse dans un poumon artificiel : je pourrais décrire tous les services de réanimation de France. Des trois continents, devrais-je dire : Berbir à Beyrouth, El-Ketar à Alger, Hadassa à Jérusalem, le John-Hopkins à Baltimore, le Mount-Sinaï à New York, le Karolinske à Stockholm, le Reine-de-Bavière à Liège...

J'avais même poussé le vice jusqu'à avaler mes petites pilules face à la gare de Turin, dans la chambre où Cesare Pavese finit en laissant ces mots : « La mort viendra et elle aura tes yeux. » D'où mon compagnonnage avec ce cher Adolphe Tsoulovski qui, à force de vouloir que je répète hagardement : « J' me souviens d' rien... J'avais trois ans quand la Gestapo est venu LE chercher... Vous croyez que j'ai *réellement* commis l'inceste avec mon *ppâppâ ?* », avait transformé une bonne et banale petite hystérie en solide tumeur...

Le téléphone sonna. Au bout du fil Samuel Tobman hurlait :

— Mais tu es folle ! Pourquoi avoir envoyé un télex à Félix ? Tu ne pouvais pas m'appeler ? Pourquoi ne veux-tu pas prendre des androgènes ? Mais tu es inconsciente. La situation est dra-ma-ti-que ! Six métastases ! La barbe ?... La barbe ?... Mais ça s'épile la barbe ! Tu n'es pas un fœtus de deux mois qui sous l'effet des sécrétions de testostérone et de dihydrotestostérone, commandées par le chromosone Y, aurait soudain des testicules ! Et puis s'il suffisait d'avoir des couilles pour être un homme... ça se saurait !

Je raccrochai, pris les tonnes de médicaments que je devais ingurgiter d'heure en heure — au point que je m'étais dessiné un planning géant au marker rouge sur le mur —, les jetai aux W.-C. Puis je décidai de voiler les miroirs en signe de deuil.

Vers minuit, Samuel apparut dans ma chambre (Aïcha sans doute avait appelé Mado qui avait affolé Pauline, laquelle...)

Je ne m'attendais pas à sa visite. J'étais intimidée ; je me sentais ridicule avec le bonnet de crochet rose bonbon qu'Aïcha m'avait tricoté pour que mon crâne en peau de zébi ne prît pas froid — bonnet qui me donnait, avec mes grosses joues cortisonnées, l'air d'un vieux bébé triste —, allure accentuée par les diverses layettes dont j'étais emmitouflée car je pelais de froid en ce terrible hiver 1980-1981. — *Faut savoir, Lola, vous étiez belle comme la reine de Saba ou vous aviez l'air d'un monstre ?*

Accroupie dans un coin de ma chambre, je me balançais en silence comme ces enfants autistes qui m'ont toujours fascinée, et de temps en temps je dégueulais de la bile dans une serviette éponge orange.

Était-ce la demi-pénombre de ma chambre, l'heure avancée, la fatigue (il avait consulté de 8 heures du mat' à 23 heures), le beau Sam qui faisait se pâmer les dames m'apparut, dans son costume froissé, malgré ses superbes dents du dessus qui lui donnaient un désarmant sourire de jeunesse, comme un vieillard. Quel âge avait-il ? Il avait été déporté directement de la pension, où ses parents, divorcés, l'avaient abandonné à l'âge de cinq ans.

La maîtresse de son père l'avait dénoncé avec ses parents aux Allemands ; et sa mère, ouvreuse dans un cinéma de Ménilmontant, n'était pas revenue d'Auschwitz. Je le savais par Pauline, ma copine journaliste qui filait le parfait amour avec Samuel depuis un an.

Le futur cancérologue, sans doute déjà grand et fort, était un des rares très jeunes adolescents à avoir survécu à trois ans de déportation et de travaux forcés dans les usines IG Farben de la Buna ; il s'était même évadé lors de la « marche de la mort », quand les Boches, devant l'avance de l'Armée Rouge, poussaient à pied devant eux, dans la neige, les squelettes ambulants, vers la Bochie. Durant le bref voyage en chemin de fer à travers la Tchécoslovaquie, Samuel avait sauté du wagon à charbon.

« S'évader en Pologne, fallait être dingue, avait confié Sam à Pauline, les Polaks nous auraient rendus. En Allemagne, forget about it, ç'aurait été trop tard. »

Samuel avait erré dans les bois, un curé l'avait trouvé et des partisans l'avaient recueilli jusqu'à son rapatriement en France l'été 1945. En fait, ses compagnons d'infortune avaient tous été abattus à la mitrailleuse le lendemain de son évasion : et chaque année, il retournait en Tchécoslovaquie se recueillir devant la fosse commune au bord de la voie ferrée. De sa famille, il n'avait retrouvé que son père, qui était mort d'un cancer lorsqu'il avait appris que sa dulcinée, celle pour laquelle il avait abandonné femme et enfant, l'avait donné pour s'approprier sa conserverie de harengs *shmaltz* et son appartement. Samuel s'était élevé seul, avait fait de brillantes études tout en travaillant comme garçon boucher à Belleville, chez un ami de son père. Un jour, il s'était dit : « Je traverserai les grands boulevards à la porte Saint-Martin. Je serai riche et célèbre, je vivrai sur la rive gauche, je séduirai de belles goyim et je briserai leurs cœurs aryens... » — *Là, ça, c'est vous qui l'inventez, ma perverse.*

Il avait bien sûr traversé la porte Saint-Martin, et même la place du Châtelet, avait épousé la riche fille d'un général, maire d'une ville de Corrèze, vivait dans un appartement rue du Bac, pour passer ses jours à Malcourt-sur-Seine dans un vieux pavillon d'un hôpital en décrépitude, s'était fait remarquer pour ses travaux sur l'ADN mais n'était devenu vraiment célèbre que grâce à son livre *On ne meurt qu'une fois, pourquoi avoir peur de la seconde ?* Il n'avait pas fait fortune. Et était-il heureux ?

— J'en ai marre, me dit-il, s'asseyant sur mon lit, m'essuyant la bouche et me caressant le crâne comme pour me le réchauffer. Je suis vanné.

Il alluma un joint, m'en offrit une taf en silence, marmonnant qu'aux USA l'herbe était légalisée pour les cancéreux. Puis il soupira :

— Alors on préfère mourir que d'avoir de la barbe ?

Je tentai de ne pas chialer, moi qu'on avait baptisée enfant

« le bureau des pleurs ». Oui, tout compte fait, je préférais crever qu'avoir un bouc.

Difficile d'expliquer à Samuel : tant d'années à me convaincre que j'étais une femme, moi qui longtemps m'étais prise pour un mec, tant d'années pour comprendre le désir que j'inspirais aux messieurs qui aimaient les dames, pour l'accepter, tant d'années pour admettre mon sourire ambigu, mes gros seins de nourrice, mes larges hanches, ma fente, mon émanation de femelle... Et soudain, cette ménopause artificielle : les bouffées de chaleur, ce fantasme d'un vagin transformé en Grandes Rocheuses où aucun kamikaze ne se risquerait plus. Et maintenant des bacchantes !

— Remarquez, dis-je, je pourrai me montrer dans les foires.

Je pensais aussi avec horreur : « Noémi pourra rêver d'être enfin pénétrée par moi et peut-être épousée. »

— De toute façon, dit-il, tant que tu as de l'Adria... tu risques pas d'avoir des poils...

— Coupez-moi l'autre sein, dis-je, mais des hormones mâles, jamais je n'en prendrai.

Je m'étais rancardée auprès d'une copine biologiste : parmi tous les traitements du cancer du sein métastasé, il y avait en plus du cobalt et de la chimio, l'hormonothérapie qui consistait, en amplifiant la ménopause artificielle, à supprimer par des molécules la production d'œstrogènes, véritable mistral de l'incendie cellulaire. Le degré supérieur, •c'était de donner carrément des hormones mâles... « On utilise ça en principe lorsque tout a échoué, m'avait dit la biologiste. On joue son va-tout. »

Pourquoi Samuel mettait-il ainsi le paquet ? Étais-je vraiment perdue ? Il ne répondit pas. Je compris qu'il m'avait presque enterrée. Il me fit promettre d'accepter ces fameux androgènes si dans trois mois les métas n'avaient pas régressé. Je promis. Comme j'avais promis à Katz d'essayer, avant de me faire euthanaser quand tout irait mal, un ultime traitement contre la douleur que je jugeais très barbare parce qu'on passait par le nez un tuyau avec un produit nouveau. L'euthanasie était mon unique sujet de conversation avec le bon Félix : quand ? comment ? où ? Mourrais-je à la maison,

Bolivar en week-end chez Mado ? A l'hôpital dans le superbe service de Félix ? J'avais une certitude : je refusais de mourir dans le pavillon des cancéreux de l'UTATH à Malcourt-sur-Seine.

Le bip dont Samuel ne se séparait jamais bipa. Le professeur rappela l'hôpital. Adeline Durand le cherchait.

— Moi aussi, lui dit-il d'un ton las, j'ai des maîtresses qui ont leurs règles.

Et je ne compris pas le sens de cette phrase mystérieuse. Faisait-il allusion à Pauline qui avait découvert la passion hétérosexuelle dans les bras du cher professeur dont la rumeur vantait les merveilleuses qualités d'amant ? Pauline qui menaçait de le larguer s'il ne l'encloquait pas, prétendait le plaquer s'il ne lui accordait pas une nuit complète sans appel de l'hôpital ?

— Écoute, Dudu, dit-il à la bonne Adeline Durand qui, une fois de plus, sans être de garde allait travailler toute la nuit. Appelle B.B. On va tenter une nouvelle greffe de la moelle. Il faut prévenir son frère. J'arrive.

Puis l'air de plus en plus accablé, il passa un coup de téléphone. La dame qui répondit — j'entendais son accent pointu — n'était pas Pauline. Et elle n'était pas contente.

— Je t'appelle pour te dire que je passerai la nuit à l'hôpital... Je sais, je ne suis pas à l'hôpital. Mais j'y retourne. Je suis avec une de mes malades. Mais tu crois ce que tu veux.

Il raccrocha en riant, l'œil malicieux : « Ma femme croit que je suis chez une petite. »

Il m'embrassa sur le front, remis son imperméable et une casquette comme on en portait dans les *shtettl* en Pologne au début du siècle, ce qui lui donnait l'air de ce qu'il était : un homme de nulle part, de partout, un errant, très vieux, très jeune, un sage, un juste ou peut-être un revenant.

— Ma femme, elle voudrait que je fasse du privé pour changer de moquette. Ça fait trente ans bientôt que je vis sous la dictature de cette emmerdeuse...

Je dis :

— Vous n'avez pas été à Auschwitz pour supporter cette vie.

Il sourit :

— C'est justement parce que j'ai été à Auschwitz que je supporte cette vie !

Et en partant, il me rappela en yiddish l'histoire de Moshe qui, tout en cousant à la machine dans le Sentier égrène pour Jacob qui, lui, coupe des jupes, ses souvenirs du temps où, en Afrique, il chassait le lion : « Alors, je tire, le lion s'avance, je n'ai plus de munitions. Que peut faire un pauvre petit juif désarmé devant un lion ? Il me mange ! — Mais Moshe, s'indigne Jacob, tu n'es pas mort ? Tu es en vie ! — *Doss ist a leïb* [1] ? soupire Moshe. »

Alors Samuel me baisa la main, me dit tendrement :

— Au revoir, Panienka Lola. Dormez bien.

Et il sortit.

---

1. « Ça c'est une vie ? », chute qui revient dans beaucoup d'histoires juives.

15

Était-ce ma troisième, ma quatrième, ma sixième cure de chimio ? Maintenant, je ne sais plus. Mais à l'époque, je comptabilisais ces six jours d'horreur qui revenaient toutes les trois semaines.

— Faut surtout pas attraper froid mes petits loups, la broncho-pneumonie vous guette. Et sans globules blancs... Adieu Berthe ! clamait Coco, une des infirmières.

Et elle vérifia que les radiateurs étaient bien à leur maximum. On crevait de chaleur bien que ce fût sans doute déjà le printemps. Femmes en sueur sous leurs perruques de traviole, hommes épongeant leurs crânes luisants... Comment faisaient-ils pour se tenir dignement, le dos droit, un de leurs abattis branché à la perf', sagement appuyé sur le bras du fauteuil de skaï branlant ?

Moi, je n'étais pas digne. Je m'allongeais sur un des plumards que je disputais à ceux que je prenais pour des moribonds et, pour terroriser les foules novices, j'exhibais mon crâne détiffé, car les perruques me déprimaient.

Public habituel. Têtes connues. Têtes nouvelles. Ici on affiche toujours complet. « On est pas p'ès de fe'mer boutique. Ici pas de ss'omage », gazouillait Marie-Célimène entre deux coups de tampon, deux confidences sur la façon dont elle avait viré son époux et deux flirtages téléphoniques avec Élie Guedj chaque fois qu'elle appelait une ambulance.

Le bel Ange Francini m'avait à nouveau proposé de venir goûter sa salade aux lentilles, mais cette fois dans un des bars de Pigalle, puis il s'était lancé dans une de ses habituelles conversations culinaires avec un quinquagénaire aux yeux très bleus, en costume trois-pièces gris, auquel il donnait alternativement du « mon commissaire » et du « mon colonel », mais que Vivi appelait « Docteur » — c'était Dujardin. Il répétait qu'il était là par hasard car lui n'avait pas de cancer, mais de simples polypes sur l'intestin. Discours caractéristique de mec et de médecin. Les femmes se cachent moins la vérité.

Je t'ai revue ce jour-là, France. Tu n'avais plus ton air triomphant et agressif ; tes joues roses, c'était du blush ; on te refaisait des analyses du sang : les précédentes n'étaient pas bonnes. Et tu m'as complimentée pour le beau turban que je tenais à la main. Tu parlais avec une jolie Portugaise boulotte qui te confiait avoir été femme de chambre chez Salazar. Je me souviens sur une musique de fond de recettes pour éviter la nausée (Moi, je mange la Danette de mes enfants — Moi, je bois des bouteilles de Coca — Moi, c'est le thé citron qui me réussit le mieux — Oh ! moi y a que la purée mousseline) du récit de Flore :

— Jëou vita de mijeria. Mïou majidou, il me battait. Jëou la quitté. Jëou épouzé süs nevüa. Le pauvre, il a veïnti treïs de moins que moa. Noss constoüi une mejaou tress bella...

Bref, la petite Flore, cinquante balais ou plus, en paraissant à peine quarante, n'avait pas été voir le médecin, malgré ses énormes boules aux seins, jusqu'à ce qu'elle ne puisse ni respirer ni marcher, pour continuer à coudre à la machine et payer le pavillon de banlieue où elle roucoulait avec son neveu. Cancer du sein, métastases diverses. Mais elle allait de mieux en mieux et elle continuait à se soigner pour Marcelino qui, le pauvre, mourrait si elle disparaissait, car qui lui préparerait des cailles aux raisins ?

Toi, France, tu écoutais le curriculum de Flore. Tu souriais avec une certaine ironie. Je cherchais en vain ton regard. Et tu disparus à nouveau pour quelques mois. Je tentai de me rendormir.

Soudain la salle de chimio se mit à vibrer. Tenue à la taille par Samuel, Cathi Duparc venait de faire son entrée,

144

embrassant Vivi, pelotant Iseult, chatouillant Coco, ébouriffant Cricri. Elle était *àtuetàtoi* avec tout le monde.

— Mais c'est ma petite Lola, dit Samuel, m'apercevant. Ça va pas, mon trésor ?

Il me complimenta pour la beauté de mon crâne.

— Ça vient de tomber ou ça va repousser ? demanda Cathi qui était, dans une combinaison d'aviateur bleu ciel assortie à son Borsalino, ravissante comme la première fois où je l'avais aperçue au café « La belle vie ».

Je ne répondis pas.

— Pousse-toi, dit-elle en me tutoyant, on va se mettre sur le même pageot.

Je la regardai envoyer valser ses boots, son chapeau et s'asseoir à mes pieds en position de yogi. J'étais fascinée.

— Qu'est-ce que t'as ? me demanda-t-elle. Un utérus, des ovaires, un poumon, une leucémie ?

— Un cancer du sein métastasé aux os, dis-je d'un ton lugubre.

— Oh, c'est rien. Moi, c'est un digestif. C'est durail. En principe ça résiste à la chimio.

On la brancha. Elle se pencha vers moi, me caressa la joue :

— Mais qu'est-ce que t'as ? T'es sonnée ?

— On lui fait du Primperan à haute dose pour l'empêcher de vomir. Mais ça l'assomme, dit Vivi.

— Moi, je vais m'occuper de toi, dit Cathi. Faut pas prendre toutes ces saloperies. Vomir c'est pas la mort. Et puis peut-être que tu vomirais pas. Faut pas écouter les conneries des autres...

Et elle cria à Samuel qui disparaissait : « Votre copine, je vais la nounouter. »

Alors, après m'avoir longuement observée, elle me fit un grand discours :

— Mais regarde comment tu es allongée. Décontracte-toi. Retire tes bottes, enlève ton pull, desserre ta ceinture... T'as mangé avant de venir ? Non ? On va leur commander un thé et des biscottes. Y a pas de raison, on le fait bien chez le coiffeur. Jamais de chimio avec le ventre vide. Tu vas bouffer où après ? Écoute : moi, après la chimio, je vais toujours dans un bon restau ; j'aime particulièrement les chinois...

Je n'arrive pas à savoir exactement pourquoi, mais c'est ce jour-là que j'ai décidé d'essayer de ne pas crever trop vite : c'était comme si Cathi, sa beauté, sa grâce, son appétit, m'avait fait du bouche-à-bouche. Je refusai le Primperan, m'aperçus que je n'étais plus abrutie et que je n'avais nulle envie d'aller au refile. Je dis à Marie-Célimène d'annuler l'ambulance et j'acceptai l'invitation à déjeuner de ma nouvelle copine.

C'était la première fois que je terminais une séance de chimio dans un état normal, presque euphorique. Dans les couloirs de l'UTATH, je collais à Cathi qui me tenait par la taille, adoptant presque son pas de guerrière en campagne. Et telle une doublure, j'envoyais comme elle de petits saluts majestueux aux nouveaux malades qui attendaient, hagards, devant les salles de consultation.

Toujours aussi cool dans son jean et ses baskets, Bechir Boutros surgit d'un bureau et nous barra le passage :

— Alors mes louloutes, vous venez de faire le java ?

Il embrassa Cathi qui le complimenta pour la couleur de son pull miel, assorti à ses yeux. Des chocolats à la liqueur, il nous offrit, qu'il déposa directement entre nos jolies babines asséchées par les antimitotiques.

— Ça se passe mieux la chimio, ma beauté ?

Il me souriait, son sourire, ses fossettes m'allumaient, m'engourdissaient ; il me ressemblait ce levantin, il était le portrait de mon père. — *V'là aut'chose !* — Je ne savais pas encore qu'il avait, comme la plupart des médecins et infirmières de ce service où la mort menait le bal, une vie sentimentale très compliquée. J'apprendrai sa liaison avec Patricia Milhaud qui avait elle-même pour amoureuse « Visage d'ange », une des infirmières. Mais Bechir Boutros n'aimait que son ex-femme, une Libanaise pure et dure, qui était membre des « Mourabitoun », un mouvement nassérien, et responsable d'un groupe féministe de l'Univerité américaine de Beyrouth. Elle lui reprochait d'ailleurs d'avoir abandonné *la cause,* de préférer, à la guerre civile locale, les affrontements cellulaires, et de profiter de sa mère française pour faire son trou dans cette banlieue pourrie. Ce qui était une façon de parler, car sur la fin de son clinicat, Bechir se faisait un sang d'encre pour son avenir, la cancérologie n'étant pas considérée comme une spécialité.

Bechir enleva délicatement mon turban :

— Il n'y a pas : les belles femmes... Avec ou sans cheveux... Des cheveux te défigureraient. Ne les laisse plus jamais repousser.

— Drague pas ma copine, B. B., lui dit Cathi faussement répressive.

Il devait être sincère : pour supporter le spectacle de toutes ces femmes rendues chauves par ses traitements, il avait dû se convaincre que les douilles c'était débectant.

Avant de partir, Cathi voulut aller voir sa petite copine Anna, une des gamines atteintes de leucose aiguë lympho-blastique, qui se trouvait depuis quelques jours au « sté-rile ». Je faisais généralement un détour pour ne pas voir ces malades — souvent des enfants — reliés au monde extérieur par une vitre et un hygiaphone. Comme dans un parloir de prison, les parents hurlaient de l'autre côté du carreau des nouvelles dérisoires : « Papi t'embrasse, — Simone a télé-phoné, — On a reçu la visite des Dupont, — On a mangé du rôti de porc... »

On se planta devant une des chambres aux côtés de la belle Italienne que j'avais vue chialer dans les chiottes le premier jour. C'était la mère d'Anna, Lucciana, une jeune femme pâle assez mal fagotée. De l'autre côté de la vitre, je voyais la petite leucémique hilare, chemise de nuit retroussée, en train de caresser la main de Bechir qui avait passé sa tenue pervenche du « stérile » : cache-cheveux, bottes, masque...

L'air désespéré, Lucciana essayait d'attirer l'attention de sa petite fille mais celle-ci avait débranché l'hygiaphone. Comme un prestidigitateur, la jeune femme sortit d'un grand sac des longues bottes en daim rouge, une montre en or, des parfums, des crèmes de beauté de chez Carita :

— Regarde ce que mamma t'a apporté.

Apercevant Cathi, Anna daigna brancher le contact :

— Salut, salut Cathi. Ma « num' » est bonne. Tout a remonté. Je sors dans trois jours.

Elle sautait sur son lit, envoyait des baisers.

Puis à sa mère, d'un ton autoritaire :

— La montre, c'est une Rolex ou une Cartier ?

— Tu voulais une Cartier ? bredouilla Lucciana.

Anna se recoucha et lui tourna le dos. Sa mère se mit à pleurer sans bruit.

— Je t'avais dit des bottes bleues comme les boots de Cathi. Pas des bottes rouges. Je ne suis pas le Petit Chaperon Rouge, finit par dire la tendre enfant.

Il me sembla que Bechir Boutros promettait de lui acheter des paires de bottes de toutes les couleurs et de toutes les matières.

Rempaquetant ses cadeaux, la pauvre mère partit à grands pas en nous jetant : « Elle me hait. »

Dans la voiture qui nous menait vers Paris où la jeune coiffeuse voulait « claquer un max de pognon » pour se requinquer, Cathi me donna l'explication du comportement étrange de Lucciana Manfredi. Abandonnée par son mari, Fabrizio, au début de la maladie d'Anna (c'est très fréquent : la maladie d'un enfant, d'un adulte, sépare les couples qui battent de l'aile), Lucciana ne savait comment séduire sa fille : « Elle lui offre des voyages exotiques, des fringues luxueuses... Et elle n'est que secrétaire. Je me demande comment elle fait. Je crois qu'elle fricote avec Ange Francini. Tu crois qu'il lui file du fric ? » Je réfléchis. Peut-être la mettait-il sur le tas ? Si j'avais un enfant malade, je ferais passes, casses, tasses, pour lui rendre la vie douce.

La porte de Versailles était bouchée, nous prîmes les boulevards extérieurs aux noms de maréchaux d'empire. Dans la voiture, bercée par la voix de Sinatra *All life troubles seem so far from me... love was such an easy game to play...*, reprenant avec Cathi le refrain « *Yesterday* », Paris ne m'avait jamais semblé aussi *tamedik*[1] : les trembles, les joueurs de boules, les campements de gitans de la poterne des Peupliers, les camions SNCF de la place de Rungis, les marchands des quatre-saisons chinois, les impasses, les maisons basses, les tours de la rue Bobillot qui me rappelaient des chansons de Mouloudji, le métro aérien de

---

1. *Tam* veut dire « goût » en yiddish. Mais *tamedik* se dit de quelqu'un ou de quelque chose d'attirant, qui a du charme, qu'on a envie de dévorer...

148

l'avenue de l'Hôpital, la gare et le pont d'Austerlitz, la Seine et les péniches...

Cathi avait pris l'accent jap :

— A votre gauche, la Halle aux vins, à votre droite les entrepôts de Bercy.

Oui, Rafaël avait raison lorsqu'il me tançait avant de disparaître il y a quatorze ans : « *Un dia vas a comprender mujer verde que Paris es la ciudad la mas linda del mundo* [1] ». Et moi alors, je ricanais.

— Tu vois, dis-je à Cathi, j'ai baissé d'un cran mes ambitions. De plusieurs même : maintenant je ne demande pas la lune, mais simplement de pouvoir à nouveau prendre le métro, même sur la ligne Clignancourt-Orléans, celle qui pue et où l'on étouffe, ou même faire longuement la queue à la caisse d'un supermarché.

— On va commencer tout de suite, me répondit Cathi. Faut que tu essaies de vivre normalement, ma poule. On va aller faire des courses.

— Je vais tomber dans les pommes.

— D'abord tu vas pas te trouver mal. Et puis même si tu tournes de l'œil... T'as honte ? Tu sais dans la vie l'important c'est pas de pisser droit, mais de pisser tout court...

Cathi se gara rue Saint-Denis sur un trottoir et sous un panneau d'interdiction, et elle expliqua aux flics, en ouvrant ses grands yeux clairs :

— Ma copine, elle a un cancer et je dois la raccompagner, elle se sent mal.

Ils se mirent presque au garde-à-vous.

Quel rodéo autour du Forum — *Épargnez-nous, ma bonne, la description de la faune des Halles.* — Nous fîmes de nombreuses boutiques, de la rue du Jour à la rue Pierre-Lescot (parcours obligé et publicité gratuite : Agnès B., la Nacelle, Upla), et Cathi m'offrit des écharpes, une robe de lin, un sac de chasseur en cuir fauve, des crèmes pour la peau à la vanille et au coco, des essences naturelles : cannelle, ambre, musc (sur la chimio, ça donnait un peu envie de gerber, faut dire). Elle payait avec une carte de crédit —

1. « Un jour tu vas comprendre, femme verte, que Paris est la ville la plus belle du monde. »

149

dont elle me vanta longuement les mérites : « T'es toujours à découvert, mais tu vas voir ton banquier, tu lui expliques la situation. Il se dit : cette jeune femme, quel courage ! Et il te fait crédit. Un cancéreux doit toujours vivre au-dessus de ses moyens. »

Cathi c'était, je m'en rendis compte plus tard, la « *Rand and Cancer Corporation* ». Son cancer était « tout bénéfice » : il lui permettait donc d'avoir des découverts à la banque, mais aussi de ne payer ni impôts ni contredanses, etc. Son projet était de créer un Mouvement de libération des cancéreux et d'obtenir pour nos malheureux compagnons de purgatoire toutes sortes de passe-droits : pas faire la queue devant les cinoches, obtenir des réductions en avion, occuper les clubs de vacances à l'œil à la morte saison (glagla !). J'appelais ça : Chantage au vécu.

Au début, son ghetto de cancéreux me séduisait. C'est toi, France, qui m'a fait remarquer que ce projet était flippant : « Tu n'es pas sortie du ghetto de Varsovie pour t'enfermer dans un ghetto de cancéreux. Et, à la morte saison, on sera mieux au Père-Lachaise qu'au Club Méditerranée. »

Le fric, Cathi me l'expliqua lorsque nous fûmes installées chez « Pharamond », rue de la Grande-Truanderie, c'était une de ses préoccupations : le banquier lui avait permis de mener une vie très aisée et elle ne pouvait supporter l'idée que les malades soient en plus... fauchés.

— C'est vrai, dit-elle, quand on sait qu'on peut crever d'un mois à l'autre, on doit pouvoir vivre dans le confort.

En fait, elle se faisait essentiellement du mouron pour son fils Gaspard.

Curieusement, moi, pour la première fois, côté pesetas, j'étais sereine, alors que l'idée de ne pas avoir de matelas — ou plutôt de l'or pour fuir les gestapistes et passer les frontières — avait été la grande trouille de ma vie. (« Mais l'argent n'est pas l'argent, dirait Tsoulovski, c'est peur de ne pas être aimée. »)

L'argent, c'était bien l'argent, depuis que j'avais vu ma mère acheter les gendarmes qui nous avaient surprises passant clandestinement la ligne de démarcation, il y avait trente-huit ans.

J'avais pas un flèche de côté, je devais un max' aux filles du cabinet car elles m'avaient gardé ma place au chaud. Comme la plupart des avocats, n'ayant pas prévu l'avenir, je n'avais aucune indemnité journalière de la Sécu, mais j'étais décidée à vivre au jour le jour. Aïcha refusait tout gage depuis que *El Kansser* m'avait ensorcelée et je me faisais entretenir par le brave Aaron Nussenberg qui, avec sa fille Noémi, suait chaque semaine dans mes escaliers pour me monter des tonnes de victuailles. J'avais injustement décidé qu'il devait continuer à payer pour avoir remplacé dans la vie de Mira, ma ravissante mère, le beau Lev. — *Avouez, enfantine Lola, que vous l'adorez aujourd'hui ce cher Aaron qui vous a élevée, a trimé derrière sa surjeteuse pour que vous fissiez des études universitaires, vous a donné l'exemple de sa ruse, de son énergie, cet Aaron qui vous a, en fait, toujours préférée à Noémi.*

J'avais pourtant décidé récemment de récupérer ma « cassette », la boîte qui contenait les bijoux de ma grand-mère paternelle, Sarah Frïedlander, dont Aaron Nussenberg prétendait être le gardien. Il me rassurait : « N'aie pas peur, je les donnerai à ta future belle-fille. »

Longtemps, je l'avais soupçonné de refiler en douce, perle par perle, à Noémi le triple collier de mon aïeule, les lapis de ses boucles d'oreilles en vermeil, les rosaces de ses bracelets d'or, les grenats de son pendentif, la cornaline de sa fibule, les turquoises veinées de ses peignes en palissandre, le saphir aigue-marine et la tourmaline du cabochon de ses bagues, tout ce dont la somptueuse Sarah avait hérité de son père, un riche fabriquant de porcelaine autrichien. — *Ah, les Habsbourg, ma bonne Lola, pour les Juifs c'était autre chose que les Polacks!*

Cathi avait, en guise d'apéritif, commandé deux Kirs royaux. Qu'est-ce que c'était bon de se re-pinter à nouveau! Notre voisin de droite mangeait son foie de veau meunière en blêmissant, car Cathi me racontait avec beaucoup d'animation *la storia* de son cancer du foie.

— Alors un jour, c'était le lendemain de mes vingt-cinq ans, j'étais en train de m'emmerder avec une cliente châtain qui voulait devenir blonde sans changer de couleur, friser sans avoir de permanente ni mise en plis. Tu vois le tableau ! Je ressens une terrible douleur dans le bide. Je me dis : c'est la ponte. Pas du tout : je venais d'avoir mes règles. Yves m'emmène chez un de ses copains qui a une clinique privée. Bien sûr, monsieur ne peut entrer dans un hôpital. Son copain décide que c'est un kyste à l'ovaire. Et crac ! plus d'ovaire droit. Deux jours plus tard : re-douleur fulgurante. Ils re-ouvrent. Et referment. Ils me mettent à la morphine en disant à Yves : elle est foutue, cancer du foie et métastases des voies biliaires ou le vice dans le versa. Y a rien à faire. Dans un mois elle est morte. A moi, ils ne me disent rien. La morphine, c'est l'horreur. C'est pas moi qui me camerait. Et Yves, ce con, il attendait ma mort en chialant. Un infirmier m'a dit la vérité. J'ai téléphoné en douce à une cliente, journaliste à la télé, qui connaissait Samuel. Il a dû se battre pour qu'on me laisse quitter la clinique et pour avoir mon dossier. Il m'a vue, m'a dit : « T'es trop jeune pour mourir. » Il m'a fait un an de chimio durissime. J'en ai bavé. J'ai aussi été opérée par Eslama. Tu sais, c'est le prof' qui suture à la vietnamienne avec les doigts quand il opère le foie, ça empêche de saigner. Ils ont coupé mon foie en tranches... (La tranche de foie et les cervelles d'agneau de nos voisins de table semblaient passer de plus en plus difficilement.) Ils ont en fait tout enlevé. Tu sais, le foie ça repousse. Aujourd'hui, j'ai à nouveau un foie, mais plus de cellules cancéreuses. De temps en temps, on me recoupe le foie en tranches pour vérifier... « A second look », comme ils disent. Samuel trouve que c'est inutile. Mais enfin...

Nous en étions à notre troisième Kir. Cathi me prit la main, me l'embrassa, puis se leva et me licha le cou, ce qui me chatouilla ; et je me mis à rire.

— T'en fais pas, me dit-elle en trinquant, on s'en sortira. A ta santé, ma poule.

C'est alors que je lui demandai son nom. Et je lui confiai le mien.

— T'as un nom de fête foraine, me dit-elle. Mais moi je t'appellerai Lolo, c'est plus simple.

16

« Vive la vie ! A bas la mort ! Seulement, c'est important la mort, ne croyez-vous pas ? »

Encore lui ! C'était pas vrai ! J'avais rendez-vous avec le professeur Samuel Tobman et, dans le taxi qui me menait une fois de plus vers Malcourt-sur-Seine et l'UTATH, j'entendais sa voix lasse sortant du tuner déblatérer sur le cancer. La veille, à la télé, il dénonçait la violation des droits de l'homme en Amérique latine ; au petit déjeuner, il baratinait dans l'émission de Levaï et, depuis l'aube, sa photo s'étalait sur les murs de la ville au milieu d'une affiche genre « A vot' bon cœur M'sieurs-dames, ça n'arrive pas qu'aux z'autres, l' cancer ». Qu'est-ce qui faisait courir Sam ? Le fric ? Non : il ne faisait pas de privé. Le pouvoir ? Non : il n'intriguait pas pour devenir chef de service. L'amour ? Le cul ? Tu parles d'un pied : être courtisé par toutes les cancérophobes de France. Alors ? Réponse du côté d'Auschwitz. (« Trop loin, trop tard, dirait Tsoulovski. Auschwitz, c'est un souvenir-écran, les projecteurs n'éclairent qu'un coin de la scène. Mais ses rapports avec sa maman *avant* ? *Dem mutter !* »)

— Vous allez voir qui à l'UTATH ? demanda le chauffeur de taxi, qui avait la voix de Coluche, et dont je ne voyais que le regard très bleu. C'est pas *lui* ? Pas le professeur Tobman ?

Tout juste, Auguste ! C'est comme si je lui eusse annoncé que j'avais rendez-vous avec le pape.

— Le professeur Tobman, c'est mon Dieu. (Il en bégayait presque, se retourna vers moi et je vis que c'était un gros

153

garçon joufflu qui n'avait pas trente ans.) Des types comme lui… Écoutez : moi, quand je l'entends à la radio, quand je le vois à la télé… Je l'ai aperçu quelquefois en chargeant des malades à l'UTATH : on travaille beaucoup avec les services et les centres anticancéreux. Forcément : ça n'arrête pas. Quand je le vois, Tobman, ça me fout la chair de poule de plaisir, tant je l'admire ! Merde ! Pousse-toi à droite connard ! (Il s'adressait aux autres chauffeurs.) Un homme comme Samuel Tobman, il doit faire des miracles. Le malade doit avoir avec lui drôlement le moral… (Je ne mouftais pas ; il pensait que je désapprouvais ; me croyait-il malade ? Oui, il croyait.) Vous avez une bonne tête, vous étiez guérie avant de tomber malade, vous avez une tête de gagneuse, vous aviez le titre avant d'avoir combattu…

Au comble de l'excitation, il manqua percuter un camion. Je dis que j'avais pas eu un cancer pour crever dans un accident de la route. Lui, il était fataliste :

— Faut pas avoir peur de la mort… — *et vous pensâtes : cause pour toi, mon gros…* — si ce camion nous était rentré dedans, j'aurais essayé de faire un bon mot avant de mourir en beauté. Putain, pourquoi ils font des travaux ?

Je lui expliquai, comme je l'expliquais souvent par la suite à divers chauffeurs de taxi que, moi, j'avais tout mon temps : je n'étais plus pressée. Il se remit à insulter un chauffeur puis il reprit ses déclarations d'amour pour Samuel :

— Si vous le voyez, dites-lui : j'ai vu un chauffeur de taxi qui a une passion pour vous. Enfin pour ce qu'il fait. Sinon il va croire que je suis pédé. Dites-lui que tous les soirs je lis des passages de son livre : *On ne meurt qu'une fois, pourquoi avoir peur de la seconde.* Je plane.

Je fis remarquer à ce jeune homme qu'à force d'admirer Samuel il finirait par s'en fabriquer un, de cancer.

— Je vais vous avouer quelque chose, m'expliqua-t-il au moment où je payais ma course. Pour rencontrer des mecs comme lui, ça vaut le coup d'avoir un cancer !

Ça se discutait. Et ça se discute toujours.

Je pourrais dire qu'en entrant dans le pavillon j'aperçus Bechir Boutros embrassant tendrement la petite Anna qui repartait en ambulance, des brassées de roses dans les bras, alors que sa mère, l'air de plus en plus tragique, faisant les cent pas en fumant au bras d'Ange Francini. En suis-je sûre ?

J'avais rendez-vous vers seize heures avec Samuel, mais je savais qu'il aurait comme d'habitude trois heures de retard, bien qu'il eût commencé sa consultation à sept heures du matin. J'allais et venais du sous-sol au premier étage, écoutant malgré moi les conversations. Comme d'habitude, je notais au dos d'un magazine : *Les deux vieilles laides : l'une raconte qu'on lui a enlevé les deux seins, non parce qu'elle avait un cancer, mais parce qu'ils pesaient deux tonnes. Son mari, lui, serait mort d'un cancer du rectum il y a sept ans. Elle a alors découvert qu'il la trompait. « Je ne veux plus d'homme dans ma vie, dit-elle. Je ne pourrais avoir qu'un vieux. Les vieux me dégoûtent. D'ailleurs, les vieux veulent des filles de vingt ans. » L'autre dit que son mari l'a abandonnée huit ans avant qu'on ne lui découvre un cancer du sein et que son fils est mort à dix-sept ans d'une tumeur au cerveau, que sa fille de trente ans est anorexique et pèse trente kilos et va mourir. Mais elle, Dieu merci, n'a jamais été aussi heureuse. Elle croit en Dieu. Et elle va se faire implanter un sein artificiel car on ne sait jamais elle peut refaire sa vie.*

J'entendis un éclat de rire, presque musical. Et je reconnus Marie-Aude Shneïder. La mort au look Saint-Laurent affichait ce jour-là une tenue et un maquillage assez extravagants qui lui donnaient l'air d'une danseuse de castagnettes ; accrochée sur elle, une grande partie de ses bijoux : perles, chaînes en or, rubis, plusieurs montres, bagues à chaque doigt, broches, peignes en argent dans sa perruque, du fard rouge sur les paupières, du blush jaune sur les joues et du noir sur les lèvres. Mais quelle beauté !

— Vous êtes très belle, dis-je sans bluffer.

Elle répondit d'une moue enfantine :

— Merci ma chère, vous voyez ce qui reste d'une jolie femme. (Elle écarquilla comiquement les yeux.) J'ai plus de cils, vous avez remarqué ? Avant j'avais des balais-brosses. On disait : Marie-Do a naturellement des faux cils. Puis elle se pencha avec grâce vers moi : « Vous n'êtes pas mal non plus. »

En riant, j'expliquai :

— Des trous plein les os, plus de sein, plus de cheveux.

Alors elle se mit à chantonner d'une voix très pure sur l'air de « Alouette gentille alouette » : « Plus de sein. Plus de sein. Plus de cheveux. Plus de cheveux. Aaa... Alouette. Gentille alouette. Alouette, je te plumerai. »

Un fou rire nerveux s'empara de moi. Il la gagna. Nous ne nous connaissions pas cinq minutes plus tôt et, chaque fois que nous nous regardions, nous repartions dans une crise de gondolage. Une jeune femme au teint cireux, l'air sinistre, s'assit à côté de nous et je dis :

— Oh celle-là, ça ne va pas : elle a au moins un cancer.

Marie-Aude riait tellement qu'elle en pleurait.

C'est d'ailleurs ce que crut Samuel qui sortait de sa salle de consultation, courbé en deux et grimaçant de douleur :

— Ça va pas, Mimi-Do ?

— C'est vous qui n'allez pas !

Il avait mal aux tripes et s'était laissé faire le matin des analyses. Je lui suggérai qu'il avait peut-être un cancer.

— Mais non, mais non, dit-il, en se signant, lui qui était juif.

Puis, sans doute pour me rassurer, il jeta en repartant vers son bureau :

— Faut que je m'occupe de ma petite Lola, elle m'inquiète.

Charmant !

Soudain, Marie-Aude, très mondaine, me prit la main :

— Samuel m'a parlé de vous. Vous êtes avocate ? Ça doit être passionnant, non ?

— Moi aussi je sais qui vous êtes : je dois prendre exemple sur vous pour guérir.

Son visage changea, il me sembla soudain très fatigué :

— Le problème n'est plus de guérir. Mais de durer le plus longtemps possible. Vous avez des enfants ?

Je lui parlai de Bolivar-David. Elle me tenait les deux mains :

— Je vous comprends. S'il n'y avait pas les enfants, comme tout serait plus facile. Vous croyez en Dieu ? Ça aide, vous savez.

Je ne croyais pas en la bonté de l'impitoyable Yahvé.

— Je suis juive, dis-je.

156

— Allez alors voir un rabbin. Je vous assure, cela vous aidera.

Marie-Aude, elle, était protestante et elle trouvait un grand réconfort auprès d'Anatoli, le pope grec qui me faisait songer à Raspoutine.

Elle me proposa de déjeuner un jour chez elle :

— Nous parlerons de nos petits malheurs. Vous savez bien, ce n'est pas la douleur physique qui est insupportable. Mais tous ces traitements, ça nous agace. On finit par détester tout le monde.

Soudain notre attention fut attirée par un enfant affligé sur l'œil gauche d'une boursouflure monstrueuse (c'était un rétinoblastome, cancer de la rétine), qui lisait sagement un illustré. Nous restâmes sans voix, la même pensée nous traversant : « Dieu des juifs, Dieu des protestants, épargnez nos enfants. Punissez-nous pour nos péchés. Amplifiez nos souffrances. Mais pas eux. Jamais. »

Très jeune, sale, édentée, les cheveux oxygénés, la mère du petit garçon bavardait avec une vieille en pantoufles, l'air alcoolo, qui lui ressemblait. Je me dis : « Ça doit être ça le quart-monde. » — *Comme vous êtes snob, Lola. Et vous, c'est quoi ? Le demi-monde ?*

On appelait Marie-Aude : elle se leva péniblement en boitant et freina pour écouter la *Quart-Monde :*

— Tu sais, la Ludovica, disait cette dernière à sa mère. Celle qui était fille de salle. Maintenant elle s'occupe des gosses de la maternité. Elle entre même au « stérile ». Elle m'a demandé si je voulais y travailler. J'ai répondu : Quoi ? Moi, une Française, travailler sous les ordres d'une Yougo ?

— C'est normal que vous travailliez sous ses ordres... Vous avez l'air si stupide, lui asséna Marie-Aude.

Elle était baba, la *Quart-Monde :*

— Mais de quoi elle se mêle, celle-là ? balbutia-t-elle. Connasse ! Elle doit pas être française !

Marie-Aude lui fit une révérence :

— Je suis malienne. Ça ne se voit pas ?

Et royale, elle partit vers la consultation de Samuel.

— Elle est cinglée votre copine, me dit la mère du rétinoblastome. Elle doit avoir une tumeur au cerveau.

Me crut-elle aussi dérangée lorsqu'elle me vit me précipiter plus tard vers Samuel, qui sortait de sa salle de consultation un faux sein à la main, demandant à la cantonade qui l'avait perdu ? Je voulais en connaître la marque, car il semblait mou, souple, naturel, comme un vrai. Mais il était évidemment de fabrication boche, et je le jetai à la poubelle, imitant ma mère qui avait fait rembarquer tous les éléments d'une superbe cuisine offerte par mon beau-père pour leur trente ans de re-mariage : « Pas de produit *Yekke* chez nous », criait Mira aux livreurs de la maison Bosch et Cie.

J'avais fini par m'endormir, recroquevillée sur une chaise. Il devait être dix heures du soir. Les couloirs de l'hôpital, à présent vides, me faisaient penser à ceux d'une prison. Samuel m'avait-il oubliée ? Ma « num' » n'était pas bonne, Vivi m'avait prévenue. On ne pourrait sans doute pas me faire la chimio dont j'avais maintenant besoin comme d'une drogue. Il faudrait attendre une semaine que « ça remonte ». C'était la chute des plaquettes qui me terrorisait : j'osais à peine bouger, comme si au moindre mouvement c'était l'hémorragie interne et le sang qui m'inondait, dégoulinait par tous mes orifices.— *Intéressant, comme fantasme, ma bonne Lola.*

De la salle de consultation de Samuel, un couple sortit l'air catastrophé. Le professeur m'appela. J'entrai et nous res-tâmes face à face des deux côtés de la table de consultation, assis en silence, à manger machinalement des loukoums, éclairés, me semblait-il, simplement par la lueur de la lune.

Il soupira, se massant le plexus, ferma les yeux en murmurant : « Oh, ma petite Lola », puis fit mine de s'assoupir un instant. J'avais entendu *Oï*. J'avalai un Valium. On ne dit *Oï* que lorsque les nouvelles sont mauvaises. Qu'avais-je encore ? Peut-être ne pouvait-on continuer le traitement ? J'étais foutue ?

— Que va-t-on faire si ma formule sanguine ne remonte pas ? dis-je la voix pleine de *Oï* [1], de *Vaï*, de *A brokh*, de

---

1. Oï ! L'expression en yiddish vaut une phrase entière, que dis-je, un chapitre de lamentation, pitié...

Krekhtzn[1], de *Kvitshn*[2] : les blancs, ça ne se transfuse pas...

— T'occupe pas de tes globules blancs, me dit-il, soudain réveillé, sur un ton agacé. Arrête de toujours vouloir *tout* savoir, *tout* comprendre, *tout* prévoir. C'est ça ta maladie : la *véritomanie*. Et la plus noire possible.

Terrorisée, je bégayai : « Mais... Mais... Mais... »

— ... Un jour tu comprendras, Lola, les mauvaises nouvelles, on a toujours le temps de les apprendre. Et puis cesse de discuter ton traitement. Tu ne demandes pas à un garagiste comment il répare ta voiture !

J'étais sur le cul : je n'étais pour lui qu'une *voiture,* une *mécanique !* Je le haïssais.

Et j'avais honte de le haïr alors que tous ses malades l'idolâtraient. (« Mais ma bonne, dirait Tsoulovski, l'amour, la haine, c'est kif-kif. »)

Ce que je haïssais en lui, c'était sans doute ce qu'il haïssait en moi : comme tous les cancéreux avec leur médecin, nous formions un couple maudit, car notre romantique liaison se terminerait fatalement par la mort. Pourquoi s'attacherait-il à moi, lui qui en avait tant connues, tant aimées, tant perdues ? Je haïssais en lui la vérité de la mort. Il haïssait en moi la morte.

Et pourtant, je l'aimais d'amour fou, j'aimais le petit garçon qui avait survécu à Auschwitz ; j'étais prête à lui baiser les pieds comme ceux de tante Rivke, de Tsiporka, de Léa, de tous ceux qui avaient survécu (et même les orteils d'Aaron Nussenberg). Et c'était de l'ordre de l'indicible.

Nous nous regardions en silence. Il s'était calmé.

— T'as encore mal à la vertèbre ?

Non. Je n'avais presque plus mal. A condition de ne pas marcher vite, de ne pas me pencher en avant, de ne pas sauter, de ne pas danser, de ne pas porter de paquet, de ne pas m'enfuir, moi qui m'étais toujours débinée.

— Tu vois, elle se recalcifie. Le cobalt, plus la chimio... En somme, t'es déjà en rémission.

Je n'eus pas la cruauté de lui réciter un passage de son

1. Geignements.
2. Pleurnicheries.

livre : « Rémission, tromperie, faux-semblant qui fait croire au malade et au médecin... »

Je haussai les épaules :

— Oh, les rémissions !

— Ben quoi, les rémissions ? De rémissions en rémissions, on finit par rejoindre le peloton...

— ... d'exécution, ricanai-je.

— Non, le troupeau, dit-il. Tu veux tout de même pas vivre cent ans ?

Voulais-je vivre cent ans ? Curieusement, moi qui avais voulu me supprimer à sept ans, je désirais à présent devenir centenaire, une vieille *bobelè*[1] grasse et gâteuse.

— Tu connais, me demanda-t-il, celle de Moshe sur la place Rouge ?

Il avait compris que les *witz* juifs, même les plus éculés, me faisaient jubiler.

— L'histoire se passe dans les années cinquante. Moshe est appelé au Kremlin, en compagnie de Youri l'Ukrainien et d'Anastase l'Arménien. On leur demande de crier du haut du toit « Vive Staline ! Vive le petit père des peuples ! Vive le communisme, avenir radieux de l'humanité ! » S'ils refusent : ils sont précipités dans le vide. Youri s'exécute, Anastase s'exécute. Tous deux chantent les vertus de Staline. Moshe, lui, sans dire un mot, s'apprête à sauter dans le vide. On le retient : « Comment, Moshe, tu es fou, tu n'aimes pas la vie ?... »

Je regardai Samuel et je terminai l'histoire :

— Et Moshe répondit : *doss ist a leïbe*[2] ?

Samuel se leva, me poussa vers la porte :

— J'ai eu tort tout à l'heure pour la comparaison avec la bagnole. Excuse-moi. Mais c'est vrai, Lola. T'occupe pas de ton traitement. Occupe-toi de tes douleurs. Le malade n'a qu'un droit, qu'un devoir : ne pas souffrir. Il doit exiger de ne pas souffrir. Mais pour le reste, essaie de penser à autre chose.

Je lui rappelai ce jour, à la télé, où je l'avais entendu expliquer qu'un malade ignorant la vérité, se laissant mener

1. Petite grand-mère.
2. « Ça c'est une vie ? »

par la maladie, au lieu d'agir, mourait doublement : un malade qui affrontait lucidement son sort ne disparaissait jamais pour les autres.

Il soupira :

— Oh, je dis tant de choses. La vérité, la vérité... Qui la sait ? Et puis, finalement le plus emmerdant quand on meurt c'est pour soi.

Et il éclata d'un rire enfantin.

Il allait me raccompagner car il avait un malade à voir à l'autre bout de Paris. En marmonnant : « Ah ! si je n'avais pas ces problèmes ancillaires », il essayait de retrouver désespérément les clefs de sa tire.

La nuit était douce. Les bâtiments du groupe hospitalier, les échafaudages, les grues du futur centre me rappelaient toujours un grand camp d'internement, mais j'étais attachée à ce lieu. — *Ach so ?* — Nous butâmes sur Bechir Boutros qui, lui aussi, cherchait sa voiture. Il raconta à Samuel une sombre histoire :

— Le fou redouble de férocité. Il a décidé de nous faire un procès.

Et, se tournant vers moi :

— Il y a un cinglé qui prétend avoir soigné son cancer du larynx en buvant du chocolat chaud mélangé à des cachets de magnésium... Comme nous refusons de le recevoir, il prétend qu'il y a une conspiration gouvernementale pour étouffer sa découverte : car s'il y avait moins de cancéreux, le chômage augmenterait...

Il m'offrit un bonbon ; à son habitude, le glissa directement dans ma bouche ; sa main frôla ma joue : je rougis dans le noir jusqu'à mon unique sein. Et je me mis connement à rire. Il se marra lui aussi.

— Tu la ramènes, B. B. ? demanda opportunément Samuel, qui ne retrouvait toujours pas les clefs de sa voiture.

Bechir habitait un immense appartement vide dans « Cléopâtre », une des grandes tours peuplées d'Asiatiques à la porte de Choisy. En dehors d'une bibliothèque de pin blond couverte de livres et de revues médicales, d'une table à tréteaux, d'une chaîne, d'un lit bas et de deux vieux fauteuils de rotin, l'appartement était vide. Mais moquetté.

Depuis qu'il m'avait proposé, comme dans un film de série B de passer chez lui « to have a drink » (mais oualou ! rien à biberonner, sauf la flotte du robinet), je pilpoulais : « Il veut baiser avec moi ? Oui ? Non ? Et moi ? Oui ? Non ? C'est impossible ? Et pourquoi c'est impossible ? J'en ai envie ? Pourquoi en aurais-je envie ? Comment ça va être ? Et si c'est, sera-ce la tasse ? C'est sûr ? C'est pas sûr ? Comment est-il monté ? A-ce de l'importance sa monture ? Est-il circoncis ? Les Arabes chrétiens sont-ils circoncis ? A-t-il la peau trop claire ? Trop foncée ? Les yeux trop jaunes ? Non, les yeux trop verts ? Et le fait qu'il soit Palestinien. Mais il est Libanais. Il se moque de moi ? Il a pitié de moi ? Quelle connerie ? Pourquoi quelle connerie ? Un homme caresse-t-il les deux seins d'une femme en même temps ? Et quand on a plus de sein ?... »

Assis dans le noir, nous déblatérions de mon idée fixe : l'euthanasie. Bechir m'avait expliqué que maintenant, dans tous les hôpitaux, on aidait les cancéreux en phase terminale à « dormir ». Mais on se déchargeait généralement sur les infirmières. Samuel avait le courage d'officier lui-même ; il lui arrivait le week-end de prendre l'avion pour aider certains de ses malades étrangers à « dormir » doucement et définitivement. Et il avait le courage d'assumer publiquement ses actes.

Je dis :

— Tu crois qu'il euthanase aussi les messieurs à l'Alexandra ? Ou c'est un traitement réservé aux dames ?

— Tu veux que je t'euthanase à l'Alexandra ou au champagne ? me répondit le jeune médecin de son accent oriental.

J'allumai la lumière :

— Docteur Boutros, baiseriez-vous avec moi ?

Il me fit une sorte de révérence :

— Oui, madame Frïedlander, je souhaite vous faire l'amour.

Alors, j'enlevai mes bottes, relevai mes jupes et m'appuyai contre le fauteuil. — *Vous vous preniez pour une de vos*

162

grand-mères, et le malheureux Boutros pour un cosaque ? Mais Bechir s'approchait de vous, enlevait doucement votre turban, dégrafait votre corsage, votre jupe, vos jupons, votre soutien-gorge — c'était la première fois que vous ne pouviez cacher votre honte sous vos longs cheveux — et vous vous dîtes : « Mon faux sein va se faire la paire », ce qu'il fit, et vous rîtes tous les deux, lui gentiment, vous avec confusion. Vous étiez nue, chauve, imberbe, debout devant lui, consciente soudain que votre bonbonnière était lisse comme celle d'une petite fille impubère. Et il vous regardait, ce beau jeune homme. Tendrement. Sérieusement.

— Ce que tu es belle, dit-il. Tu ressembles à une amazone, à une guerrière massaï, à une figure mythique.

Puis il s'approcha de moi, prit mon sein unique dont le bout orange dardait entre ses deux mains et le porta à ses lèvres, la nuque doucement inclinée et toujours, comme dans notre film de série B, nous glissâmes sur la moquette ocre. Il y eut un fondu enchaîné, mais point d'adagio d'Albinoni en musique de fond. Je me souviens qu'il caressait ma cicatrice et que j'en éprouvais un plaisir aussi vif que celui que me procurait mon défunt téton. Et je me disais : « Ça doit être ça le fameux phénomène de l'amputé, du membre absent-présent. » Je me souviens que je riais, que pour la première fois de ma vie peut-être, en temps de paix, je prenais mon pied simplement, sans culpabilité, sans folie. J'allais mourir, j'avais droit au plaisir.

Et plus tard, allongée dans le lit, contre Bechir qui dormait serré contre moi, je me demandais pourquoi jusque-là je n'avais ressenti de taf extrême que dans les situations dangereuses : sous un bombardement, dans une tranchée, dans un appartement où la police pouvait débarquer — ce qui m'était arrivé une fois à la Réunion et le beau monsieur métissé de Chinois, autonomiste de son état, qui me sabrait, avait tranquillement continué ; dans une plantation de café sous un cyclone au prénom de femme ; dans un ascenseur en panne (tout de même pas comme cette fille des Brigades rouges, Francesca Bellere, serrée contre Fabio son amour entre deux gendarmes, entourée de policiers armés jusqu'aux dents, en plein procès dans une cage au milieu de ses camarades, au fond d'une salle bondée de curieux, voyeurs, journalistes). Mais à Paris, avec un monsieur normal, libre, pas pourchassé par toutes les polices du monde, un monsieur ayant tout son temps, dans un bon lit, tranquillement. Rarement.

Je me remis à établir le compte — non de mes amants — mais des lieux bizarres où j'avais intercoursé.

Je me souvins de la chambre de bonne sur le carrelage de laquelle le jour de mes quinze ans, à la sortie d'une réunion des Jeunes Filles de France, j'avais perdu mon berlingot dans les bras d'un vieux militant communiste de trente-deux ans, et de la réaction de ma mère le lendemain, Noémi m'ayant caftée.

Accrochée à la baignoire où s'ébattaient les carpes vivantes qu'elle s'apprêtait à trucider pour les farcir, Mira hurlait : « *Gewalt !* Au secours ! Pourquoi Hitler m'a laissée en vie ! Ma fille est une *kurveh !* Elle finira sur le trottoir ! » Puis des phrases plus ésotériques en yiddish, de son délicieux accent litvak : « C'est une bénédiction pour les culs quand les chats pètent ! Elle mérite de déféquer sur la mer ! Que mes ennemis attrapent la fièvre aphteuse ! Que l'on t'enterre et qu'ensuite, tu te casses une jambe ! »

Dans le lit du Libanais, je riais au souvenir de cette scène qui m'avait tant fait pleurer. Et inévitablement, la silhouette de mon père me traversa. Avec qui avait-il baisé la dernière fois de sa vie ? Avec une des belles Juives de son réseau de Résistance ? Avec une des rares déportées en bonne santé, parce qu'elle avait, comme lui, un poste de responsabilité ou avait séduit une femme SS ? Avec une grosse fermière allemande qui l'aurait hébergé lors d'une évasion ? Avec une soldate de l'Armée rouge croisée sur une route d'Allemagne à la fin de la guerre ? Et si, comme je le croyais enfant, il vivait toujours en URSS, amnésique, dans le lit d'une Ouzbeck ?

Je regardais Bechir, ses cheveux blond roux, sa peau dorée, ses taches de rousseur, je regardais Bechir qui ressemblait à mon père et qui était déjà plus âgé que lui. Comment oublier un père de trente ans ?

Le futur prix Nobel de cancérologie se réveilla ; je regardai

164

ses yeux tartares; je lui demandai s'il baisait toujours ses malades.

— Parfois, dit-il, j'aime les femmes touchées à mort.

— Tu crois que je vais mourir?

Il dit : bien sûr; que lui aussi allait mourir, mon fils, ma mère, itou. Everybody. Nous sommes tous en rémission.

— Tu crois que je vais mourir... *bientôt?*

— Maybe.

Je dis que je voulais, avant de clamser, revoir Rafaël, le père de mon fils.

Il ne reviendra pas, m'affirma-t-il, m'encourageant à une orgie de « Vache qui rit ». Les femmes atteintes d'un cancer sont toujours en train d'attendre. Elles ont le syndrome du marin de Gibraltar.

Ah! là! là! On avait lu Duras!

— Tu devrais cesser d'attendre, Lola. La vie c'est ici et maintenant.

Il parlait comme l'hymne composé par Theodorakis pour le PS. Ils me faisaient tous marrer : la vie c'est ici et maintenant. Il faut vivre intensément chaque moment. Brûler la vie par les deux bouts. Vivre ses désirs. Ne rien se refuser, écétéra. Des mots d'ordre, des slogans. Moi, j'essayais de bricoler ma vie. C'était déjà pas si mal.

— J'aime vraiment bien baiser avec toi, me dit-il en me déposant à la station de taxi, rue de Tolbiac. On recommencera.

Ça m'aurait étonné. Je lui étais reconnaissante d'avoir désiré ma cicatrice, je le remercierai longtemps de m'avoir prouvé que, comme m'en avait prévenue Derry, le chirurgien : « un sein, deux seins, trois seins... bof! »

Je lui garderai une immense tendresse de m'avoir répété cette nuit : « Je baise avec vous, madame Frïedlander, pas avec votre sein gauche. » Et de m'avoir chanté avec la voix de Montand : « O sanguine joli fruit / la pointe de ton sein / a tracé tendrement / la ligne de ma chan... ance... » Mais sa façon de radader était trop frénétique pour moi, pour mes os troués.

Je l'embrassai affectueusement sur les deux joues :

— Tu me promets de m'euthanaser quand ça ira mal?

(« Faut choisir, me dira plus tard Félix Katz, faussement jaloux, ça va être une vraie partouze ton dernier instant. »)

— Promis. Juré. Croix de feu, croix de fer, si je mens, je vais en enfer, dit Bechir, comme si nous jouions.

Mais je vis dans ses yeux sa certitude que ce jour arriverait, je sus que je devrais enfin comprendre que la vie n'était pas du cinéma.

17

« Du blanc pour les globules blancs. De la crème de cassis pour les globules rouges. »

Il était 11 h 45. Beurrée comme un Petit-Lu, Marie-Aude Shneïder, assise sur la moquette ivoire de son immense salon qui dominait la place du Trocadéro, s'envoyait Kir sur Kir en trinquant à nos tumeurs. Mais c'était mon cinquième « A la tienne Étienne ! » et je ne pouvais plus suivre.

Dans la matinée, me voyant sortir, vêtue des vêtements de Bolivar — jeans, chemise Arrow, tee-shirt, flight-jacket et autres friperies fifties —, dans lesquels je pouvais pour la première fois de ma vie me glisser, en observant mon visage affiné, superbement maquillé et enturbanné par Aïcha, Noémi, ma douce demi-sœur, m'avait raillé de son ton d'instit' :

— Tout de même, c'est curieux. La maladie t'as embellie Tu as minci. Malcourt, c'est pas un centre anticancéreux, c'est le centre de thalassothérapie de Quiberon ! T'as de la chance tout de même !

Marie-Aude aussi me trouvait belle. Et elle m'enviait d'oser porter — à nos âges — cette tenue de minet. Elle, dès le matin, s'habillait en tenue « de ville » et n'aurait jamais osé traîner en savates. Cela ne l'empêchait pas de rouler des pelles à son chien Interféron, ni de monter de temps en temps sur le divan de velours blanc pour accompagner la Callas qu'elle écoutait depuis l'aube : « *Ah ! tergi il pianto : cé ancor no lega terno nodo all'ara. Ah si, fa'core abra-*

ciami... » Elle était Norma et m'encourageait à chanter Adalgisa...

Le téléphone n'arrêtait pas de sonner. Ça agaçait Marie-Aude, qui hurlait : « Je n'y suis pour personne. » Et la domestique mauricienne s'excusait car c'était « Monsieur » qui s'inquiétait, voulait savoir si son épouse était toujours là. Marie-Aude riait :

— Le pauvre ange a peur de me perdre. Pauvre *Tcharl'ss...*

Elle prononçait le prénom à l'anglaise. Et moi, si prompte à charrier les autres, je ne la trouvais pas ridicule. J'avais même trouvé charmant que, rentrant du lycée, ses filles, Sophie et Marie, me fissent une révérence et son fils, Patrice, me baisât le bout des doigts. Ils vouvoyaient leur mère qui leur répondait en anglais. Après tout, ma mère me répliquait bien en yiddish.

— Je vous ai préparé une surprise pour l'apéritif, me dit Marie-Aude, m'entraînant dans l'office.

Elle avait touillé de la viande crue avec des œufs. Voulait-elle que je lui préparasse des *klops,* ces boulettes, célèbre spécialité des femmes de ma famille ? Non. Elle versa du rhum dans le saladier. Puis du poisson cru mariné dans du citron. Elle remua et me tendit une cuiller en argent :

— Mangez, dit-elle, c'est bon pour nos globules rouges et nos plaquettes.

Je pensai : à la guerre comme à la guerre. Et j'attaquai.

Dernièrement, je passais mon temps à m'obliger à affronter tout ce qui me coûtait depuis l'enfance : regarder un flic dans les yeux, garder les yeux ouverts au cinéma pendant une scène d'horreur, passer sous une échelle, regarder le vide du haut d'un pont, toucher une souris, caresser un chien berger allemand, prendre un ascenseur qui ne s'arrêtait pas à tous les étages, dormir dans une maison isolée dans un bois de pins avec des lueurs d'incendie au loin — *Ah bon?* — Et puis : douche glacée, tête sous l'eau dans la piscine, avaler de la cervelle, du chou-fleur, la peau du lait (Beurk ! Beurk !) **Pour me préparer à *kwa?***

— Hier, j'ai dévoré un kilo de viande crue mélangée à du porto-flip, m'annonça Marie-Aude.

J'ingurgitai ma part de potion magique. — *Vous inventant, ce qui devenait lassant, que vous étiez à Auschwitz, mangeant de la soupe aux pelures de patates mélangées à des touffes de cheveux et à des ossements humains pour survivre.*

« Il faut tout métaboliser », comme dirait Tsoulovski, même les souvenirs traumatiques.

La Mauricienne, tortillant les coins de son tablier blanc, nous regardait avec dégoût. Marie-Aude se servit un grand verre de rouge et me proposa de déjeuner exceptionnellement dans la cuisine.

— J'aime manger, j'aime boire, dit-elle, s'envoyant avec des gestes délicats des bouchées à la reine, des œufs en cocotte, de la goulasch qu'elle avait fait préparer en *l'honneur de mes origines slaves.*

Elle sifflait du bourgogne blanc, elle éclusait du bordeaux rouge.

— Je suis une terrienne, poursuivit-elle. Quand je n'aurai plus ni faim ni soif, je serai morte.

Et je la crus.

— Vous savez, me confia-t-elle encore, j'ai toujours bu. Ce n'est pas parce que je suis inquiète, aujourd'hui. Jeune fille, à Metz, je cachais les bouteilles dans la penderie pour que ma gouvernante ne les trouve pas. Ambassadrice, je buvais la nuit en douce, du vin rouge, dans des verres à moutarde, assise à la table de la cuisine.

Je lui demandai comment elle se débrouillait étant sous chimio pour ne pas avoir la nausée.

— Mais j'ai la nausée, riait-elle. J'ai la nausée, ma chère. J'ai tout. Mon corps n'est que douleur : envie de vomir, envie de faire *popo* tout le temps, des vents, élancements partout, décharges électriques, congestion des artères, mal de tête, coups de couteau dans le foie, pieu enfoncé dans la colonne vertébrale... Mais à part ça, on vit. Hier, j'ai même été faire quelques trous de golf...

Elle me prit par le cou, m'embrassa furtivement sur la joue :

— Cette nuit, j'ai rêvé que nous avions dix ans et que nous faisions de la luge ensemble : nous avions posé un immense œuf de Pâques entouré de velcro sur la luge. Mais vous m'avez fait remarquer qu'un nœud rose en soie serait mieux.

Elle ouvrait ses grands yeux noirs :

— C'est curieux, je me souviens de mieux en mieux de la petite fille que j'étais. Je vais avoir quarante-deux ans et cette petite fille me suit, m'accompagne maintenant... Je voulais être ballerine ou cantatrice à l'opéra. Et vous ?

Et moi ?

La petite Lodja, dite Loluchka, dite Lolkelè, elle aussi m'accompagnait souvent : c'était une petite fille que le côté *ziz und zower* [1] de la vie, les saveurs, les odeurs, les couleurs, les regards, le toucher, les frôlements, les caresses boulever-saient ; c'était une petite fille moqueuse au visage rond, les nattes croisées sur la tête, attachées avec des nœuds blancs à la polonaise, une petite fille dévastée par des crises de fou rire, des désespoirs violents, une curieuse, une bavarde, une menteuse, une voyeuse, une maligne. (« Fais pas ta maligne, Lola », me répétait-on), (« Sinon-tu-meurs-maligne ? », aurait dit Tsoulovski).

— Moi, j'aurais voulu être star à Hollywood, dis-je.

— La vie n'a pas tenu ses promesses, n'est-ce pas, chère ? Et maintenant...

Marie-Aude se taisait. Je connaissais sa question muette : vous croyez qu'on s'en sortira ? Et j'avais cyniquement envie de lui répondre par le titre du livre d'une ancienne déportée : *Aucune de nous ne reviendra*. Mais je dis, avec cet hypocrite optimisme copié sur d'autres malades, ou pour conjurer le sort.

— Ce n'est pas un petit cancer, quelques métastases qui auront notre peau. On va les descendre ces cellules folles. A coups de fusil.

Marie-Aude se pintait toujours.

— Moi, ça fait sept ans que je me cramponne. On m'avait donné trois mois à vivre. Je me soigne. Ça va. Puis ça va pas. On me re-hospitalise. Je renais de mes cendres. Je revis normalement. Et ça recommence. C'est ça qui finit par lasser. Je me dis qu'il faut tenir pour les enfants. Et puis on finira bien par trouver un médicament miracle.

1. Doux et aigre.

170

« *Halevaï*[1] », pensais-je, ou plutôt : « Ça mange pas de pain. » Croyait-elle vraiment au miracle ? J'ajoutai, moi, que les enfants avaient bon dos : en fait on désire vivre animalement. Pour nous. Pour ne pas être mort. Tout simplement.

Elle prit un air coupable :

— Parfois les enfants, on les déteste. D'ailleurs on déteste tous ceux qui nous aiment. On ne supporte que les inconnus.

Je pensais qu'elle allait dire : « tous ceux qui nous collent », car ce n'était pas l'amour des autres qui était insupportable, mais le fait qu'il colle, qu'il étouffe, qu'il s'exprime, qu'il ressemble à une danse mortelle genre « chérie-je-veux-profiter-de-tous-tes-derniers-instants ».

C'est alors que je fis la connaissance de Son Excellence Charles Shneïder, ambassadeur de France, qui semblait ravagé par l'inquiétude. Je le trouvais charmant, émouvant. Il mentait, prétendait être passé par hasard en sortant d'un déjeuner en ville ; il ne voulait surtout pas nous déranger. Je le surpris comptant du regard les bouteilles vides. Timidement, il me demanda si je soignais moi aussi ma formule sanguine à l'alcool.

En réponse, je lui montrai mon tube de tranquillisant presque vide. C'était idiot : la peur n'enlevait pas le danger.

Il embrassa Marie-Aude sur les yeux, lui demanda plusieurs fois avant de s'éclipser :

— Vous allez bien, ma mie ?

Marie-Aude attrapa une bouteille de whisky et m'entraîna dans sa chambre, en commentant la visite de son mari :

— Pauvre grand chéri. Il croit, en partant le matin, qu'il ne me reverra pas vivante. Que deviendra-t-il sans moi ? C'est un enfant. Les hommes sont de grands enfants, non ?

Les hommes étaient-ils des enfants ? C'était le cadet de mes soucis. Je m'en battais l'œil des mecs et de leurs états d'âme.

Elle enleva ses bottes, me fit signe de m'allonger à ses côtés sur le lit, nous alluma des cigarettes. Puis me confia qu'elle avait failli se séparer de Charles huit ans avant le début de son cancer, il y avait près de seize ans !

— Je n'étais pas une bonne épouse de diplomate. Nous

---

1 « Que cela soit », mot araméen employé en yiddish.

étions en Extrême-Orient. Ce milieu m'ennuyait. Charles fréquentait des clubs pour hommes. Si je n'étais tombée malade, sans doute aurions-nous divorcé. Mais aujourd'hui nous nous aimons tendrement.

Alors elle me demanda, légèrement émue, si j'avais une vie sexuelle. Avais-je une *vie* sexuelle ? Avais-je jamais eu une vie *sexuelle* ? *Aurais-je* une vie sexuelle ? Baisé, j'avais, c'était sûr. Aimé follement mon père, aussi. Et Rafaël ? Parfois, je me disais : je ne l'ai jamais aimé, ce n'est qu'un lieu-dit, comme la Belgique. Il n'existe pas. Bolivar-David je l'ai conçu avec le fantôme de Leïb.

A ce moment de mon histoire, les choix se décidaient en fonction de ce qui était bon ou mauvais pour ma petite santé. Si *shtupper* était antimitotique, j'étais prête à devenir la stakhanoviste du sexe. Sinon, bof !

Il y a quelque temps, j'avais demandé à Félix Katz si ce qui était bénéfique dans la baise c'était le plaisir ou les hormones mâles dont les orifices s'imprégnaient. « Inutile de te faire des tartines de sperme », avait-il ironisé avant d'essayer de me trousser sous prétexte d'examen clinique de mes ganglions lymphatiques à l'aine...

— Avant, je faisais l'amour pour me rassurer, dis-je à Marie-Aude. Je n'étais pas vraiment certaine d'être une femme, malgré mes gros seins, mes lourdes hanches... Maintenant... Il faudrait être sûr que ce soit bien. Et il y a si peu de bons amants. Et puis, dans mon milieu, c'est la famille-tuyau-de-poêle ; tout le monde baise avec tout le monde. Et ça se mord la queue.

Et je lui racontai que j'avais, la veille, accepté l'invitation à dîner de Michel, l'ex-amant de ma sœur, par mesure prophylactique, dans le cadre de la petite thérapie comportementaliste que je m'étais inventée, basée sur ce principe : faire exactement le contraire de tout ce qui m'avait mené à la *tu-meurs*. J'avais décidé de transgresser l'interdit. L'interdit des femmes de ma famille.

Pour m'occuper, pour m'empêcher de ne penser qu'à mes petits malaises, Michel m'apportait des dossiers à préparer : des affaires d'édition, de cinéma, qu'il traitait entre deux grands procès criminels. Il était arrivé à la maison ce soir-là les bras chargés de roses. Mais je n'avais pas de vase. Il avait réservé une table dans un des meilleurs restaurants de Paris, mais je n'avais pas faim. Il voulait comme d'habitude me caresser les seins et je dis : « Je n'ai plus de seins. » Et il s'exclama, toujours très BCBG : « Quelle sotte ! »

Avachie sur mon lit, je me faisais masser par Aïcha, à califourchon sur mon dos : le pied !

Aïcha s'étant discrètement éclipsée, il me demanda la permission de s'allonger près de moi, « juste pour sentir ton odeur » : va pour l'odeur. Puis la permission d'ouvrir mon peignoir de bain : va pour l'ouverture. Puis, avec humour, la permission de me caresser le point G qui se trouvait, il l'avait lu dans un livre américain, juste sous le clitoris : va pour le point G. And so on. Il était très content. J'étais la femme de sa vie. Et patati et patata. Nous irions à Venise en Italie, à Venice en Californie. « Non, je ne veux pas que tu meures », pleurait-il le visage enfoui contre ma cicatrice (manie qu'il partageait avec son ex, Noémi. Ce que je trouvais de fort mauvais goût.)

Toute la nuit, j'avais essayé de desserrer ses bras qui m'enlaçaient, de m'évader de ses cuisses qui m'emprisonnaient : j'étouffais, comme toujours lorsqu'un monsieur ne comprenait pas que c'était pas une raison parce qu'on avait eu des faiblesses en fin d'après-midi, pour vous les gonfler toute la nuit et le lendemain au petit déj' en prenant des mines langoureuses de jeunes vierges : et on ne pouvait même plus prendre son Banania tranquillement. Seule. En lisant ses journaux.

— Mais quand le désir passe, le vrai désir, dis-je à Marie-Aude, celui qui vous dévaste, vous laisse jambes molles, cuisses moites, au passage d'un inconnu même pas beau qui sent parfois la sueur sucrée, ce désir-là, il ne faut pas le laisser s'enfuir.

Et je soupirai, me demandant si une fois, une fois encore avant de calter, je ressentirais l'espace d'un regard the *big frisson* frissonnant, frémissant, qui m'avait ravie à moi-même à la vue du beau Rafaël Leonidad, pénétrant vêtu de son costume de toile beige de faux-vrai guerillero dans le bar de l'hôtel Aletti à Alger en 1964. *Amor a primera vista*[1] qui m'avait fait lâcher le verre d'anisette « Flor de Cristal » que je choquais contre celui du délégué du Mouvement de libération des îles Canaries (peut-être ?), en *brindant* à l'amitié entre les peuples.

— Charles et moi, me dit Marie-Aude, cela fait des années que nous ne nous retrouvons pas. J'ai si mal aux hanches. Mais nous nous serrons la nuit tendrement l'un contre l'autre...

Depuis combien de temps étions-nous là, allongées, en train de chuchoter ? Le soir tombait. Les lumières s'allumaient sur la ville. Maintenant c'était pour moi le meilleur moment de la journée, comme si la chimio avait inversé mon horloge personnelle, moi qui avais toujours eu au crépuscule des pulsions suicidaires.

Marianne Losserand, qui toussait de plus en plus, était venue prendre le thé (en fait biberonner du whisky avec Marie-Aude) et elle prétendait avec ironie que j'étais le nouveau « gourou » de la femme du diplomate.

En fait, je n'avais rencontré Marie-Aude que deux fois, mais nous nous parlions tous les jours longuement au téléphone. Je passais des heures à communiquer par fil avec Zoubeïda, Jeanne, Cathi et toute ma bande de cancéreuses. Elles seules me comprenaient, moi seule les entendais. Nous pouvions, sans culpabilité, sans pudeur, parler de nos angoisses, nos terreurs, nos espoirs, nos haines, nos chiasses, nos pets, nos aphtes, nos démangeaisons, nos champignons buccaux, anaux, vulvo, utéro, gastro, colo et patati et patato. Et surtout de nos globules, nos fameux globules.

Marianne avait apporté un magnétophone pour nous interviewer car elle écrivait un scénario interminable « métastatique », disait-elle, sur le cancer. Ce scénario, elle en avait eu l'idée en voyant à la télévision un film de guerre sur le débarquement allié en Normandie. Au lieu de l'aventure d'une patrouille de soldats sur une péniche de débarquement, ce serait l'histoire d'un groupe de femmes se

---

1. Amour au premier regard : coup de foudre

174

battant contre le cancer; le seul suspens consisterait à imaginer laquelle vivrait, laquelle mourrait.

— On pourrait aussi, racontait-elle, prendre comme métaphore un groupe de marines perdus dans la jungle d'une île du Pacifique, affrontés à un ennemi invisible, barbare, dont — comme pour le cancer — ils ne connaissent pas la loi.

Marie-Aude trouvait l'idée épatante. Moi, un peu ringarde. Je rêvais de voir enfin un film comique sur le cancer (« Tu es folle, m'avait sentencieusement déclaré Noémi, on ne plaisante ni avec Auschwitz ni avec le cancer. Tu sais... on *meurt* du cancer. » Ah bon?)

— De toute façon, dit Marianne, je serai morte avant d'avoir terminé le scénario. Je n'arrive pas à y mettre fin, les scènes prolifèrent dans tous les sens. C'est comme si, tant que j'écris, je reste en vie.

Plusieurs de ses amis cinéastes, qui par ailleurs ne lui donnaient jamais de rôle, prétendaient vouloir produire le film, mais elle se demandait si ce n'était pas par pitié, pour l'aider à ne pas sombrer.

— Je finis par ne plus faire la différence entre ce qui est la réalité de la maladie et ce qui se trouve réellement dans le script. L'autre jour, je dis à une de mes amies productrice : « J'étouffe, il faut toujours que j'aie de l'eau à portée de la main », et elle me répond : « C'est dans quelle séquence? »

Marianne se mit à rire, fronçant son joli petit nez. Mais ce n'était pas gai.

Le voyant rouge de l'enregistreur était allumé :

— Moi, je n'ai plus peur de la mort, disait Marie-Aude. Ça fait du bien d'en parler. Je sais qu'au moment de mourir, je verrai beaucoup de lumières, je volerai dans la lumière. Et je sais qu'à ce moment je comprendrai tout. Mon âme sera au ciel. Il y a deux ans, j'étais en réanimation à la suite de l'ablation de mes surrénales. On croyait que j'étais morte. Moi, je voyais toute la scène. J'étais au-dessus de mon corps. J'entendais ce que disaient les infirmières. J'avais l'impression de m'envoler. Mais une force me poussait à me réveiller. Non, vraiment, je suis sûre que la mort c'est délicieux.

J'en restai muette. Être en réanimation était justement ce qui me terrorisait : nue, sous un drap, branchée à toutes sortes de tuyaux, entendant tout, sans pouvoir s'exprimer, l'horreur ! Faux, m'avait-on pourtant expliqué : les malades en réanimation se retrouvent souvent dans un état fœtal et lorsqu'on les débranche ils ont le cafard comme les nouveau-nés.

— Moi, j'irai en enfer, dit Marianne en riant. Mais l'enfer, ça ne peut être pire que maintenant : vieillir, ne plus travailler, savoir que les amours ne reviendront plus, savoir qu'on n'a pas réalisé ses rêves d'adolescent, ne pas laisser de descendance... La mort, c'est de ne plus pouvoir projeter. Sinon, la semaine prochaine, chimio, la suivante, immuno, puis rayons, puis opérations... La vraie mort qu'est-ce que c'est ?

Je dis que j'avais peur de la peur de mourir, que je rêvais souvent que j'étais enfermée, vivante, dans un tombeau, appelant au secours. Et personne ne vient. Et il pleut. Et j'ai froid. La pluie entre dans mon cercueil. C'est pourquoi, je préférerais, même si c'est interdit chez les Juifs, être incinérée et que l'on disperse mes cendres dans un champ...

— On meurt lorsqu'on a décidé de mourir, m'a dit l'autre jour Anatoli, le pope grec, raconta Marianne. Il dit qu'on meurt lorsqu'on a accompli sa vie. Ce ne serait pas le cancer qui ferait mourir. On pourrait vivre avec un cancer. Dans tous les cas, moi, j'ai compris cet été ce qu'était la mort. J'étais de nuit sur une terrasse éclairée aux flambeaux, au-dessus d'une vallée, en Italie. La lune était rose. On apercevait la mer au loin. Magda Kalmar chantait *Laudate pueri*. Un jeune homme en blanc est venu s'asseoir à mes pieds ; il a dit *Beauty* en montrant le ciel. Et j'ai su que j'allais mourir...

J'allumai la lumière car les conneries de Marianne me donnaient envie de chialer. Je m'envoyai moi aussi une rasade de whisky. — *Comme vous le faites aujourd'hui en écoutant cette cassette que vous avez récupérée depuis que vous avez décidé de raconter cette histoire.*

Marie-Aude s'était éjectée brusquement du lit, oubliant ses métas et elle boitillait en allant poser sur sa chaîne le *Requiem* de Mozart, à moins que ce ne fût le *Stabat Mater* de Rossini : ce qui n'était pas follement joyeux.

— Nous n'allons pas mourir, disait-elle en se signant. Moi, je vais aller à Lourdes et Lola à Jérusalem : elle

176

allumera un cierge au Saint-Sépulcre pour attendrir Dieu le Père, un autre à la mosquée El-Aqsa pour émouvoir Allah et elle glissera un papier entre les pierres du Mur des lamentations pour fléchir Jéhovah.

— Comme c'est le même, dis-je, je pourrais peut-être avoir un prix de gros ?

Marianne annonça qu'elle invoquerait Lilith, la première femme d'Adam, démone pécheresse aux pieds palmés qui s'était enfuie du Paradis pour éviter son emmerdeur d'époux, rôle que Marianne avait incarné il y avait trente ans dans un navet italien : « Vous m'auriez vue dans mes voiles, poursuivie par les trois anges en collant rose. »

Étrange que cette jolie actrice goï invoque cette figure de la mythologie juive. Enfant, je pensais que mon nom venait de Lilith car moi aussi j'avais deux doigts de pied palmés, j'avais été conçue la nuit du Schabbat et je craignais (ou désirais ?) qu'une queue ne me poussât, que les nuits de pleine lune je ne sautasse sur les enfants et n'enfantasse de démons ! Et sachant que lorsqu'une femme accouchait on répétait en hébreu : « Qu'Ève soit présente mais que Lilith soit dehors », j'en avais conclu que, comme la malheureuse démone, je serai toujours pourchassée, exclue — *mais qu'en compensation vous hanteriez les rêves des messieurs ?*

Je montrai à mes amies mes deux pieds aux paires de doigts palmés, signe démoniaque hérité de ma grand-mère Lodja et transmis à mon fils Bolivar-David, qui prétendait plus prosaïquement que cela expliquait ses performances en natation.

— Vous êtes une mutante, chère, me dit Marie-Aude, très intéressée par mes grands pieds. Mais tous les cancéreux sont des mutants. Vous savez bien, cette histoire d'ADN. Le cancer ne représente pas un excès de mort, mais un trop-plein de vie qui ne peut s'exprimer. Sans division cellulaire, il n'y aurait pas de création, pas de vie. Bien sûr, chez nous ça s'est un peu emballé.

Et elle se mit à nous mimer *La Mort du Cygne*, tournant gracieusement sur elle-même, penchée en avant. Soudain, ses doigts, sa main, son bras gauche furent agités de soubresauts, son visage se déforma, elle se mordit la langue, perdit l'équilibre et tomba dans les pommes. Puis les yeux fermés, elle respira bruyamment en faisant comme des *gloups, gloups…*

J'avais les grelots, le spectacle était effrayant ; je la croyais morte et je me mis à imiter ma mère avec des *Gewalt* mais je ne pouvais, comme Mira, m'arracher les cheveux car je n'en avais point. Comme un zombie, je répétais : « Faut appeler son mari. »

Marianne, elle, ne perdit pas son sang-froid. Elle prit le pouls de Marie-Aude, qui battait normalement, elle lui passa de l'eau froide sur le visage.

Notre amie, au bout de minutes qui semblaient interminables, reprenait connaissance mais je lui trouvais toujours le bas du visage tordu, elle avait très mal à la langue, elle saignotait :

— Ça m'arrive parfois, nous dit-elle une fois allongée sur son lit. Je vois des points noirs, j'ai mal au crâne, puis je me sens partir.

— Faut appeler Samuel, dis-je, comme la mouche du coche (« comme une mouche dans la crème fraîche », aurait dit ma mère).

— Ça ne sert à rien, affirma Marianne qui sortit son agenda où je vis qu'elle possédait une liste impressionnante de numéros et de postes téléphoniques de l'UTATH. Elle demanda celui de Marie-Célimène.

Effectivement, l'Antillaise, du couloir où elle tamponnait les feuilles de Sécurité sociale, avait une vue stratégique sur l'hôpital : elle voyait passer médecins, infirmières, malades et recevait leurs confidences. C'était une sorte d'aiguilleur du ciel. (D'ailleurs, elle avait exigé d'être installée dans le futur hôpital au milieu d'une bulle de verre d'où elle dominerait le hall.)

— Ma'i Aude, elle a du avoi' une c'ise d'épilepsie, une b'avé ja'onienne, dit-elle. Elle ajouta : Ah ce cancè, c'est v'aiment l'épée de Mme Okless. C'est une méta cé'éb'ale. Je vous envoie une ambulance.

Marianne avait blémi :

— Marie-Célimène ne se trompe jamais, dit-elle. C'est la meilleure clinicienne de l'hôpital. Dommage qu'elle n'ait pas son certificat d'études.

Une demi-heure plus tard, Mohamed et Abraham, des ambulances Guedj-Frères, débarquèrent avec une civière. J'en profitai pour échanger avec le bel Algérien de brûlants regards.

18

Je n'étais jamais montée au premier étage, dans cette suite de box vétustes, de chambres surpeuplées et sans porte que j'appelais le *revier*[1] où étaient hospitalisés les plus mal barrés des mal barrés, des gens squelettiques, au teint blême, dont la majorité ne repartiraient jamais que les orteils en éventail.

Je trouvai Marie-Aude en larmes, errant dans les couloirs, un walkman aux oreilles. Elle attendait qu'on la changeât de chambre, car celle qu'elle partageait avec des malades italiennes avait, disait-elle, été transformée en campement.

— Je ne peux plus utiliser *the ladies room*, me dit-elle, car les familles des malades y font cuire des spaghetti. Je peux les comprendre : ces braves gens se sont saignés pour emmener leurs malades à l'UTATH et ils n'ont plus les moyens de se payer un restaurant. Vous allez me prendre pour une vilaine bourgeoise mais je ne supporte pas que l'on fasse des vents en public. Elles pourraient se retenir...

— *Et vous pensâtes qu'elle n'avait pas intérêt à être hospitalisée avec vous. Vous le saviez enfin : mieux valait mourir que de s'empêcher de* fartzer.

Samuel, qui entamait sa visite suivi de sa cour d'étudiants menée par un interne, le petit Bouret, prit Marie-Aude dans ses bras, lui embrassa la tête :

— Qu'est-ce qu'elle a, ma belle Mi-Do ? Le Gardénal ne te fait pas de bien ?

1. Infirmerie, en allemand.

Elle répéta ses doléances. Il me regarda en silence. Et je m'imaginai qu'il partageait mes perverses pensées : Eh bien, elle n'aurait pas fait de vieux os au bord de la Vistule, là où les aristocrates polonaises partageaient parfois les blocs avec des prostituées françaises, raflées au hasard pour avoir refilé la chtouille à un officier allemand, avec des ouvrières juives, des paysannes ukrainiennes de l'Armée rouge et des Tziganes... (Ne jamais oublier les Tziganes...)

Mais il dit :

— Oui, je sais : cet hôpital, c'est une honte. Je te sortirai de là.

Parlait-il de l'étage ou faisait-il allusion aux « petites bêtes » que Marie-Aude pensait avoir uniquement dans la moelle épinière. « Ce ne sont que des petites bêtes », m'avait-elle dit, parlant des cellules cancéreuses ramenées par la ponction lombaire.

— Qu'est-ce que tu fais là, toi ? me demanda agressivement Samuel. Pourquoi rôdes-tu toujours partout ? T'es malade ?

Il me faisait penser à Adeline Durand, la surveillante générale, accueillant un malade très mal en point qui fréquentait ce lieu depuis plusieurs années, en s'exclamant d'un ton mondain : « Tiens, vous ici, mon cher ! Quel merveilleux hasard. C'est toujours un plaisir de vous revoir ! »

— Je suis, dis-je à Samuel, comme Miléna, la fiancée de Kafka (et je bredouillais, consciente de mon déconnage) qui allait à Ravensbrück tous les matins compter au *revier* les mortes de la nuit.

— Et tu sais comment elle a fini, Miléna, espèce d'idiote ? me demanda-t-il. Elle est morte. Et qui alors a compté son cadavre ?

Vivi, toujours à moitié déloquée sous sa blouse, Vivi, perchée sur ses sandales dorées et qui avait assisté à la scène, dit que dans le nouvel hôpital en tout cas ce serait mieux car tout serait cloisonné, ainsi je serais seule dans une chambre pendant mes séances de chimio et je ne pourrais dissiper les autres malades par mes bavardages. Et je pensai avec terreur : ils vont me lourder comme j'ai été renvoyée du lycée Victor-Hugo, du lycée Lamartine, du lycée Hélène-Boucher. Avec cette explication : « Élève douée. Mais trop dissipée. Empêche les autres de travailler. » Et Mira, ma tendre mère, me mettrait dans une clinique privée qui lui coûterait une fortune comme elle avait dû m'enfermer dans des collèges ultra-chics, au public totalement goï. « Car-jamais-une-vraie-fille-juive-ne-serait-renvoyée-d'un-établis-sement-public-car-les-vraies-filles-juives-ce-sont-toutes-des-*Einsteinova.* »

— *Cessez votre numéro, Lola, vous avez plus de quarante balais; votre maman, il y a longtemps qu'elle est devenue votre fille, d'ailleurs elle vous confond avec sa mère et vous appelle* mamelè Lodja.

Adeline Durand n'eut d'autre solution que de caser Marie-Aude dans la chambre de Maria Poulantzas. La belle Mains diaphanes était en « phase terminale », comme on dit.

Voici la scène, telle que Marianne Losserand, changeant les noms que je remets dans leur vérité, l'a écrite dans son scénario d'après, j'imagine, le récit que lui a fait Marie-Aude :

C'est la nuit à l'hôpital. Atmosphère très particulière. La chambre est éclairée par une veilleuse. Belles fleurs sur le rebord de la fenêtre. Mains diaphanes, qui souffre énormé-ment et ne sait dans quelle position se tenir, boit de la potion de « Saint-Christopher » [1], *un mélange de morphine et de cocaïne. Elle plane, écoutant le* Requiem *de Mozart.*

Marie-Aude, doucement. — *Mains diaphanes, vous dormez ?*

La Grecque. — *Pourquoi m'appelez-vous « Mains dia-phanes » ?*

Marie-Aude (rit). — *C'est Lola Frïedlander qui vous appelle ainsi parce que vous êtes très belle et que vos mains sont fines et blanches.*

La Grecque. — *Donnez-moi la main. Parlez-moi.*

1. Mélange d'antalgiques majeurs (préparé à l'origine à la clinique Saint-Christopher en Grande-Bretagne, pour aider les cancéreux en phase finale).

Marie-Aude. — *Bientôt tout le monde aura de l'interféron. C'est efficace pour le cancer des os, n'est-ce pas ? Et si l'interféron n'est pas efficace, il y a tous les ans de nouvelles drogues miracles.*

« Vous auriez intérêt, Lola, à cesser de rêver à l'Interféron, c'est bidon. »

La Grecque (souriant avec dérision). — *Pour moi, c'est trop tard.*

Marie-Aude (lui caressant la main d'un lit à l'autre). — *Il n'est jamais trop tard. Votre mari a rencontré le mien. Ils ont envoyé des telex dans le monde entier pour se procurer de l'interféron à n'importe quel prix. Ils finiront par en trouver.*

La Grecque. — *L'argent ne sert à rien. Ça aide peut-être à vivre. Mais ça n'empêche pas de mourir. Georges a été en Amérique, en Israël. Mais on ne le vend pas. Seuls certains malades choisis au hasard en ont pour faire des statistiques.*

Marie-Aude. — *Mains diaphanes, il nous faut tenir jusqu'à ce qu'on trouve un médicament miracle.*

Mais Mains diaphanes a mal. Elle commence à gémir doucement. Elle a très froid. Marie-Aude appelle une infirmière. Elle tarde à venir. Alors Marie-Aude entre dans le lit de la jeune Grecque, elle la réchauffe, l'embrasse, la masse doucement. Mains diaphanes ne pleure pas. Elle est au-delà des larmes. Elle est très fatiguée. Plus rien ne l'intéresse. Marie-Aude lui demande si elle veut qu'on fasse venir son mari, sa petite fille. Mains diaphanes ne veut plus voir personne. Maintenant, elle ne ressent plus qu'indifférence. Elle n'aime plus personne. L'infirmière arrive, annonce qu'elle va téléphoner au professeur Tobman. Plus tard, elle installe une perfusion dans laquelle elle fait passer de la morphine. On entend qu'il y a dans le couloir des conciliabules entre médecins.

— Chère Lola, ne reprenez pas les erreurs de Marianne : vous savez bien que pour faire « dormir » à jamais, c'est pas de la morphine qu'on injecte : la recette à base de Dolosal et de Largactil, à la portée finalement de tout un chacun, celle que vous connaissez enfin par cœur, après enquêtes diverses

184

et comparées, vous ne la communiquerez pas ici, l'euthanasie étant toujours interdite. Mais le suicide ?

*On dit à Marie-Aude qu'on va la changer de chambre. Elle
refuse. Elle ne veut pas abandonner la jeune Grecque. Celle-ci
semble au début entendre les appels de Marie-Aude qui veut
l'empêcher de sombrer. Elle sourit légèrement parfois. Mais
elle ne peut plus parler. Elle s'endort, respirant difficilement.*
    *Plus tard, c'est l'aube. Marie-Aude, assise sur son lit, pleure
doucement. Mains diaphanes, les narines pincées, semble
dormir.*
    *Comme un fou Samuel entre dans la chambre. Il jette sur le
lit de Marie-Aude des petites fleurs qu'il a cueillies dans la
cour de l'hôpital. Il donne un coup de pied dans la porte. Il
embrasse le visage froid de la jeune Grecque. Il crie : « Et où
il est son mari à celle-là ? »*

Plus tard, assis dans son bureau du premier étage, celui où
sont accrochées sur les murs les photos d'enfants, de femmes
et d'hommes qui sourient à l'objectif (les « élus », ceux qu'il
aimait particulièrement parmi tous les malades qu'il n'a pu
sauver), je sais que Samuel a chialé. Je sais qu'il a donné
dans le couloir des coups de pied au téléscripteur qui
annonçait l'envoi immédiat de cellules appartenant à un roi
du Golfe atteint de leucémie myéloïde, puis l'arrivée de la
femme du vice-ministre des Affaires étrangères de Yougosla-
vie. — *Ça vous fascine, Lola, que les grands de ce monde
échouent eux aussi dans ce vieux pavillon crasseux ?*
    Samuel, comme tous les hommes, pleurait souvent.
    « Tu pleures, ironisait sa femme, parce que tu te sens
coupable. Tu pleures de rage. Comment ? Le grand Samuel
Tobman, la star des cancérologues, celui qui aurait pu
devenir prix Nobel s'il n'avait pas tant aimé les demoiselles,
aurait aussi des échecs ? Le cancer lui résisterait ? Tu détestes
l'échec. C'est un affront personnel qu'ils te font ces malades.
Une terrible blessure narcissique. »

    Il téléphona à Pauline, espérant lui donner rendez-vous à
l'hôtel Méridien qui se trouvait à mi-chemin entre l'hôpital et

son domicile. Il louerait une chambre, ferait l'amour en prenant un petit déjeuner japonais. Puis il prendrait un bon bain, s'envelopperait dans les grandes serviettes éponge velours clair... Lorsque les Tartares de l'Armée rouge au cul, les Allemands chassaient devant eux les déportés, par moins 30 °C, sur les routes vers les camps de concentration d'Allemagne, Samuel ne pensait à rien, les yeux fixés sur la vieille couverture enveloppant le déporté qui marchait devant lui. Mais à Frotzel, une fois installé sur la plate-forme verglacée du wagon à charbon, assis sur des tas de cadavres, avec les rares survivants de cette immense marche de la mort, il s'était dit, se souvenant d'un reportage aperçu avant la guerre dans un magazine, il s'était dit : « Un jour j'irai dans un hôtel de luxe, je prendrai un bain chaud et je me roulerai dans de grandes serviettes blanches... »

Pauline était absente. Le message sur le répondeur datait de la veille : elle était partie en province faire un reportage sur les élections présidentielles.

Il appela Cathi, chez qui parfois il allait prendre le petit déjeuner quand il avait le vague à l'âme. Mais là aussi, il tomba sur un appareil.

Cathi, avec Jeanne et Zoubeïda, avait passé la nuit chez moi. La veille, notre amie marocaine nous avait emmenées, comme promis, du côté de la porte de la Chapelle chez une *Chawaffa* qui prétendait descendre du Prophète et avoir le pouvoir de nous débarrasser de notre *sellat,* ce qui rendait Aïcha folle de rage. « Là-bas, tu manges rien, tu bois rien, ma gazelle », m'avait-elle fait jurer sur la Torah.

Bien sûr, nous avions rigolassé, faisant mine de pas y croire, mais nous serrions les fesses, terrifiées à l'idée de mal nous comporter et que, au lieu de nous désenvoûter, la Chawaffa ne nous ré-envoûte.

Au fond d'une cour, derrière un immeuble squattérisé par des ouvriers turcs en grève de la faim pour je ne sais quelle bavure, on découvrait une maison basse restaurée en petit palais arabe.

Dans un grand salon meublé de matelas recouverts de tissus damassés, des dizaines de Maghrébines et de sombres

Africaines, leurs enfants parfois dans les bras, se balançaient, assises en tailleur, au rythme du tam-tam joué par un groupe de vieilles femmes noires (du Sud marocain, précisa Zoubeïda) dans une atmosphère survoltée qui sentait l'encens et la résine brûlée.

De temps en temps, une femme jetait dans un brasero des écorces d'arbre. Je regardais le visage tendu et anxieux de mes voisines. Là, un enfant mongolien, ici un aveugle. De quoi souffraient les autres femmes ? Répudiation ? Stérilité ? Frigidité ? Feu au cul ? Anémie ? Asthme ? Règles trop ou pas assez abondantes ? Aménorrhée ? Dysménorrhée ? Mycoses récidivantes ? Diarrhée ? Constipation ? Colite ? Métrite ? Salpingite ? Rectocolite hémorragique ? Hémorroïdes ? Lombalgie ? Migraine ? Ou carrément, comme nous, *Kancer* ?

Alors la Chawaffa fit son apparition. C'était une belle quinquagénaire, presque une géante, toute parée de voile blanc et or et de brocard, le visage très maquillé comme une mariée arabe. Sa cour — des jeunes filles en caftan chamarré, elles aussi peinturlurées, jouant du bendir — la suivait.

— Super ! Super ! ne cessait de s'exclamer Cathi.

Toujours très digne dans son petit tailleur beige, Jeanne murmurait que cela ne ressemblait pas aux séances de désenvoûtement en Bretagne où l'on se rendait lorsque successivement vaches, juments mouraient, ou quand tracteurs et voitures tombaient en panne.

Moi, cela me rappelait (allez donc savoir pourquoi) un mariage auquel j'avais assisté il y avait une dizaine d'années au Hilton à Koweït, lors d'une Conférence internationale de juristes sur la Palestine (encore une !).

Là-bas, des dizaines de femmes de la grande bourgeoisie ou de la noblesse du cru, vêtues de shorts, de cuissardes en cuir cloutées d'or et de diamants achetés à Beyrouth, dansaient entre elles au son d'un orchestre d'esclaves saoudiennes et nubiennes. La mariée attendait les yeux baissés dans ses voiles sur une estrade. Soudain le marié, suivi de son escorte, était entré, son abaya au vent, pour ravir sa belle qu'il n'avait jamais vue. Les femmes, complètement allumées, s'étaient mises à pousser des *you-you* en faisant jouer leurs petites langues roses ; on entendait au loin les coups de feu du baroud ; à la porte, des dizaines, des centaines peut-être d'hommes, eux aussi vêtus de longues *dashdasha* sombres, tentaient de forcer la porte. (« Intéressant, ma bonne Lola, ce forçage de porte », dirait Tsoulovski.)

Porte de la Chapelle, c'était moins érotique. La Chawaffa criait *Eszaouïa anna !* Je ne sais si les ancêtres étaient là mais le public en transe répondait par des cris aigus. Puis la géante et ses suivantes excitèrent les demanderesses en modulant des chants ésotériques que Zoubeïda ne comprenait pas. Alors nous approchâmes d'elle et, comme Zoubeïda nous l'avait recommandé, nous lui fîmes des présents : en l'occurrence du *flouz* (moins qu'une séance chez Tsoulovki) glissé dans un foulard.

Alors, pendant que les habituées se balançaient hystériquement de plus en plus vite au son du tam-tam, la Chawaffa nous prit dans un coin et nous expliqua, dans un français châtié, que nous devions revenir la voir avec « deux œufs qui auraient passé la nuit à la belle étoile », plus « un objet appartenant à la personne qui nous avait envoûtées ».

Immédiatement, je pensai à ma malheureuse demi-sœur devenue mon bouc émissaire, à Noémi, celle dont j'aurais tant souhaité qu'elle me lâchât enfin la grappe, et je projetai de lui voler un soutien-nibards. — *Pourquoi pas un tampax ?*

Une partie de la soirée, nous assistâmes aux séances d'exorcisme collectif qui ressemblaient en fait à une thérapie genre cri primal. La Chawaffa, l'air de plus en plus stoned, en dansant, se déshabillait, se roulait sur le sol, puis faisait le bébé, poussait de petits pleurnichements, des femmes la caressaient, lui donnaient le sein, l'emmaillotaient. Plus tard, elle s'enroula un turban autour de la tête, passa un pantalon bouffant et, déguisée en mâle, passa au milieu des femmes qui gémissaient et haletaient. Parfois, elle se couchait sur l'une, faisant mine de l'engrosser.

Ça sentait de plus en plus la sueur et cette odeur écœurante qu'on renifle dans les hammams, mais que j'affectionnais parce que c'était celle d'Aïcha, la merveilleuse Aïcha que j'avais connue il y avait bientôt seize ans.

dans un bain maure justement où je m'étais rendue, déjà enceinte de Bolivar, lors du fameux voyage à Alger au cours duquel j'essayais de retrouver des Dominicains en exil pour tenter en vain d'avoir des nouvelles de Rafaël, mon suborneur adoré. Aïcha, qui n'avait alors que trente ans mais qui était déjà veuve de *chaïd*[1], travaillait comme femme de ménage et masseuse dans ce hammam situé dans le haut de la rue Didouche-Mourad. Nue sous sa fouta rouge, elle m'avait longuement massée, son interminable natte caressant mon dos et, de bien-être, je m'étais endormie. « Tu n'as pas besoin d'une *doumistik* ? » m'avait-elle demandé. Le mot « domestique » m'avait étonnée mais elle l'affectionnait. (« Je suis *el doumistik* de Lala Frïedlander », répondait-elle de sa voix glamoureuse au téléphone, en donnant des informations fantaisistes sur mes allées et venues.)

Car j'avais fait venir Aïcha à Paris deux mois avant la naissance de la prunelle de mes yeux. Pour six mois. Puis pour un an. Ça durait depuis quatorze ans. Bol'Dav' ne pouvait se passer de sa « tata ». Et moi de mon tyran.

« Tu as gâché ma vie, me disait-elle. Sans toi, je me serais remariée avec un gendarme ou un pompier. Mais sans moi tu serais morte de faim, de froid, de saleté et ton fils serait en prison. »

Et Noémi l'approuvait : « T'as toujours eu de la chance, Lolo ! On se demande bien pourquoi elle reste avec toi. Tu l'exploites, tu l'esclavagises, tu la manipules. »

Pourquoi fallait-il tout le temps que je pensasse à Noémi ? Quelle importance cela avait-il maintenant que ma mère ait « trahi » mon père avec Nussenberg ? Et l'avait-elle trahi ? N'est-ce pas écrit dans la loi juive : une veuve doit se remarier. A moins que ce que je haïssais sournoisement en Noémi fût l'amour que j'avais eu pour elle, mes complaisances à son égard lorsque enfant elle me murmurait au lit, la main entre mes cuisses : « Ah ! si tu pouvais être un garçon, on se marierait » ? Plus exactement, penser à Noémi aujourd'hui, c'était comme me retrouver noyée au fond de la mer, et redonner un coup de pied pour ressurgir à la crête des vagues et respirer enfin.

1. Martyr de la révolution algérienne.

La Chawaffa maintenant nous lançait des poignées de couscous à la gueule. C'était répugnant. Et je commençais à en avoir ma claque. Je donnais le signe du départ.

La prochaine fois, nous irions avec Marianne chez un guérisseur gitan qui pratiquait des impositions de mains, à moins que ce ne fût chez un radiesthésiste bulgare.

Au petit déjeuner, Cathi décida d'aller à l'UTATH afin de lancer des invitations pour la grande fête qu'elle projetait en l'honneur de son trentième mois de chimio. Et nous décidâmes de l'accompagner : en fait, à l'époque tous les prétextes étaient bons pour se rendre au pavillon maudit.

Dans le parking, nous aperçûmes la petite Anna, toute bronzée, qui essayait de convaincre Samuel de cesser de donner des coups de pied dans les bagnoles.

Le professeur était pâle, les traits creusés, les yeux rougis. Anna, mine de conspiratrice, ne voulut pas nous expliquer les raisons de l'émoi de notre médecin chéri.

— Il est flippé, disait-elle. Cet hôpital *ripou* devient *craignos*. (Ah ! la ! la ! quelle galère ! elle aussi, comme mon héritier, parlait verlan.)

Anna revenait des Seychelles et prétendait que le voyage lui avait été offert par Jo Grin, le roi du sportswear, qu'elle avait séduit « dans le dernier salon où l'on meurt : l'UTATH ». Samuel lui enleva son foulard et caressa ses cheveux qui repoussaient. Elle était vraiment jolie cette petite fille aux yeux noisette. Soudain, elle prit un air sévère :

— Avez-vous songé, professeur, à doser mes enzymes plaquettaires et globulaires, avez-vous songé à rechercher la sous-classe de mes lymphocites ?

— Sans doute, répondit-il, comme pris en faute.

— Et avez-vous lu l'article sur la leucose lymphoblastique dans la dernière livraison du *New England Journal of Medecine* ?

— On n'est que le 21, dit Samuel, gêné.

— Faut vous tenir au courant mon vieux, dit la douce enfant, sinon pour le contrat CNRS, c'est rapé !

Ils étaient loufs tous les deux. Je me dis que cet endroit

était délirant ; une sorte d'asile de fous dont le personnel, les médecins, la direction, étaient aussi des aliénés. Mais que lorsque comme moi, on était totalement ravagée, ça roulait.

— On va se faire un café, proposa Anna, et elle nous entraîna, suivies de Samuel, qui nous tenait Cathi et moi par l'épaule, vers une porte où était écrit « Réservé au personnel ».

Dans la pièce interdite, où s'entassaient des paquets de médicaments, avait été installé un camping-gaz sur lequel les infirmières et les médecins se préparaient café et thé lorsqu'ils n'avaient pas envie de traverser des hectares boueux pour se rendre à la cantine.

Bechir Boutros, Patricia Milhaud, Vivi, Marie-Célimène et quelques autres, assis par terre sur le carrelage, buvaient du champagne en compagnie d'Éva, la psychologue, une grosse femme brune dont la spécialité était de demander aux enfants leucémiques : « Tu sais ce que c'est la mort ? » A moi, elle m'avait susurré, un jour où je me plaignais de violents maux de tête : « Si vous avez une métastase cérébrale, il faut profiter du temps qu'il vous reste à vivre pour approcher une femme. » Puis elle m'avait proposé quelques petites séances sur le thème : « Comment apprendre à faire le travail de trépas. » J'avais hurlé : « J'ai pas besoin d'un aumônier. Moi, c'est à vivre que je veux apprendre. »

Malgré les coupes de champagne, il semblait qu'un procès venait de se terminer :

— T'as compris, Éva, disait Bechir. Tu traînes plus dans le service à faire chier les mômes. Y a pas besoin de psy ici. Les filles (il désignait Vivi et les autres), elles savent parfaitement ce qu'il faut faire ou dire avec les malades. D'ailleurs, ici, c'est le personnel médical qui a besoin de psy...

Éva partit en sanglotant. Cathi lança ses invitations.

— Non, merci, dit Vivi, une lueur ironique dans l'œil, on n'est pas du même monde.

— Tu veux plus danser avec moi ? lui demanda Samuel.
Elle haussa les épaules en s'allumant une clope :

— Pauvre Samu, tu crois que tu as une tête à danser ce matin ?

Bechir leva son verre pour trinquer avec moi :

— Eh bien moi, je viendrai pour danser avec la belle Lola.

Allons bon !

19

C'est pas le cancer qui aura votre peau, ma pauvre Lola, c'est ce livre de merde que vous avez mégalomaniaquement décidé d'écrire afin que, de votre existence, il ne reste pas seulement trace dans un livre du professeur Samuel Tobman ou le dossier d'un cancérologue : « le cas Lola F..., cancer de la petite fille juive qui ne peut faire le deuil de son papa », ou « Lola F... et le gaz zyclon B ».

C'est pas assez d'avoir, par connerie, transformé de bonnes petites cellules roses et rondes (comme la petite écolière polonaise que vous auriez dû être, rubans blancs dans les nattes, petit tablier bleu et foulard de pionnier autour du cou) en bandes de folles, confuses, hagardes, bouleversées, terrorisées, grimaçantes, clownesques, difformes, monstrueuses, courant dans tous les sens, se tordant de douleur, se masturbant et s'engendrant elles-mêmes indéfiniment, de les avoir métamorphosées en cellules perverses, morbides, sans foi ni loi, qui font aux globules blancs des pieds de nez en chantant de leurs voix criardes : Hi ! Hi ! Hi ! Immunité, tu l'as dans le nez !

Non, ce n'est pas assez. En plus, vous vous êtes donné un nouveau moyen de souffrir : écrire, produire ou périr. Écrire, produire et périr ?

Et vous songez à Marianne et à son scénario proliférant, dont elle n'arrivait jamais à écrire la dernière scène ; comme si, après que la voix de Hitchcock eût, la bouche pleine de patates, articulé : « And now ladies and gentlemen we call it the end[1] », son cœur dût terminer sa course et elle se retrouver bouffant la mauve par la racine.

Et vous vous bidonnez, vous rappelant les propos de Noémi il y a deux heures : « On vient de publier le roman posthume d'un jeune mec qui a eu un cancer et, en plus, le journal qu'il a tenu le mois avant sa mort. Tu tiens bien un journal toi aussi ? On pourra toujours en publier des extraits. » Et elle avait ajouté : « Tu vois, je deviens comme toi : toujours le mot pour rire. »

La salope ! Elle espérait bien, dès votre dernier soupir, se précipiter telle une charognarde sur ces centaines de cahiers que vous avez noircis depuis ce jour de 1945 où, pour lécher votre plaie, vous avez écrit : « papa è pa a lotel lutesia je sé kan maime kil reviendra il me la di kan il é parti avec lé polissié alement il a di a biento ma prinsece... » Se précipiter pour découvrir ces secrets que vous cachez depuis lors dans les lieux les plus divers.

Et vous pensez aussi à ceux qui ironisent : « Pas con comme solution : se fabriquer un cancer pour changer de statut social. Dans le fond, t'as jamais voulu être avocate. Bon prétexte aujourd'hui pour raconter tes petites merdouilles. »

Non, Lola : au lieu de tenter d'écrire ce roman vous devriez, comme Cathi, tendre à devenir une Institution, accepter que l'on dresse une statue à votre gloire de cancéreuse héroïque, vendre une lessive « Le cancer lave mieux », pocher des tee-shirts « Cancer is beautiful » ou fabriquer un jeu vidéo : une cellule cancéreuse doit par exemple, pour arriver jusqu'au cerveau et le coloniser, déjouer la stratégie des produits de la chimio, les rads du cobalt et l'attaque des globules blancs.

Vous pourriez aussi produire une bande dessinée « Le drame du pauvre immunoblaste B », ou encore écrire un feuilleton interminable comme « Dallas » intitulé Kannsseur ! où, bien sûr, comme dans la vie, ce seraient toujours les méchants qui gagneraient.

Vous vous demandez comment Samuel, lui, a encore la force de faire son numéro multimédia : ce matin, il posait près d'un nouveau scanner dans une revue féminine ; à la télé,

1. « Et maintenant, mesdames et messieurs, on appelle ça la fin. »

194

hier, il présentait une émission sur le Salvador, et il causait à midi, dans le poste, sur le droit à la mort douce. Même que, une fois de plus, l'entendant, vous avez chialé comme un veau, Lola.

Il vous avait expliqué que les prestations télévisées étaient le seul moyen de ramasser des pesetas pour la recherche : « Même avec un gouvernement socialiste », avait-il ajouté.

Car la gauche avait gagné les élections. Et Cathi avait décidé de donner sa fête le soir du 10 mai, en l'honneur du jules de sa cousine, un inspecteur des finances, socialiste, tendance CERES.

« Si Mitterrand passe, avait-elle dit, on se saoule de joie. S'il se plante, on noie notre chagrin. »

Samuel me prit dans ses bras :

— Avoue, avoue, tu pensais pas voir de ton vivant la gauche au pouvoir.

Et il renversa la moitié d'une bouteille de champagne sur la moquette jonquille de l'immense duplex, piazza Beaubourg, offert par le banquier à la jeune coiffeuse.

— Merci, tonton Samuel, répondis-je.

En fait, je pensai — utilisant encore le vieux système de faut-pas-jouir-en-paix-tout-bonheur-se-paie : « Ça va porter malheur à quelqu'un et ce sera à *moi*. C'est à présent que je vais claquer. Peut-être d'une crise cardique ? »

Mon cœur battait la chamade depuis que la mère de Jérôme, le copain de mon fils, toujours amoureuse de son sénateur RPR, était venue vers dix-neuf heures, le visage défait, pour me dire : « Je le sais par l'Intérieur, Giscard est rétamé. »

— Tu me bourres le mou, répondis-je.

En fait, j'étais dans le secret des dieux depuis une semaine. Pas par les RG. Grâce à Aïcha, qui avait longuement interrogé des allumettes. Et chaque fois, prenant son air de pythie, montrant du doigt un bâtonnet, elle disait mystérieusement : « *Chouf! Sidi al Fhrranntssoi! Giskouille khlass!* »

Plus tard, nous avions allumé la télé et comme toute la France, découvrant l'expression du pauvre Elkabach, on avait compris. Alors Mado avait ouvert la fenêtre et, on ne savait pourquoi, dégrafé son corsage, pris ses seins à pleine mains, les avait offert à l'imaginaire foule en criant : « On a gagné ! »

Nous avions entamé une danse de Sioux, Aïcha poussait des *You ! You !* Bolivar lançait des roses sur les passants avec son copain Jérôme dont la mère, entre deux sanglots, sa bouteille de scotch à la main, jubilait, parlant de son RPR d'amant : « Ça lui fera les pieds à cet auvergnat ! Il avait qu'à quitter sa femme. »

Noémi avait alors fait son apparition, nous offrant son regard kapo :

— Ma parole, vous êtes complètement hystériques. Comme si cela allait changer quoi que ce soit dans vos vies. Ce qu'il faut c'est se changer soi-même. Changer la société ? Pff !

Puis vers moi, affectueusement, d'une voix mouillée :

— Lolette, cesse de sauter comme ça, pense à ta métastase.

Je lui avais foutu la paire de baffes que je lui réservais depuis quelques mois, murmurant :

— Je fais ce que je veux. C'est *mon* cancer, *ma* métastase, *mon* 10 mai et si je décide de sortir ce soir avec une plume dans le cul, je ne te demande pas la permission.

Je me sentais ivre sans avoir bu.

Avant d'aller au raout du PS rue de Solférino où le Tout-Paris de gauche était convié, Michel m'avait téléphoné. Et ma demi-sœur m'avait passé l'appareil en persiflant : « Il espère bien devenir garde des Sceaux, il a assez ramé pour ça. »

Cinquante ans, il venait d'avoir et il me dit qu'aujourd'hui *tout* était enfin possible : « Tu es mon premier amour de quinquagénaire... » (Lolonlonlaire !)

D'accord ! D'accord ! Nous nous inscririons au club Léo-Lagrange, nous prendrions des congés payés, nous irions canoter sur la Marne, pédaler en tandem vers Meudon et nous nous engagerions dans les Brigades internationales où lui serait commissaire politique dans la *quince brigada* et moi infirmière...

Il avait soupiré : « Ah, avoir vingt ans en 1936. Avec toi.

196

Puis faire partie du même réseau de Résistance, se prendre violemment entre deux trains dans des hôtels de gare. »

Il était aussi barjo que moi. En plus pompier, tout de même. Il me fit remarquer que la peine de mort allait être supprimée.

Ne mourrais-je plus de mon cancer ? Aurais-je une longue rémission, un immense intervalle libre ?

Il rit :

— Ah, Narcisse ! Tout se ramène toujours à ta petite personne. (Puis de sa belle voix qui faisait fondre les jurés d'assises les plus insensibles) Dis-moi que tu m'aimes...

— Je t'aime, dis-je. J'aime toute l'humanité ce soir. Mais j'aimerais encore mieux si mon père et Simon étaient vivants. Si Rafa revenait.

Et j'eus envie de chialer. Il soupira, agacé, et raccrocha.

Je n'avais plus mal au dos mais, l'émotion me donnant le vertige, je me disais : je couve une méta cérébrale. Au début de la soirée, les rues n'étaient pas encore embouteillées, et je remarquai que seuls les émigrés qui, timidement, avaient envahi le centre de Paris, semblaient contents. Un grand drapeau tricolore à bout de bras, l'un d'eux criait innocemment : « Vive la France ! »

— Alors, Lola, tu n'as toujours pas répondu : tu ne pensais pas voir la gauche au pouvoir de ton vivant ?

Samuel, à quatre pattes sur la moquette de Cathi, essayait d'éponger les mares de champagne. Et je remarquai pour la première fois, sous la vieille flanelle usée de son futal gris, qu'il avait vraiment un très joli petit cul, détail vanté par Pauline qui m'avait longuement expliqué un jour qu'elle ne perdait la boule que pour les hommes ayant des babas étroits et ronds.

Samuel était triste : obligé de rejoindre sa femme qui avait organisé une élection-party BCBG — quart politique, quart banque, quart mode et quart cinéma —, il aurait préféré courir avec Pauline les buffets des postes périphériques — celui organisé sous une tente par l'*Obs,* ou la fête des *Nouvelles Littéraires* chez Bofinger. Mais Pauline, dans la soirée, lui avait signifié son congé : elle se tirait à Hambourg avec la correspondante d'un célèbre quotidien allemand, une grande femme au type hommasse que Samuel avait *mala suerte* sauvée d'un cancer du larynx dû à l'abus de whisky et de havanes...

Heureusement, Noémi avait emmené Nourit, sa nouvelle copine, une jeune chanteuse israélienne au teint olivâtre, aux cheveux noirs bouclés à la pâtre, aux yeux gris, au corps androgyne qui lui donnait l'allure d'un pêcheur yéménite. Yéménite d'origine, elle l'était justement ; ça changerait Samuel des pâles goyassonnes et des chiantes ashkénazes.

La très jeune fille, qui s'accompagnait à la guitare, nous avait chanté en hébreu et en arabe, d'une voix rauque de négresse, des chansons parlant sans doute de paix et de fraternité ou de guerre et de haine, c'est kif.

Et Samuel qui, je l'appris plus tard, avait beaucoup aimé une jeune leucémique, décédée *of course* depuis quelques années prénommée *por cierto* elle aussi Nourit, n'avait plus l'intention de décarrer. Je me demandais comment s'y prendrait-il pour séduire la jeune fille : elle n'était peut-être pas cancéromane ?

Je n'étais pas la seule à m'interroger. Venue malgré tout, peut-être dans l'espoir de re-séduire Sam, Vivi tripotait nerveusement une des seringues qu'elle avait apportées à Gaspard. Comme mon grand couillon de fils, celui de Cathi adorait asperger le public de flotte avec des seringues.

On entendait des bouts de phrases dans le brouhaha : *Ce sera un changement de société / Non ce sera simplement un New Deal à la Roosevelt / Les Socialistes vont se planter / C'est la situation internationale qui commande / Ça se terminera comme au Chili / Jamais les socialistes n'auraient dû accepter de gérer la crise / Bientôt les caisses seront vides / C'est incroyable, pince-moi, j'ai l'impression de rêver / C'est le plus beau jour de ma vie / Enfin du balai... / C'est Mai 68, sans la violence / Et les communistes ? Et Rocard ?*

Et certains comptabilisaient le nombre de copains qu'ils auraient dans les cabinets ministériels. Moi, je m'en tronchais du pouvoir et des allées du pouvoir. C'était plus mon truc, c'était trop tard, le destin collectif ne m'intéressait plus, sinon pour mon fils. Moi, j'étais engagée dans un combat solitaire, absurde, narcissique : survivre. — *Pourtant c'était bien aussi parce que, comme Jeanne d'Arc, vous aviez entendu des voix : « Lola, tu es sur terre pour faire la révolution, construire le socialisme, libérer les peuples opprimés. Lola, va libérer la Palestine », que vos malheureuses cellules étaient devenues dingos. Maintenant vous saviez que vous n'aviez qu'un seul devoir sacré : vivre.*

Il y avait tant de monde ce soir chez Cathi — y compris assis dans les chiottes à refaire le monde —, tant de bruit, de fumée, que la bande de Malcourt était un peu perdue.

Évidemment, Zoubeïda s'était cloîtrée dans la cuisine et elle s'était crue obligée de laver les verres, bien qu'elle eût déjà marné avec Aïcha depuis la veille à préparer briks, pastillas, tarama, taboulé et autres orientaleries. Cancer ou pas, fallait faire suer le burnous !

Marie-Aude était venue avec son époux ; très Grand Commis, il expliquait qu'il servirait l'État socialiste comme il avait servi le gaullien, le pompidolien et le giscardien : « D'ailleurs, le Quai est truffé de socialistes », disait-il.

Comme elle était belle Marie-Aude, ce soir-là, avec ses ballerines, sa jupe en cuir doré assortie à un turban en brocard or posé sur une longue perruque brune ! Elle venait de sortir de l'hôpital, et les nombreux verres de champagne ingurgités sur une bonne dose de Gardénal lui donnaient une démarche chaloupée.

— Je bois, disait-elle, aux têtes qui ne rouleront plus dans le panier. Je bois à nos longues vies.

Marianne la récupéra et, tendrement enlacées, elles dansèrent. L'actrice portait sur l'épaule, en sac en bandoulière, une petite bonbonne d'oxygène reliée à ses narines par un mince tube qu'elle cachait sous un foulard et des lunettes noires. Je la trouvais géniale de se rendre ainsi au théâtre, au restaurant, au cinéma et aux fêtes. Elle aussi avait pas mal éclusé : Emmanuel, son jeune amant, l'avait laissé choir pour aller se mêler à la foule des quartiers populaires ; en fait, il avait rancard avec la meilleure amie de Marianne, une actrice qui, elle, avait du fric car, avec son physique quotidien, elle raflait tous les rôles de quadragénaire « encore désirable » *malgré son cœur usé par les baisers, trop souvent et trop mal donnés.* D'ailleurs, elle s'appelait Sarah, comme l'héroïne de la chanson de Moustaki.

Pour une fois, Jeanne Martin était très gaie. Malgré les consignes du Parti, elle avait voté pour Mitterrand, l'avait annoncé à son mari, ils s'étaient querellés : cela expliquait sa présence en ces lieux ce soir, et non à la Fédération de son département où, malgré tout, on sablait le champagne.

Je dansai comme promis avec Bechir Boutros. Ma tête sur son épaule, mes bras autour de son cou, mon ventre contre le sien, je sentais qu'il bandait. Et je me demandais pourquoi.

— A quoi penses-tu ? me demanda langoureusement le jeune cancérologue, se méprenant sur mon air pâmé.

— A mon antigène carcino-embryonnaire, dis-je. Je me demande s'il a baissé.

— Faut vraiment t'aimer ! dit-il tendrement ironique.

C'est exactement ce que m'avait affirmé la veille le professeur Félix Katz. J'avais été saisie d'une petite bouffée d'angoisse vers deux heures du matin et je l'avais appelé :

— Félix, je sens comme deux mains qui m'étranglent, ça doit être mes ganglions qui enflent et j'ai une gêne respiratoire. Je ne peux terminer mes phrases.

— Quand il y a de la gêne y a pas de plaisir, commença-t-il par ironiser. Puis : A deux heures du matin, à qui tiens-tu des discours, pour sentir que tu ne peux terminer tes phrases ?

— A moi-même, dis-je.

Il arriva immédiatement pour étudier la situation.

Ça avait commencé comme d'habitude par un examen sérieux : et que je te palpe et que je t'écoute et que je te prenne la tension, le pouls. Puis il m'avait assise sur ses genoux :

— Je suis ton SAMU[1], disait le bon Félix. Mais tu devrais être un peu plus tendre avec moi. Caresse-moi les cheveux.

Je lui caressai ses tifs bouclés et grisonnants et il me caressa mon crâne rasibus qu'il trouvait fort beau.

1. SAMU : Service d'Aide Médicale Urgente.

— Embrasse-moi, dit-il, comme si tu avais pour moi une folle passion.

Je lui roulai une petite pelle, tout en ayant l'impression de têter le sein d'une mère qui n'aurait pas été Mira. J'étais totalement engourdie comme un bébé repu et sur le point de m'endormir.

— T'es mon Valium, dis-je à Katz. T'es la seule personne au monde qui me rassure.

Il croyait que je jouais la comédie du sommeil ; il écarta mes cuisses et commença à me caresser. C'était un peu clinique mais très agréable : l'avantage avec les médecins, c'est qu'ils savent presque toujours où se trouvent les cliclis les plus discrets.

Je me sentais aqueuse, j'étais traversée par des ondes délicieuses et je voyais comme toujours un cavalier, cosaque, arabe, teuton, ça dépendait, qui avançait vers moi dans les vagues et une brume de chaleur. Et soudain, je me souvins de l'horrible vieille douleur au creux des reins qui pourtant avait disparu. Je retins mon souffle.

— A quoi penses-tu, me demanda lascivement Félix.

— Je me demande s'il y a encore des cellules cancéreuses sur ma vertèbre.

— Canaille, me dit-il en riant. Faut vraiment t'aimer.

Bechir m'abandonna pour danser avec Cathi qui avait teint ses cheveux en rose buvard, portait un pantalon de soie rose bonbon et un pull en résille saumon qui dévoilait ses jolis petits seins aux pointes noires...

Soudain, il y eut dans le vestibule le bruit d'une altercation. Tout le monde s'arrêta de danser. Jean-Pierre, le jeune amant à la couille unique mais à la trique vaillante, les poings serrés dans les poches de son pantalon rose, assorti à celui de Cathi, disait doucement à un inconnu d'une cinquantaine d'années, aussi pâle que son costume blanc :

— Non, ce n'est pas parce que je suis malade que je ne vous casse pas la gueule, c'est parce que je n'attaque jamais les vieillards.

L'inconnu, l'air con, une caisse de champagne dans les bras, c'était Yves, le banquier. Il essayait maintenant de blaguer avec Cathi :

— Eh bien ! ma chérie, je n'ai pas le droit de participer à la fête... Après tout, je suis ici chez moi.

Cathi était hors d'elle :

— C'est *ma* fête. Pas la tienne. Va faire la fête chez ta femme. Ici, c'est chez moi !

Il posa sa caisse de champagne, tenta de prendre la jeune femme par le cou. Il était pitoyable :

— Cathi chérie, je ne suis pas fâché. Tout ce que je veux c'est que tu redeviennes une bonne petite fille comme avant...

— Comme avant d'avoir un cancer ? demanda ironiquement Cathi. Et elle se mit à rire : Elle est bien bonne celle-là. C'est la meilleure de l'année.

Soudain, elle prit son blouson et se tourna vers moi :

— Dis aux filles de descendre, on va à la Bastille.

Nous avancions nous tenant par la taille — suivies par Jean-Pierre —, sur le boulevard Beaumarchais au milieu de la foule bonne enfant, des drapeaux, des feux de joie.

— Ça me rappelle la Libération de Paris, disait Marianne qui affirmait avoir voté pour Giscard.

Elle se souvenait d'une soirée en compagnie de jeunes résistants du mouvement de Libération nord : du troisième étage ils jetaient sur les passants du sable provenant des sacs qui protégeaient les immeubles ; elle avait perdu sa virginité ce soir-là dans les bras d'un adolescent du lycée Buffon, évadé deux fois des sous-sols de la Gestapo et qui avait échappé à l'exécution de la Cascade du bois de Boulogne.

Jean-Pierre s'était arrêté pour chanter « Toulouse, Touou-louse... » avec un groupe de jeunes postiers.

Et ça me rappelait justement à moi aussi le jour de la Libération dans ce village du Tarn-et-Garonne où la division Das Reich était passée avant de s'arrêter à Oradour-sur-Glane. Les paysans, chez qui j'étais cachée, m'avaient parée d'une robe bleu-blanc-rouge, et poussée par la foule j'avais failli passer par la lucarne du clocher de l'église où tout le village faisait sonner le bourdon. Puis on avait pendu par les pieds devant la mairie un certain Capoulade qui dirigeait la

Milice. Tous les enfants avaient craché sur lui et moi je m'étais mise à vomir comme j'avais vomi plus tard, en observant les Allemands parqués près de la rivière, dont plusieurs, avec leurs cheveux clairs, ressemblaient à Lev. Cachée dans une grange, je m'étais installée dans l'attente de mon père. Aujourd'hui, je ne l'attendais plus. Attendais-je encore Rafaël ? Non, ce soir, je n'attendais plus personne. La vie c'était ici et maintenant comme disait kitchement l'hymne du PS. Je me mis à danser la *hora* ou le *dabkeh* : c'est kif.

Soudain, le fameux orage, l'un des plus violents qu'ait connus Paris, éclata. Tout le monde le reçut comme un signe du destin. Nous avancions vers la République sous une pluie diluvienne. J'étais dans un état d'extrême speederie. Je dirigeais la colonne, obligeant mes copines qui voulaient se réfugier sous un porche à avancer. — *Et vous vous imaginiez, espèce de folle, être à Auschwitz, nue sous votre robe rayée, pieds en sang dans la neige, dans une colonne de déportées qui tombaient les unes sur les autres. Et vous seule alliez jusqu'au bout et reveniez ensuite vers la France, assise, les jambes ballantes au vent, par la porte ouverte d'un wagon à bestiaux, vous laissant conter fleurette par un prisonnier de guerre marseillais qui vous aurait nourrie clandestinement dans le Kommando où vous auriez échoué en Allemagne après l'évacuation d'Auschwitz. Car ce que ne comprennent pas ceux qui vous reprochent d'être morbide et de mimer interminablement la clownerie de la chambre à gaz, c'est que c'est toujours à une déportée qui* survit *que vous vous identifiez, jamais à celles qui ont fini dans la nuit et le brouillard.*

A la maison, déshabillées, séchées par Aïcha qui nous avait ensuite, bien que ce fût contre ses principes, préparé des grogs corsés au rhum Bacardi, nous aurions souhaité que cette nuit de mai jamais ne finît.

Marie-Aude était très pâle. Je l'entraînai dans la salle de bains. Elle enleva sa perruque, son turban, moi le mien ; notre maquillage avait coulé. Assises, elle sur le bidet, moi sur le rebord de la baignoire, nous ressemblions, avec nos visages creusés et livides, nos yeux cernés, sans cils ni sourcils, à des nouveau-nés prématurés, à des mongoliennes, à des hydrocéphales...

— Vous ne vous sentez pas bien ? demandai-je à ma belle amie.

Elle avait très mal à la tête et voyait difficilement de l'œil gauche.

— N'en dites surtout rien à Charles, je ne veux plus être hospitalisée.

Elle se tut et je sentis qu'elle hésitait à m'apprendre un secret. Je l'interrogeai du regard. Mais déjà, j'avais les tripes retournées, la vessie pesant sur le sexe, les ovaires enserrés dans un casse-noix, et la sensation d'empalement, nouvelle façon joyeuse pour mon corps d'exprimer l'inquiétude.

— Vous savez, me dit-elle enfin, la belle Grecque, celle que vous appeliez Mains diaphanes...

J'avais compris. Je demandai agressivement :

— Ben quoi, Mains diaphanes ? Elle va bien, je l'ai vue il y a un mois...

Marie-Aude se mordait les lèvres, comme une petite fille qui ne peut s'empêcher de dire ou de faire une bêtise :

— Il y a quelques jours, quand j'étais hospitalisée, elle était dans ma chambre. De toute façon, c'est pas comme nous, elle c'était pas un sein ; les os, à son âge, on dit que ça ne pardonne pas. Et puis on ne l'avait pas amputée, c'était une erreur : ça donne des métastases pulmonaires dans les six mois... Mais si vous saviez comme elle a souffert avant de décéder. C'est faux ce qu'ils prétendent : que c'est maintenant « la mort douce » ; elle poussait des cris, elle appelait sa mère... Je ne l'ai raconté à personne. Elle a hurlé toute la nuit. Et même... j'ai entendu un malade affolé qui demandait à un médecin ce qui se passait et le médecin a répondu : « C'est rien, c'est une femme qui se prend pour Tarzan appelant Jane dans la jungle. » Eh bien, figurez-vous, c'était tellement atroce que j'ai ri. Je ne savais quoi faire, je l'ai prise dans mes bras, j'ai essayé de la réchauffer. Mais le moindre mouvement était une torture. Finalement, ils sont venus quand ils ont pu joindre Samuel et ils l'ont endormie. Et elle dormait en me regardant fixement, comme si elle m'accusait...

J'avais les jambes coupées, j'étais terrifiée, je haïssais Marie-Aude de m'avoir annoncé ça ce soir.

— Vous êtes une méchante femme, lui dis-je en sanglotant. Pourquoi m'avoir dit ça le soir du 10 mai, qui aurait dû être un des plus beaux jours de ma vie. Sale conne ! Sale conne ! Connasse !

Je me jetai contre elle et me mis à la frapper à coups de poing, à coups de pied. Elle ne se débattit pas, mais au contraire tenta de me serrer dans ses bras :

— Ma chérie, pardonne-moi, me disait-elle en me tutoyant. Je suis une conne, comme tu dis. Ça me portera malheur.

Et elle m'embrassait follement les yeux, le nez, les lèvres, et je lui rendis ses baisers. Ça aussi c'était de l'ordre de l'indicible. — *Et chaque fois, perverse, que vous ne pouvez vous empêcher d'annoncer à une cancéreuse la mort d'une autre malade, vous pensez à ce 10 mai 1981 et à la si belle Marie-Aude Shneïder.*

20

« Tu es insensée, me dit Marie-Aude. C'est interdit. Tu ne vois pas que c'est interdit. » Mais elle enjamba la clôture qui interdisait le périmètre où se construisait le nouveau centre anticancéreux, retroussa sa jupe, releva les manches de son chemisier, s'allongea sur l'herbe maigrelette qui poussait au milieu du terrain vague et offrit elle aussi, les yeux clos, son visage au soleil.

On avait deux plombes à attendre avant d'avoir les résultats de nos « num' » pour commencer notre chimio : autant profiter de la vie au lieu de poireauter dans les couloirs à s'énerver et à se monter le bourrichon en s'inventant des métastases baladeuses.

Putain, qu'est-ce que c'était bon d'être là ! Tout simplement là. Pas *sous* l'herbe. *Sur* l'herbe. Être. Just to be. Sans douleur. « *Aujourd'hui, juin 1981, 13 heures 30, mal nulle part* », noterai-je sur mon cahier. Ah ! ça ne volait pas très haut. Mais ça changeait des « *... 30 janvier 19... 10 heures 30. Douleur dans l'oreille gauche au-dessus du paquet de ganglions. Ça tire, ça irradie. Décharges électriques. Est-ce que ça communique avec le cerveau ?* »

La tête renversée en arrière, je voyais le ciel azur, les nuages nonchalants avançant vers le sud. Je sentais mon visage rougir au soleil, je goûtais la fragrance de rose, composante sans doute du parfum de Marie-Aude, je humais l'odeur de la terre retournée plus loin, les relents d'essence des camions-grues, j'entendais les voix des ouvriers portugais, les freinages des taxis et des ambulances, les rires en cascades des aides-soignantes antillaises, j'écoutais battre mon cœur, lentement, normalement.

Nous échangions, Marie-Aude et moi, de douces banalités :

Elle avait raison ma tante Rivke : Le diable était moins terrible que la peur du diable/La maladie c'était la peur/On ne souffrait pas tout le temps/Et c'était tellement bon lorsque la douleur s'arrêtait/Seule la mort était irrémédiable/Si Dieu nous prenait en pitié et nous donnait de longues rémissions, alors on verrait ce qu'on verrait/On allait enfin savoir vivre.

Je répétais plusieurs fois :

— Tu sais ma maladie, c'est la peur. Si j'avais pas eu si peur de la Gestapo, je ne serais pas là.

Soudain, m'étant relevée sur les coudes, je vis s'approcher doucement un break de la CRS. Je me sentis défaillir. Comme dans un film d'horreur, le véhicule s'arrêta devant nous. J'étais déjà prête, comme toujours, à montrer mes papiers. J'étais *en règle. — Aviez-vous votre Ausweis, pauvre folle ?*

— Ah, vous bronzez, mes belles ?

Brun, avec une grosse moustache, des yeux gris, des taches de rousseur, le jeune policier en survêtement bleu marine, à l'accent vosgien, était plutôt beau gosse.

— Qu'est-ce que vous cherchez ? demandai-je courageusement, certaine qu'il venait m'arrêter.

Il cherchait tout simplement le service d'hématologie. Pourquoi ? Mystère et boule de gomme. Qui s'éclaira lorsqu'un peu plus tard, Samuel, qui faisait les cent pas dans le couloir en compagnie d'Adeline Durand, me demanda si j'avais vu les pompiers.

— Il y a le feu ?

— C'est pour les globules blancs.

J'appris ainsi que les globules blancs ne pouvant se conserver comme les rouges, on était obligé, lorsqu'on devait en transfuser, de faire appel à un donneur du même groupe que le malade ; si l'on ne trouvait pas un parent dévoué, les CRS et les pompiers étaient commis d'office. « Normal, me dis-je, la République doit veiller à la Sécurité des globules blancs... »

Les globules étaient destinés à une jeune fille prénommée Marielle qui avait un ostéosarcome et depuis peu une méta pulmonaire, comme c'était malheureusement souvent le cas. Elle se trouvait, par suite d'une erreur de traitement, en aplasie. (Une infirmière rendue distraite parce que son proprio voulait la lourder avait doublé la dose d'un produit.)

Mais Marielle, nous nous en aperçûmes, venait de se faire la paire, abandonnant un mot sur son lit :

« J'en ai marre, je ne veux plus me soigner. Je préfère vivre tranquillement quelques mois et mourir que de subir cet horrible traitement pour à la fin mourir quand même. »

Et pour faire tenir le papier, elle avait abandonné sa prothèse : une demi-jambe de bois.

Comment avait-elle pu se barrer ?

— On ne s'enfuit pas comme ça d'un hôpital. Et en plus sur une seule jambe, se lamentait Adeline Durand.

— Ici c'est le boxon, affirma Samuel Tobman, l'air plutôt cool. Et puis un malade a toujours le droit de partir.

— Oui, mais elle n'a pas signé sa pancarte, protestait la surveillante générale.

Il y avait maintenant un véritable attroupement sur le palier du premier étage. J'appris par Marie-Célimène (véritable Radio-UTATH) que Marielle était une jeune kinési de vingt-deux ans qu'on avait dû amputer il y a six mois ; elle avait appris qu'elle ne pourrait plus exercer de profession paramédicale et ça la désespérait. C'était peut-être la grosse fille aux immenses yeux noirs, aperçue le premier jour de ma chimio, et dont la vue m'avait fait penser : qu'on me coupe en rondelles mais que mon fils Bol'Dav' soit protégé à jamais de la longue et douloureuse. (Oui. Oui. Le pire dans les services anticancéreux, ce n'est pas de voir des vioques de quarante balais et plus comme moi — après tout s'ils n'ont rien su faire de leur vie tant pis pour eux —, ce n'est pas non plus les très jeunes enfants, le pire c'est le regard des adolescents leucémiques, la dignité des jeunes gens amputés qui n'ont pas encore eu le temps de prouver qu'ils étaient peu doués pour la vie et qui paient peut-être l'infirmité affective, la peine à jouir de leurs parents ou grands-parents.)

On finit par retrouver Marielle. La copine qui l'avait embarquée, saisie de remords, avait téléphoné. Samuel essayait de la convaincre de ramener la jeune kinési qui risquait une septicémie. Finalement, le professeur décida d'aller la chercher lui-même et, ne retrouvant plus sa voiture, il partit dans le break des CRS. Et nous l'accompagnâmes : moi par curiosité et Marie-Aude parce que depuis la fête du 10 mai nous étions devenues cul et chemise. Au point que Noémi m'avait joué une de ses habituelles scènes : « Ma parole, il n'y a plus que tes copines cancéreuses qui comptent. Tu ferais mieux de t'intéresser aux vivants qu'aux futures mortes. » Et gnagnani et gnagnana...

— Je vous présente notre CRS, le meilleur donneur de globules blancs, dit Samuel.

— Ça vaut mieux qu'un matraqueur d'étudiants rouges ou noirs, répondit le CRS.

Marielle s'était réfugiée dans la chambre de bonne de son amie au sixième étage d'un immeuble du XVe arrondissement. Comment avait-elle fait pour se hisser ?

C'était bien en effet la grosse fille aux yeux sombres qui s'était plainte de la bouffe il y a quelques mois. Mais aujourd'hui elle s'était coiffée d'une longue perruque bouclée blond platine qui lui donnait l'air d'une poupée Barbie.

Allongée sur le lit, elle serrait contre elle un gros chat noir dont elle prétendait qu'il était son seul amour, qu'elle ne pouvait vivre sans lui, donc ne tolérerait pas d'être hospitalisée un jour de plus. — *Et vous pensâtes à votre siamois, Moïse, que les Nussenberg avaient euthanasé il y a peu sous prétexte qu'en sympathie pour vous il avait contracté une curieuse maladie du sang. Ce qui vous torturait alors ce n'était pas qu'il eût trépassé mais qu'on l'eût abandonné contre cent balles (« cent francs, on a donné cent francs », avait avoué Aaron) dans un mouroir où on les gazait pour aller plus vite. Aujourd'hui, il faut le reconnaître, ma bonne Lola, la mort d'un chat, même si vous trouvez que Moïse valait largement la plupart des humains, ne vous bouleverse guère.*

Samuel se lança dans un long discours, mais il ne semblait pas très convaincu : Marielle devait se soigner, elle avait la vie devant elle, ce n'était qu'un mauvais moment à passer, un jour elle valserait à nouveau...

— Je préfère ne vivre que quelques mois mais normalement, et mourir avec des cheveux longs que crever la bouche pleine d'aphtes, en dégueulant et chiant, répondit Marielle.

— Fais ça pour moi, demanda Samuel, lui offrant son regard télégénique.

Le bide ! Elle ricana :

— Pour vous ! Mais c'est ma peau. C'est pas la vôtre. C'est moi qui vais crever... Pas vous... Et puis c'est pas la peine de me regarder avec cet air angoissé. L'angoisse des cancérologues, on connaît... Je m'en fous de votre inquiétude pour moi.

Samuel avait l'air sacrément emmerdé :

— Pense à ton amoureux, dit-il.

Elle haussa les épaules :

— J'ai pas d'amoureux. Tout ce que je veux, c'est retrouver mon travail avec les enfants handicapés.

— Moi, je vous emmènerais bien au bal, dit le CRS vosgien. Je vous ferais tourner dans mes bras.

Et il avait l'air sincère. Marielle le regarda, rougit légèrement.

Il dit encore :

— Je suis venu vous donner mes globules blancs.

Depuis longtemps je n'avais entendu phrase plus érotique !

Il s'était assis sur le lit, il lui prenait la main, caressait ses gras petits doigts, et tout le monde trouvait ça naturel. Marielle se laissait cajoler, elle avait lâché son matou, s'était redressée comme si elle se fût décidée à venir. Puis elle se recoucha, l'air boudeur, et nous tourna le dos.

— Pensez à Teddy Kennedy junior, dit Marie-Aude. Il a le même mal que vous et il fait du ski nautique, du squash, du foot, du patin à glace et il a gagné un championnat de ski sur neige au mont Sunapée...

— Je suis ni la fille à Kennedy, ni la fille à Rockefeller, dit Marielle, lui lançant un regard dramatique. Moi, je suis une prolo. Avec du fric, on peut tout faire. Sans fric, rien.

— Le fric, comme vous dites, ça n'empêche pas de mourir, lui répondit doucement Marie-Aude.

— Non, mais avant de mourir, on vit. Moi, je suis fauchée.

— Sans doute, dit Marie-Aude. Moi, je suis riche. Mais en même temps je pense, pardonnez-moi mon petit si je vous choque, qu'il y a plus en commun entre deux Sud-Africains en bonne santé : un riche blanc et un pauvre balayeur noir, qu'entre moi et quiconque de mon milieu, maintenant. Et plus entre vous, moi ou Lola : Nous sommes sur le même bateau...

Elle avait raison Marie-Aude. C'était d'autant plus vrai quand on touchait le fond. Mais dès qu'on reprenait — si on reprenait — du poil de la bête, les différences ne se réaffirmaient-elles pas ?

Le bip-bip de Samuel bipa. Il n'y avait point de téléphone pour rappeler. Il fallait repartir fissa pour l'hosto.

— Bon, dit le professeur, l'air accablé, si tu veux pas te soigner. Tant pis pour toi. Je te laisse...

Le CRS était hors de lui :

— Je n'ai pas donné mes globules blancs pour rien, moi... Bon, je vais lui parler. Je vous la ramènerai.

Nous attendîmes dix minutes sur le trottoir et nous vîmes enfin sortir de l'immeuble le CRS, qui se prénommait Marc, portant dans ses bras la dodue Marielle qui le tenait par le cou. J'ai oublié de dire que le tendre CRS ne devait pas avoir vingt-cinq ans. Marie-Aude se signa. Et moi, je remerciai le Tout-Puissant d'avoir créé les Compagnies nationales de sécurité. — *Non, ma bonne : c'est à la Libération, Raymond Aubrac, commissaire de la République du Général.*

Entre-temps la « num' » de Marie-Aude était arrivée du labo, et elle était bonne : elle avait assez de globules divers pour commencer sa chimio. La mienne, alors que je me sentais dans une forme éblouissante, c'était la cata, et Samuel ordonna une transfusion de rouges :

— Ça te donnera un coup de fouet, me dit-il.

Effectivement, le soir, j'avais l'impression d'être speedée à la coke.

En attendant mes culots de sang qui tardaient à arriver, je tenais compagnie à mes copines qui, elles, étaient déjà branchées. Nous nous arrangions pour que certains jours de nos cures coïncidassent ou du moins se chevauchent, afin de pouvoir tenir salon, tête-bêche sur les rares plumards, dans une des salles de chimio. Comme d'habitude, nous papotions : douleurs, marmaille, mecs, fringues, bouffe, ciné, télé, la vie quoi !

Marianne était arrivée dans une CX blanche des ambulances Guedj-Frères dont elle se servait comme d'une voiture de maître. Elle faisait parfois ses courses en Véhicule sanitaire léger, ça lui rappelait sa splendeur passée lorsqu'elle était favorite du prince arabe. Cathi, elle, avait débarqué dans la Mercedes d'Yves, avec lequel elle s'était apparemment réconciliée. Mais il ne voulut pas entrer dans le pavillon des cancéreux, en disant :

— Tu sais bien que je suis trop sensible. Je ne supporte pas l'odeur de l'hôpital.

Et moi qui, devant la porte de verre, jouais au portier, je vis le regard bleu de Cathi virer au marine : cette fois, c'était vraiment terminé.

Son enfant dans les bras, Zoubeïda, bien sûr, arriva à pied. Malgré nos recommandations, elle n'avait pas osé demander à l'une de nous de venir la chercher. Jeanne Martin débarqua d'un taxi avec sa vieille copine bretonne, Maryvonne, le cancer de l'œsophage, qui me sembla peu sympathique.

— Vous avez pas l'air malade, ma petite, me dit-elle, en agitant sa canne. Pourquoi vous souriez comme ça ?

En attendant sa mère, Anna s'était maquillée avec la trousse de Patricia Milhaud et elle lisait, s'aidant d'un dictionnaire, *Nature,* une revue scientifique anglaise. Une Roumaine, écroulée dans un fauteuil, maudissait Ceaucescu : « Ma fille, kapout, retour en Roumanie. Médecins bouchers. »

Agacée par ses gémissements, Anna lui dit :

— Mais vous savez, Staline l'a déjà dit à de Gaulle : à la fin, c'est toujours la mort qui gagne.

Envoyant des baisers et demandant, l'air tragique, si elle sentait la frite car il y avait des frites à la cantine, Adeline Durand traversa la salle. Puis elle fit des ronds de jambe à Nourit qu'elle prit pour une nouvelle malade, mais la jeune chanteuse était tout simplement à la recherche du professeur Samuel Tobman au charme duquel elle n'avait bien sûr pas résisté. Vivi, qui savait que Samuel était capable de tirer une crampette entre deux consultations dans son bureau sous les combles, se lança dans un long conciliabule chuchoté avec la Sur' Gé' qui prit un air affligé mais demanda à Marie-Célimène de prendre immédiatement en charge la jeune israélienne. Et l'Antillaise hurla dans son interphone :

— On demande Sam d'urgence !

Le professeur Samari, sans doute dans la phase ascendante de sa maniaco-dépression, expliquait à un Américain que dès que l'immense cathédrale à la gloire du cancer serait terminée, le cancer serait à la portée de tous, on pourrait y traiter des milliers, des millions, des milliards de cancéreux. Il irradiait de bonheur en songeant au Centre mondial du cancer, relié par ordinateur à tous les centres anticancéreux de la planète, dont il serait le chef.

En exécutant un french-cancan, des infirmières passèrent : elles revenaient de leur cours de yoga et nous firent des démonstrations.

J'entendis Poupoune murmurer à Vivi :

— C'est fini pour monsieur Raynaud.

Fini quoi ? La chimio ? La vie ?

A peine caché par un paravent, un maçon italien écroulé sur un lit n'arrivait pas à uriner : sa femme lui passait le bassin en l'encourageant : « Fais un effort. Pousse. » Un homme défit son pantalon : le bandage qui enserrait son ventre était maculé de sang : « Ça s'est remis à pisser », dit-il. C'était un chauffeur de taxi qui avait le projet de conduire lui-même sa femme et ses enfants dans le Midi. Il parlait tout seul : « C'est tout à fait faisable », répétait-il.

Mes culots de sang — des sacs en plastique pleins de liquide rouge — arrivèrent en même temps qu'un plateau repas. Je fis la grimace.

— Mange, me dit Cathi, ne regarde pas.

Je m'obligeai à regarder et à avaler au moment où plus loin quelqu'un se mit à dégueuler.

Je n'arrivais pas à suivre la lecture que Cathi faisait d'un article de *Marie-Claire* sur les diverses méthodes pour se décolorer ou se teindre les cheveux, à nous qui avions des têtes de piafs. En fait, je préférais écouter les conversations saisies au hasard. Même au cimetière, je serais là en train d'essayer de saisir les confidences des macchabées de tombe à tombe.

Comme d'habitude, des femmes qui étaient il y a peu à l'agonie, se plaignaient de leur prise de poids, because corticoïdes et hormones diverses ; les hommes, eux, gémissaient sur leur manque d'appétit.

Deux vieux messieurs en béret basque, dont les perfs' étaient accrochées au même pied, se souvenaient du bon vieux temps où ils possédaient un bon coup de fourchette. Tous deux étaient des « poumons » : le grand mince avait été ébéniste dans le faubourg Saint-Antoine, le gros sanguin, boucher à Saïgon où il s'était installé avec une épouse du cru après avoir fait l'Indochine comme caporal. Leurs femmes parlaient d'eux comme s'ils avaient eu quatre ans :

— Il ne me mange plus rien, disait tristement celle de l'ébéniste. A part les coquilles Saint-Jacques. Alors je lui fais cuire comme chez nous en Bourgogne des coquilles dans un poêlon sur du pain brioché avec des crevettes grises. Tout est dans la crevette grise.

— Moi, disait la Vietnamienne, je lui fais des cuisses de grenouilles à la citronnelle.

Dujardin, le sexagénaire que j'avais déjà remarqué à cause de sa petite taille, son élégant costume trois-pièces, sa manière inquiète de tirer sur sa bouffarde et sa façon de regarder intensément Zoubeïda, se mêla à la conversation culinaire.

Il était médecin militaire, avait été aussi commissaire de police en Indochine et en Algérie, mais il ne faisait pas confiance aux médecins du Val-de-Grâce :

— Remarquez, moi j'ai pas de cancer, répétait-il comme la première fois où je l'avais rencontré. J'ai simplement des polypes au côlon. C'est préventif, en somme.

On lui sourit ironiquement. Infini était le nombre de gens se faisant soigner dans un centre anticancéreux et se racontant ou racontant aux autres que c'était « préventif ».

Dujardin lançait des regards appuyés vers Zoubeïda :

— T'as un ticket, lui dis-je. Remarque, il est pas mal,

malgré son grand nez et ses yeux tombants. Il a un beau regard et un beau sourire.

— *Ya* Lola! *Ya* Lola! rit la belle Marocaine. Mais elle faisait avec les mains des gestes gracieux et se levant, le pied de la perf' à la main, elle arpenta la salle en ondulant de la croupe.

C'est Cathi qui nous avait conseillé de bouger, pour lutter contre l'angoisse que provoquait la chimio au début ; en effet, beaucoup de malades associaient l'obligation de rester assis des heures sans bouger, branchés à la perfusion, à l'enfermement dans un cercueil et à la mort. — *Vous aussi, vous aviez beau vous répéter : la mort c'est rien, c'est pas intéressant, ça ne dure qu'une seconde. Comme les enfants, pour vous, la mort ça restait : être enfermée vivante à moitié asphyxiée dans un tombeau hermétiquement clos à jamais.*

Soudain, dans le couloir, je vis Samuel, suivi de Patricia Milhaud, de Bechir Boutros et d'Adeline Durand, qui parlementait avec deux jeunes types en blouson de cuir. De temps en temps, il lançait des regards à Anna. Et nous apprîmes par Vivi que c'étaient des flics. Eux, ne venaient pas offrir leurs globules blancs mais cherchaient Lucciana dont le patron venait de porter plainte pour escroquerie : la mère de la petite leucémique aurait en quelques mois détourné plus de dix briques, en falsifiant la comptabilité de ce fabriquant de bouchons.

— Ah! si elle m'avait écouté, cette petite, dit Ange Francini qui venait d'arriver, toujours aussi séduisant, mais l'air un peu pâlot sous son bronzage.

Il proposa d'héberger Anna, le temps d'élucider l'affaire.

En un mois, la maison poulaga était déjà descendue deux fois à l'UTATH. Comme dans une ambassade, cela aurait dû être interdit. Les cancéreux devraient bénéficier de l'immunité diplomatique. La dernière fois, c'étaient des gendarmes à la recherche d'une brave vieille qui faisait pousser dans son jardin du cannabis afin que son rejeton, atteint à l'oreille d'un mélanome métastasé et généralisé, se fît des joints pour supporter son traitement et son agonie : car depuis il avait calanché.

216

Zoubeïda termina sa chimio en même temps que Dujardin. Et ce dernier, très galant, lui proposa de la ramener vers Paris. Elle baissa silencieusement ses paupières ambrées. Il répéta son offre en arabe et il me sembla qu'il lui disait qu'elle ressemblait à une gazelle, ce qui était exagéré : c'était plutôt le genre grosse panthère noire. Zoubeïda rit et dit en français :

— Moi, je comprends pas votre arabe.

Mais je vis par la fenêtre qu'elle montait dans sa voiture, après qu'il lui eût cérémonieusement ouvert et tenu la portière.

21

« Aucune de nous ne s'en sortira... »

Depuis deux heures, j'écoutais la cassette enregistrée il y a quelques mois chez Marie-Aude Shneïder. Je reconnaissais la voix rauque, douce et brisée de Marianne Losserand, sa diction de Bordelaise distinguée et son rire curieusement vulgaire.

Une demi-bouteille de Martini, j'avais sifflée puis vomie, la même dose de cognac, je m'étais bue, et maintenant j'avais à nouveau envie de gerber. Ce que je fis sur le tapis. Et Aïcha essuya en soupirant : « Ah la goisse ! la goisse ! »

Dans un grand geste théâtral, j'avais brisé le triple collier de perles de ma grand-mère Sarah, jeté quelques bijoux aux chiottes, ce qui avait obligé Aïcha, pour les récupérer, à plonger le bras dans les bas-fonds de la cuvette. Bref, devant mon esclave adorée, je faisais la folle. Alors pour me calmer, après avoir arrêté le magnétophone, balancé la cassette par la fenêtre, ramassé la pile de journaux où s'étalait sous des titres obscènes — genre « une-leçon-de-courage » — la photo de l'actrice avec vingt ans de moins, après m'avoir lavé la face à grands coups de serpillière, Aïcha se mit tranquillement à se griffer le visage en poussant des gémissements. J'étais épatée : je la voyais se chauffer comme une professionnelle, car au début visiblement ça la barbait de jouer les pleureuses. Au bout d'une demi-heure, elle s'arrêta brusquement et, d'un ton joyeux, me dit en arabe :

— Maintenant fin de la griffagerie indispensable. Buvons un café !

Toute l'histoire avait commencé une semaine auparavant. Malgré les quelques semaines où, grâce à une nouvelle chimio, elle avait pu se promener sans oxygène, Marianne, qui respirait de plus en plus difficilement, avait ressenti un jour de vives douleurs au niveau des reins, du ventre, puis elle avait vu sa jambe gauche enfler.

Pat Milhaud proposait une irradiation des ganglions du ventre, Bechir Boutros conseillait d'essayer de nouvelles drogues. Marianne, elle, souhaitait qu'on l'opérât.

— Mais on ne peut pas vous tronçonner, lui avait répondu, selon sa formule habituelle, la radiothérapeute.

A moi aussi, elle me faisait ce genre de douces remontrances quand, à la moindre douleur, je demandais qu'on sonde, fouille, vérifie.

L'actrice avait déjà pris date dans un service spécialisé en néphrologie. Elle avait aussi vu Samuel, qui pourtant n'avait pas été son médecin au début de sa maladie. Il semblait réticent sur l'opération, sceptique sur les bénéfices d'une nouvelle chimio.

— Alors c'est qu'il n'y a plus grand-chose à faire ? avait demandé Marianne.

Il n'avait pas répondu, s'était contenté de lui embrasser tendrement la joue. Pas besoin de lui faire un dessin : c'était cuit. Longtemps contenue, la maladie déferlait. Et justement quand Emmanuel, une fois de plus, avait disparu : cette fois, soi-disant pour faire retraite dans un couvent toscan qui recevait des intellectuels encloqués d'une œuvre qu'ils n'arrivaient pas à mettre au monde. Mais elle savait qu'il était à Quiberon, avec une productrice, Maguy G.

— Puisqu'il n'y a plus rien à faire, alors aidez-moi, avait demandé à l'apôtre de la « mort douce », la belle Marianne.

Il lui avait simplement prescrit des comprimés de Palfium à prendre lorsqu'elle aurait trop mal.

Mais elle détestait cette sensation d'être hors de son corps. Entre elle et les événements, elle ne supportait aucun barrage chimique.

Ce jour où elle avait cru comprendre qu'il fallait se préparer à la dernière séquence, était justement celui où, *en éclaireur de pointe,* elle devait se rendre à un cours de yoga.

Cela faisait quelque temps que nous débattions de cette importante question : comment garder notre sang-froid en toutes circonstances. « *Cool it down* », nous répétions-nous. « *Keep quiet.* » *Metkhafish,* comme disait Zoubeïda.

« Tu devrais refaire une petite tranche, me conseillait, l'œil humide, Noémi. Tu veux que je te retrouve le téléphone de Tsoulovski ? »

Ce cher Tsoulovski, ce cher Adolphe, lacanien du Quatrième Groupe, qui avait si merveilleusement libéré en moi la pulsion de mort et m'avait fixée à jamais sur ces corps nus, emmêlés les uns aux autres dans cette chambre à gaz. Very erotic, madame Frïedlander, cette partouze familiale au zyclon B. Ah, on peut dire qu'elle me voulait du bien Noémi !

En fait, Adolphe Tsoulovski, je l'avais revu depuis mon entrée en métastase. Une nuit, il m'avait téléphoné, prétendant que, venant d'apprendre par hasard que je ne l'avais pas quitté pour suivre un guerillero philippin mais pour cause de cancer et de rechute, il avait enfin quelque chose d'important à me dire.

Dans la pénombre, j'étais assise en face de lui sur le divan écossais.

— Vous êtes devenue très belle, m'avait-il dit. Puis : Vous êtes agréable comme Jérusalem... Mais terrible comme des troupes sous leurs bannières. Détourne de moi tes yeux car ils me troublent... Tes cheveux sont comme un troupeau de chèvres... Tes deux seins comme des faons, comme les jumeaux d'une gazelle.

Il scandait ses phrases, fixant de ses yeux gris qui brillaient comme ceux d'un extraterrestre mon crâne chauve et mon torse d'amazone, car pour le faire chier j'étais venue sans turban, sans prothèse, le chemisier ouvert sur ma cicatrice. J'avais mis un moment à comprendre qu'il me déclamait le Cantique des Cantiques. Je m'étais levée pour décarrer alors qu'il s'écriait en allemand : « Restez ! Vous êtes le temple de Jérusalem. La colonne est brisée. Qui reconstruira la colonne du Temple de Lola ? Moi seul peux vous sauver. Je vous accompagnerai jusqu'au bout. J'ai été réanimateur ! »

Lui abandonnant trois cents balles en remerciement de ses déclarations bibliques, je m'étais enfuie pendant qu'il répétait : « Méta. Méta. Métaphore. Métastase. Mise en scène. Mise en corps. Mise en bière. »

Non merci, Noémi, pour la nouvelle petite tranche avec Tsoulovski !

Moi, pour me rassurer, je descendais au premier étage de mon immeuble et je m'asseyais au petit déjeuner sur les genoux de tante Rivke (en survêt' tous les matins, après avoir mangé des oignons crus et bu du thé à la menthe, elle faisait de l'aérobic qu'elle appelait du « disco-shmoll ») et je l'écoutais me redire le discours dont je ne me lassais jamais : que la peur n'enlève pas le danger. Et que le diable est moins terrible que la peur du diable. Et que la maladie venait de la peur. Et au camp ces saletés d'*Aufseherinen* s'acharnaient particulièrement sur les déportés terrorisés. Et les cellules cancéreuses devaient être aussi lâches que les femmes SS et profiter de la panique du malade.

— Et puis d'ailleurs, Lolkelè, on vit sur un volcan. Je viens de lire un livre d'Haroun Tazieff. Pourquoi toujours avoir peur du cancer et de la guerre ? La terre va trembler. Et pas seulement en Afrique. *A Paris !* Et puis j'ai lu qu'un pêcheur à la ligne avait été mordu par un brochet. Le brochet portait un virus mortel. Le pêcheur est mort. C'est la vie ! La vie !

Et elle répétait interminablement sur tous les tons (méprisant, admiratif, ironique, sensuel, terrifié) : *Leïb !* en yiddish ou *Khaï* en hébreu. Et elle trinquait avec de nombreux *Lekhaym !* Oui, ma tante : à la vie ! à la vie ! Mais moi j'ai pas peur de la mort. Je trouve ça con, c'est tout. Mais j'ai vraiment peur de la peur.

Elle poursuivait avec son accent qui sentait le gâteau au fromage blanc et aux raisins secs :

— Ecoute, nièce à moi. Il y a des gens avec lesquels traverser la rue dans les clous est dan-ge-reux ! Et d'autres, comme *tva* et *moa,* qui toujours se sortent des situations les plus dangereuses parce qu'elles ont tête et couilles.

Elle disait *khoukhem* et *Mensh,* mais elle désignait de la main son cerveau et son entrejambes.

J'aimais bien aussi déblatérer avec Anatoli, le pope grec, qui tenait à l'UTATH ses quartiers dans l'escalier, au-dessous de l'étage des condamnés à mort. Il y offrait des thérapies sauvages :

— Occupe tout ton territoire, Lola, me disait-il. L'hôpital est à toi, Malcourt-sur-Seine est à toi, la banlieue nord, la banlieu est, la banlieue ouest, la banlieue sud sont à toi, Paris est à toi, le monde t'appartient. Fais ce que tu veux. Tu as tous les droits. Nage, Lola. Ris, Lola. Pleure, Lola. Danse, Lola. Vivre n'est pas un péché mortel. Il vaut mieux avoir des remords que des regrets. Être coupable que malheureuse...

Je ne me souviens plus de tous les conseils d'Anatoli, auquel je répondais toujours :

— I know. Et il vaut mieux être riche, célèbre, beau et en bonne santé que pauvre, inconnu, laid et cancéreux...

Donc, après moult discussions (psychothérapie, cri primal, psychanalyse transactionnelle ou Deltaplane — une malade faisait du Deltaplane pour se détendre), on avait opté, sur les conseils de Marc, le CRS amoureux de Marielle, pour le yoga. Lui le pratiquait depuis un an, et il prétendait que cela lui avait permis de mater, sans être stressé, une manifestation d'antinucléaires.

— Sinon, m'avait-il expliqué, quand il faut lancer les grenades lacrymogènes, j'ai les jambes molles, de la sueur dans le cou et les mains moites.

Alors, Marianne avait pris rendez-vous avec Sri Leïch, un mage hindou qui officiait dans le XVe arrondissement. La séance avait lieu dans le hall d'une école primaire travesti pour la circonstance en ashram : musique hindoue, bougies, tissus indiens aux murs, encens... Elle s'y était rendue avec Abraham des ambulances Guedj-Frères, qui lui servait de chauffeur. Pour la circonstance, il avait échangé sa blouse d'infirmier pour un survêt' bleu ciel barré de blanc. Et avec son immense étoile de David en or au cou, il avait l'air d'un drapeau israélien.

223

A genoux, sur de douteux tapis de bain, les mains en avant, méditant d'un air inspiré, les yogi : des personnes du troisième âge, en collants et survêtements.

« C'est fellinien », se disait injustement Marianne, qui les trouvait tous laids et malodorants. Ces deux hommes, par exemple, au physique de cadres, qui gisaient à ses côtés, lui donnaient l'impression d'être déjà des cadavres en décomposition.

Soudain, Sri Leïch — très beau, fine tête sombre, regard diabolique — fit son entrée une clochette à la main. Frisson dans la salle. Semblable à celui déclenché par le professeur Samuel Tobman, pénétrant dans la salle de chimio.

Les yeux fermés, tous les disciples s'étaient alors allongés sous une couverture.

— Expirez ! Expirez !, ordonnait le mage, à coups de clochette. Détendez-vous. Écoutez votre souffle. Vous êtes le souffle. Le souffle c'est vous.

Allongée, Marianne avait de plus en plus de mal à respirer.

— Vous êtes beau ! hurlait méchamment l'Hindou. Vous êtes pur. Le monde est pur. Le monde n'est qu'amour. Et, en agitant sa clochette comme un bouffon, il continuait à crier : Expirez ! Expirez !

Au lieu de se détendre, Marianne se sentait de plus en plus énervée.

— Vous êtes devant une montagne verte. Avec des arbres verts. Que la montagne est belle ! Regardez la montagne verte.

Il donnait soudain l'impression de s'adresser à des débiles profonds.

Malgré tous ses efforts, Marianne ne voyait qu'une colline brûlée au napalm. Comme ses poumons.

Ensuite, elle me raconta qu'au beau milieu de la méditation, alors que régnait enfin le silence, son ventre, ballonné par l'énervement, s'était mis à glouglouter, ce qui lui donna une crise de fou rire ; fou rire partagé par Abraham. Alors le mage les chassa, non sans leur avoir enjoint de glisser deux cents balles dans le panier en osier qui lui servait de cassette.

Marianne s'assit à l'avant de la CX blanche marquée du

signe bleu des véhicules sanitaires, et elle donna à Abraham l'ordre de se rendre place de la Madeleine.

Abraham, qui jouait à la perfection son rôle de chauffeur de maître, lui avait proposé de s'installer à l'arrière de l'ambulance, mais Marianne lui avait expliqué que, du temps où elle était la maîtresse du prince arabe, elle avait déjà l'habitude de s'asseoir à droite des chauffeurs. Aziz en était fou de rage ; il prétendait — à juste titre — qu'elle tentait ainsi de les séduire et de soutirer des secrets sur ses rivales.

Le ministre machrékien n'avait pas été le premier ni le dernier de ses amants, fiancés avec le pouvoir. Elle avait été très liée avec un dirigeant maoïste, devenu plus tard président d'une République africaine. Lui aussi avait fini tragiquement : ses gardes du corps, pourtant issus de sa tribu, l'avaient arrêté un matin et, à l'aube, il avait été fusillé sur une plage.

Plus tard, après le long chapitre Aziz El-Taghirt, et avant sa rencontre avec le jeune Emmanuel, elle avait séduit un secrétaire d'État allemand.

— Il est vrai, expliquait-elle à Abraham, que c'est plus facile de séduire un chef d'État qu'un plombier. N'importe laquelle de ces vilains petits boudins de journalistes vous le dira. Il suffit d'avoir l'occasion d'en rencontrer en tête à tête. Vous savez tout ce bla-bla-bla sur la solitude du pouvoir. Il suffit de les conforter dans cette idée, de leur dire qu'on se meurt d'amour pour eux, mais pas pour leur fonction. Prétendre que l'on ne rêve que d'une chose : qu'ils redeviennent de simples citoyens, de vivre à leurs côtés des joies simples et obscures. Une fois qu'on a connu un homme politique, un ministre, un chef d'État, c'est comme si on en avait connu dix. Comme ces mannequins qui sont successivement baronnes, duchesses, princesses. Les hommes sont ainsi : ils désirent toujours ce que leurs rivaux possèdent. Et les femmes les plus désirées dans ce milieu sont celles dont les maris ont été violemment trucidés. Les veuves d'hommes assassinés sont les plus érotiques. Elles ne chôment jamais.

— On ne prête qu'aux riches, quoi ! avait conclu Abraham.

Ils s'arrêtèrent chez Guérard pour acheter des pâtés de cailles « nouvelle cuisine », puis chez Fauchon pour les fruits exotiques, chez Androuet pour les fromages et chez Legrand pour le champagne et les vins. Marianne donnait le lendemain sa dernière fête en l'honneur de ses cinquante ans.

En dehors de notre petite bande, elle y avait convié tous ses anciens amants et courtisans — enfin les survivants. Un producteur de ses amis, avait trouvé l'idée géniale et proposé de filmer la soirée en vidéo : cela servirait de référence au moment où l'on tournerait enfin son scénario sur le voyage en cancer. « Si elle le terminait, bien sûr, depuis le temps qu'on en entendait parler ! »

— Ce serait super, avait-il dit : toutes ces femmes maigres, sortes de cadavres ambulants, trop fardées, chauves, dansant entre elles. Et le public sait qu'elles vont mourir. Puis l'héroïne se couche, autour d'elle tous les hommes qui l'ont aimée. Sans jalousie. Tous réconciliés. Et le public sait qu'elle va trépasser.

Il avait trouvé encore plus sublime l'idée de filmer Cathi qui repeignait son appartement avec Jean-Pierre :

— Ils ont un cancer, et pourtant, ils font des projets d'avenir. Ils abattent des cloisons, en reconstruisent d'autres. Ils sont dans la vie. Et pourtant, ils vont mourir !

C'est lui qui avait passé l'arme à gauche, à New York, où il s'était rendu par hasard à la place de son associé. Connement. Poussé sous les rails du métro, par un rieur inconnu.

La dernière querelle de l'actrice avec Emmanuel avait eu lieu justement à propos de ce scénario :

— A part Resnais, lui avait-il doctement déclaré, je ne vois vraiment pas qui pourrait faire la généalogie d'une maladie. Et d'ailleurs pourquoi le cancer ? Et pourquoi pas la rectocolite hémorragique ? Et pourquoi une actrice ? Pourquoi pas le drame d'une clocharde affligée de rectocolite hémorragique et qui ne sait où chier son sang ? Pas assez mélo ?

La vision de la clodo à la recherche d'un immeuble sans code, dans le hall duquel elle pourrait déféquer, lui fit remarquer Marianne, était plutôt triste.

— Alors l'histoire d'une colique néphrétique ? D'un ulcère d'estomac ? Il faudrait en fait filmer le mot cancer. Car seul le mot est intéressant. A part Godard, qui peut filmer un mot ? Mauvais sujet. Le cancer, madame, c'est un docu-drame, la fiction type mitterrandiste. La fiction des sociétés qui n'ont plus d'histoire, n'ont pas lu Baudrillard, et qui ne savent pas que le social n'aura pas lieu. Avoir un cancer c'est la dernière aventure individuelle. Un peu de vraie solitude, de terreur, de sacré. Tu n'avais pas d'histoire Marianne. Tout juste un curriculum, des anecdotes dans *Cinémonde*. Et te voilà avec un destin.

Marianne en était restée comme deux ronds de flan. En fait, cet imbécile récitait plus ou moins un article de *Libération*. On verrait bien, lorsqu'il aurait un cancer — une chance sur cinq, sur quatre bientôt. Et rirait bien qui rirait le dernier !

Je ne vais pas décrire cette fête. Il y en eut tant et tant depuis le début de cette saleté de maladie. Fêtes roses et vertes de Cathi — saumon, jambon, asperges, verdures, sorbets aux fraises et à la pistache —, fête orientale donnée par la malade égyptienne dont le père avait été assassiné en 1956 à Gaza par des soldats israéliens et qui m'avait dit « *You are my jewish sister* », ce qui m'avait fait sangloter (« Sauf que ton pater il a pas été trucidé par les Égyptiens », m'avait fait ironiquement remarquer Félix Katz). Fête portugaise chez Flore, la couturière portugaise amoureuse de son neveu, juste avant qu'on ne lui découvrît un nouveau cancer à la vessie, indépendant de son cancer du sein, cancer dont elle se tirerait une fois de plus. Fête des fiançailles de Marielle, dont la métastase au poumon avait miraculeusement disparu en deux mois, grâce à l'amour du CRS.

Je me souviens simplement que nous étions toutes ce soir-là de soieries vêtues. Ah, le kaftan de velours or de Zoubeïda ! Le smoking en moire blanc cassé de Marie-Aude !... Jeanne, elle, portait une robe beige en crêpe georgette ; Cathi, des Kickers et un bustier en shantung écarlate ; Marielle, une jupe longue en satin imprimé noir et blanc assorti au costume polo de Marc ; la petite Anna, dont la mère avait été laissée en liberté sous contrôle judiciaire mais qui vivait toujours chez Ange Francini, resplendissait dans une robe en taffetas écossais à dominante vert et bleu. A moitié nue sous une abaya koweïti en mousseline noire brodée d'or, comme en portent sur leurs robes les femmes du Golfe, Marianne était superbe. Et moi, je paradais comme d'habitude dans ma célèbre combinaison en velours noir qui, avec mes grandes bottes, me donnait l'air d'un tankiste de la division Das Reich.

On avait bien dansé, bien mangé, bien bu, merci Petit Jésus. Enfin, les derniers invités, amants, maris, enfants étaient partis. Emmanuel lui-même avait prétexté un besoin urgent de réfléchir en marchant le long des rails de la petite ceinture du côté de la porte du Château-des-Rentiers.

Et nous étions enfin seules, buvant le thé à la menthe et grignotant les gâteaux au kif que Zoubeïda nous avait préparés. Ceintures, perruques et chausses enlevées, lovées les unes contre les autres sur la moquette, c'était le pied ! On se passait les joints que Cathi nous roulait : « Juste une taf », répétait Jeanne qui venait de découvrir l'expression mais qui tirait sur la clope comme si c'était une bouffarde. Moi, je préférais nettement le Valium. Mais enfin si c'était bon pour les cancéreux !

L'herbe faisait son effet : on se tordait connement à la moindre parole. Marianne avait mis un disque de Fatima Ibrahim Al Sayed al Baltagi, dite Oum Kalthoum, la défunte opiumesse du peuple égyptien, chanteuse préférée du non moins défunt Abdel Aziz El-Taghirt qui, après la guerre des Six Jours, ne se lassait pas d'écouter, les larmes aux yeux, la main sur son pistolet Beretta, « Al Atlal » (Les Ruines). Et Marianne ne savait pas alors s'il pleurait sur les ruines de leur amour (« Ô mon âme, ne me demande pas où est le passé. C'était un édifice de rêve et il s'est écroulé ») ou sur les ruines de l'Égypte et du monde arabe qui venait de « se la faire mettre » (c'était l'expression du ministre de la Défense) par « nos cousins les Juifs ».

Et le prince secrètement baathiste s'envoyait son litre de Dimple, fredonnant : « L'amour a-t-il jamais vu plus ivres que nous ? » au lieu de répéter le slogan de son parti clandestin *Ouwahta ! Hourya ! Ishtirakya !* [1].

Nous écoutions la Diva speedée à la coke, *Ana fi antazak* (je suis dans ton attente) ou *La ya habibi* (non, mon amour), et Marianne nous disait que les Arabes, eux, savaient aimer

---

1. Unité — Liberté — Socialisme.

puisqu'ils avaient une dizaine de mots pour désigner les variations du mot « amour ». Et ça laissait Zoubeïda rêveuse : car son époux, H'saïn, comme tous les hommes qu'elle connaissait, adorait écouter Oum Kalthoum, mais seulement en compagnie de ses congénères.

Et moi, je ricanais. Et si je ricanais, c'est que tous les titres des succès de l'idole des fellahs et des princes racontaient mon histoire : *Ana Omri,* tu es ma vie, *Baïd Annek,* loin de toi, *Fat al miad,* le rendez-vous est passé, *Lessaba Haddoud,* ma patience a ses limites.

J'avais été cette petite fille, cette femme folle d'amour fou pour un homme absent, qu'elle attend des nuits entières en demandant : « Pourquoi ? Pourquoi ? » C'était à Alger, dans cet hôtel glacé aux volets cassés, d'où l'on entendait les sirènes des bateaux soviétiques dans le port, lorsque j'avais connu Rafaël Leonidad, que nous avions écouté ensemble pour la première fois *Ya ritt :* « J'aurais aimé ne jamais aimer. » — *Ah, pleurez pas, Lola, au ciel, au ciel tous les amants sont réunis.*

— Vous connaissez le coup du saké ? demanda Cathi, pliée en deux de rire. Comme d'habitude elle parlait cul Aucune de nous ne connaissait le coup du saké.

— C'est très simple, expliqua notre amie avec force gestes. C'est un truc de geisha. Irrésistible. Tu fais une pipe à ton jules, la bouche pleine de thé chaud mêlé à du saké. Bien sûr, il faut prévoir une grande théière car tu te marres tellement que soit tu avales, soit tu craches...

— C'est impossible, dit la petite Anna.

— Qu'est-ce que t'en sais ? T'es qu'une lardonne de douze ans, s'exclama Marielle qui ne supportait pas la gamine depuis qu'elles avaient partagé la même chambre.

— Je sais tout sur cette histoire de pipe, dit Anna. Yves a dit à Cathi : « T'es pas la reine de... » Et elle a répondu : « Ça se discute. » Il lui a donné une leçon en six points : « Respirez par le nez, en cas de rhume des foins, abstenez-vous. Les dents... Attention aux dents. Élémentaire mon chez Watson... »

Et elle se marrait, Anna. Je la regardais Et je comprenais

l'amour que lui portaient Bechir et Patricia. Non qu'elle fût particulièrement lolitesque. Une banale petite fille brune au nez un peu fort, aux yeux un peu tristes, à la grosse bouche légèrement déformée par une dentition irrégulière. Mais elle avait déjà le regard sombre, transparent, grave et gai de ceux qui sont déjà morts plusieurs fois. — *Ach so?*

Anna, elle aussi, comme les adultes, prétendait avoir décidé de ne plus venir dans cet hôpital pourri, affirmait refuser à l'avenir ces lourds traitements, cette médecine de pointe, parlait d'aller voir un acupuncteur auvergnat, un guérisseur philippin ou de s'installer peinarde avec des copains à la campagne et vivre sa vie quelques mois, quitte à en mourir plus tôt.

On lui disait : « T'as pas le droit, t'es mineure, c'est ta mère qui décide. »

Parfois, je me demandais pourquoi les enfants atteints de maladies dites mortelles n'auraient pas eux aussi le droit de décider du moment où ils voudraient arrêter les frais. Facile, quand il s'agit des gosses des autres. Oh, mon Bolivar, mon David, mon amour, mon fils, que je meure mille morts mais que jamais tu ne sois atteint.

Anna continuait-elle à se soigner pour le fameux dur désir de durer ? Pour faire plaisir ou au contraire emmerder sa mère ? Par amour pour Bechir ?

Pourquoi le jeune cancérologue avait-il refusé d'emmener la petite fille à Venise comme elle le lui avait demandé ? « Remarque, m'avait-elle dit, ça aurait été le bide. On rêve de Venise et quand on se retrouve comme deux cons en train d'enlever ses godasses de chaque côté du lit dans la chambre minable d'un hôtel qui ne donne sur aucun canal car toutes les chambres du Danieli et même celles de l'Academia sont occupées... »

— *Comme beaucoup de malades, comme vous, Lola, elle lisait les suppléments touristiques des hebdos. Vous, une semaine, sur les photos du Palm Beach de l'île de Nossi-Bé dans l'océan Indien, vous rêviez ; huit jours plus tard, plus sagement, sur le Yatt Regency, 5, Embarcadero Center à San Francisco. Mais par la fenêtre, c'était toujours le toit de la synagogue que vous aperceviez. Il est vrai dans le quartier de*

Paris, qui eut l'honneur un jour de juillet 1942 où il faisait très chaud, d'être le plus touché lors de la rafle dite du Vél' d'hiv' ! Ah, pour voyager, vous voyagiez dans ce quartier.

— Jouons au jeu des gros mots, proposa Anna en allant dans la cuisine chercher du pain et de la confiture car elle avait un petit creux. On entendit : pipi, caca, con, merde...

Je ne sais qui démarra. Ce fut Cathi, je pense : Bite, queue, quéquette, gland...

— ... Braquemard, biroute, bout, paf, poireau, enchaîna Jeanne, que je n'avais jamais vue aussi déchaînée.

— Chinois, manche, nœud, jeta Marianne sans conviction, en toussant entre deux bouffées du joint que nous continuions à nous passer.

— ... Berdouillette, tracassin, osa joliment Marie-Aude.

— ... *Az-zob, Hammyma, al attâk, bou Shlagham, el mmallem*... proposa Zoubeïda, du bout de ses jolies lèvres sombres — n'osant expliquer à ses amies que son grand-oncle, le Fqih Ben Hamou, lui avait appris qu'il y avait pour désigner la verge de l'homme le même nombre de mots que pour désigner Dieu : 99.

La régression totale ! Des couilles au trou de balle, en passant par le vagin, les nibards, tous les organes sexuels y passèrent. Et mes amies se bidonnaient de plus en plus. Moi, j'avais la tête vide, le hash me rendait triste et débile et je ne savais que répéter *Leck meïn touress*[1]. Ce qui au lycée Victor-Hugo, où dans les fifties la majorité de la classe était juive et orpheline de guerre, était le comble de l'audace.

Comme à Anna, l'herbe me donnait faim de sucreries. Et j'allai dans la cuisine chercher les ingrédients pour me confectionner des régalos : tartines de Nutella ou au lait concentré. Le pied c'eût été de préparer, comme lorsque j'avais sept ans dans cette maison d'enfants de déportés, des tartines au dentifrice...

Évidemment, je fis école : Jeanne eut envie de purée mousseline, Marie-Aude de Blédine (« prévue pour les biberons d'Emmanuel », demandais-je perfidement à Marianne) ; Zoubeïda et Cathi mélangèrent du chocolat en

_____
1. « Lèche mon cul. »

poudre, du lait et des cornflakes. On lapait, on suçait, se servant des pognes comme louches, on se léchait les unes les autres. Je crois bien que je tétais un des gros et beaux seins de Zoubeïda qu'elle avait recouvert de confiture d'abricots.

Écroulée dans l'amas de corps chauds, je me disais que nous étions des australopithèques indestructibles ; de nos ventres sortiraient 250 000 générations qui se battraient et s'aimeraient. Moi, j'étais Lucy, une de mes ancêtres qui vivait il y a cinq millions d'années au bord des grands lacs du sud de l'Éthiopie. — *Eh oui, puisqu'en vos bons jours vous descendiez de la reine de Saba.*

Comme grand-mère Lucy, je mesurais un mètre, je pesais vingt kilos, j'avais les jambes courtes, ce qui m'obligeait à trottiner, le ventre et le sexe exposés à la griffe et aux dents des grands prédateurs. Je disputais le territoire et la forêt nourricière aux chimpanzés. Elle, Lucy, n'avait pas besoin du cancer pour se faire peur. Je l'imaginais, s'aventurant dans la savane sèche, couverte de hautes herbes, de buissons épineux, à la merci des fauves redoutables. Eh bien, comme Lucy, me disais-je, je ferai face !

Je me mis à marcher sur les genoux, poussant de petits cris effrayés : *Huck !* Personne ne comprenait rien à mon histoire de chimpanzés, ni pourquoi je protégeais mon sexe des deux mains. Évidemment, je me fis mal à la *ellekatre* et je hurlai : « Ma métastase ! »

— Les hommes, c'est comme des grains de raisin, chantait Marianne. Ça se croque et on recrache les pépins...

Toujours, j'avais aimé les réunions où les copains, ceux qu'on connaît depuis vingt ans, répètent les mêmes conneries décousues : « On met le déconnage automatique et on décolle », disait Simon quelques mois avant sa mort, une nuit où les uns radotaient sur la fin de la guerre d'Algérie (et fallait-il soutenir à l'Indépendance la Fédé de France et le GPRA ou Ben Bella et l'Armée des frontières), sur le congrès de l'UEC en 1965 (Et qui était alors « chinois », « italien », « trotskiste » ou « stal », on ne savait plus / Et *el foco* / Et la guerilla du Che / Ah ! la, la, les Cubains — Quoi les Cubains ? / Et Mai 68 et tu te souviens de Dany / Et les années 70 — A Fresnes, dit Simon, je rencontre X de la GP. et il m'avoue qu'il est pédé… — / Et les uns et les autres comme dans un film de Sautet bien franchouillard : Koukou et ses médecins sans frontières / Et tu crois que si Y n'était pas tombée amoureuse de Fidel lors du voyage de l'UEC / Et pourquoi Régis n'est pas venu / Et Jean-Hedern quelle vomissure / Et Marc qui se prend pour Kessel / Et tu te souviens du camp de l'UEC en Sardaigne en 1963 / Et pourquoi on ne se retrouve qu'aux enterrements, quand un copain se suicide ou est assassiné / On devrait s'appeler le Mouvement Roblot / Et V qui est à Sainte-Anne / Et W qui s'est défenestré / Et qui est, mesdames, le coup le plus rapide de Paris ?… Non, c'est·pas Philippe Sollers / Et les anciens maos sont tous des pervers / Et on ne va pas chialer sur les copains qui se suicident / S'ils avaient eu le pouvoir ils auraient été pires que Pol Pot / Les pervers ce sont ceux qui ne se suicident pas / Ils vont prendre le pouvoir / Ils sont clean, ils ont leurs coteries / Et Baader était fou et con / Mais il est mort / Z, il est fou et con, mais il n'est pas mort / Et s'il prend un jour le pouvoir il nous flinguera tous.) Ah, quel déconnage !

« On devrait donner des numéros aux discours », avait proposé Simon qui venait de sommer Jean-Paul de rompre avec BHL. On les connaît tous par cœur. Lola dit : « 23 », je réponds « 36 », Roland enchaîne « 2 », Mado « 13 »…

— *Vous voilà repartie, ma bonne Lola, sur* the good old time *quand Simon était encore vivant, que vous n'aviez pas de métastases. On vous l'a répété : c'est pas le sujet du livre. Et puis, ça suffit les : Pourquoi Simon s'est-il fait descendre comme ça ? A-t-il pu au moins, lui qui chantait : « la mort n'éblouit pas les yeux des partisans », a-t-il pu regarder ses assassins dans les yeux ? Nous savons : avec votre père, avec Rafa, c'est le seul être dont l'absence vous reste insupportable. « La personne que vous attendiez ne viendra plus », ricanerait-il, parodiant Kafka. « Mais ça ne fait rien, elle l'attendra de peur de la manquer en s'éloignant. » Ou bien, sarcastique : « Connaît-elle la sentence ? — Non, dit l'officier, il serait inutile de la lui faire savoir puisqu'elle l'apprendra sur son corps. »*

Et cette histoire dont il prétendait qu'elle était la préférée de

Kafka : « Deux juifs fuient les pogroms de Kishinef, débarquent à Paris au moment de l'affaire Dreyfus. — Je ne peux rester dans ce pays antisémite, dit l'un, je pars pour Kaboul. — Pour Kaboul ! s'exclame l'autre. Si loin *! Et le premier hochant la tête : Si loin d'où ? »*

Simon encore : « Parfois je me réveille la nuit, je pense aux gardes mobiles qui gardaient les raflés du Vél' d'hiv'. Et c'est la haine qui me tient en vie. Un jour, je me vengerai. » Et il ajoutait sur le ton du complot, comme si vous eussiez été dans le même réseau de Résistance à Lyon en 1943 : « A toi je peux tout dire. » Et de vous donner des noms, des adresses. Et un tel avait été milicien, et tel autre était un néo-nazi qui faisait de fréquents séjours en Espagne. Et Bousquet, le secrétaire général de la police nationale à Paris en 1942 et Legay, son adjoint, tu sais où ils habitent ? Et Tulard, tu veux que je te dise qui c'était ? Et tu connais le réseau Odessa ? Et les " fiancées de la mort ", l'organisation de Klaus Barbie, tu connais, Lola ? Et Mengelé, tu sais que j'étais sur ses traces au Paraguay, Lola »... Bon, Lola, on change de disque ?

— Moi, puisque je suis de toute façon condamnée à mort, je vais tuer quelqu'un, annonça Marianne.

Et toutes d'applaudir.

— C'est vrai, dit Cathi. On ne risque rien. Condamnées à mort pour condamnées à mort.

On décida, crayon en main, de dresser des listes et, pourquoi pas, d'échanger nos crimes.

Marianne buterait la mère de Marie-Aude, laquelle flinguerait Magy G., la productrice, amante d'Emmanuel ; Jeanne truciderait le père de Cathi qui avait abandonné sa mère à sa naissance et possédait des biens au soleil en Suisse où il avait émigré à la fin de la guerre d'Algérie ; Anna empoisonnerait Zineb la grognasse de H'saïn et Zoubeïda s'arrangerait pour donner double dose de chimio à une malade qui agaçait la petite fille.

— Ainsi, dit Anna, elle aura une chute de plaquettes, elle aura des hémorragies internes et elle crèvera.

Et moi ? Qui voulais-je faire disparaître ? J'hésitais : devrais-je me rendre à Koenigsteïn-Taunus, Wiedbadenstrass, et demander à parler au paisible Dr Fritz Merdsche, honorable juge retraité du tribunal de Francfort et qui avait été à partir de 1942 ce charmant jeune homme qui fit jeter trente-cinq Juifs dans un puits près de Bourges et fut, en tant que responsable de la Sipo SD de la région d'Orléans, responsable de milliers de déportations et de dizaines d'exécutions ? Ou bien était-ce à Leer, en Basse-Saxe, face à Hans Dietrich Ernst, commandant à l'âge de 34 ans de la Sipo d'Angers, que je devais sortir mon pistolet Beretta muni d'un silencieux et dire calmement, avant de tirer des deux mains, bien calée sur mes deux jambes légèrement écartées comme je l'avais appris dans une vie antérieure, dire doucement : « Cher Hauptsturmführer, je suis la fille de Leïb Frïedlander, ce jeune homme roux aux yeux bleus, avec des taches de rousseur dans le dos et un sourire inoubliable, que vous avez ravi à mon amour un jour de septembre sur les bords de la Loire. »

— *Ça suffit, Lola. Vous ne l'avez pas fait. D'ailleurs, ce ne sont pas ces nazis qui vous fascinent tant, que vous auriez, enfant, souhaité exécuter, mais toujours celle pour laquelle il avait commis l'imprudence de dormir deux nuits au même endroit, la belle petite Mireleh, son dodu cul, son ventre plein, son sexe humide qui le rendait fou au point de jouer sa vie pour ça : une nuit dans sa moiteur liquide. Et la petite fille sur son matelas par terre avait tout vu, tout entendu ; papa faisait de curieuses choses dans la bouche de maman, et elle riait, renversée en arrière, et elle disait en yiddish : « Mishugè, mon amour fou, j'en ai partout. » Et, à genoux sur elle, il recommençait entre ses seins et elle riait toujours. Comme elle rira plus tard dans les bras du bel Aaron Nussenberg. Et la petite Lola ouvrira tous les matins le tiroir de la table de nuit après la naissance de Noémi pour trouver, sur le répugnant vieux morceau de serviette éponge pollué, la trace de l'infidélité.*

L'aube se levait sur le XVIe arrondissement. Les lumières de l'autre côté de la Seine s'allumaient dans les hideux immeubles du Front de Seine. Livide, les narines pincées, le maquillage craquelé, Marianne avait de plus en plus de mal à respirer. Elle s'était branchée à la bouteille d'oxygène et après avoir, debout, souriante, dit au revoir aux copines, elle s'était couchée dans sa chambre laquée de noir.

Chaque respiration était une insupportable douleur. Elle se décida à prendre un peu de potion de Saint-Christopher, la magique mixture à base de morphine et de coke qui rapidement la soulagea. Elle dormit un peu. Si belle.

Puis elle se leva et tranquillement prépara sa valise.

C'est alors qu'Emmanuel rentra, l'air innocent des coupables. Ou le vice dans le versa, comme dit Cathi.

— Vous avez l'air bien joyeuses, nous dit-il. Quel chantier ! Qu'est-ce que vous avez encore fait ?

Marianne ne répondit pas et continua à ranger ses papiers dans son secrétaire qu'elle ferma à clef. Son visage était lisse, son regard presque gai. Le jeune philosophe se mit en pyjama et tenta de l'embrasser. Elle le repoussa.

— Qu'est-ce que tu as ? Tu es amoureuse ? T'as rencontré un type ? Avec qui as-tu rendez-vous ? Tu pars où ?

Mon amie, très affairée, ne répondait pas. Le jeune homme semblait au comble de la douleur :

— Tu m'en veux pour ces derniers mois ? Mais écoute : c'est dur la maladie. Quand on a une femme malade... Certains vont au bordel. Moi, moi...

Elle le coupa : « Moi, moi, moi ! » Puis dit froidement :

— Aide-moi à porter mon sac de voyage jusqu'à l'ascenseur. Un chauffeur m'attend en bas.

— Un jour, Marianne, je te quitterai ! Et tu en mourras ! hurla comiquement Emmanuel.

Elle l'embrassa sur les paupières :

— C'est moi qui te quitte, mon ange bleu.

La scène qui suit, je l'écris mais je ne suis pas sûre de tous les détails.

Depuis longtemps, depuis qu'elle souffrait atrocement, Marianne avait pris rendez-vous avec Samuel. Je crois que la seule chambre libre était celle où Mains diaphanes était morte, dans cette partie de l'hôpital que j'appelais le « revier » et devant laquelle je me signais intérieurement, moi qui n'étais pas chrétienne.

Démaquillée, dans sa chemise de nuit en coton blanc, mon

amie ressemblait à une de ces jeunes filles tondues à la Libération pour avoir aimé un soldat allemand. Je sais qu'elle s'était parfumée et longuement demandé si elle devait changer de slip. Moi aussi, à la veille de ma énième tentative de suicide, ma grande préoccupation était : devais-je porter une culotte ?

— A quelle heure veux-tu dormir ? avait gentiment demandé Samuel.

— Quand il fera nuit noire. Avez-vous un alcool ?

Il avait secoué la tête.

— Publicité mensongère, avait ironisé Marianne, faisant allusion à son livre : *On ne meurt qu'une fois, pourquoi avoir peur de la seconde ?* On vous dénoncera. Remboursez.

Je suis venue dire au revoir à ma belle star déchue. — *Au revoir ? Vous lui avez dit « au revoir » ? Ça m'étonne de vous, Lola. Ou alors c'était pour conjurer le sort.*

La nuit commençait à tomber. On ne voyait plus les grues. La chambre était éclairée par la lumière du couloir. Nous étions tête-bêche sur le lit, buvant le mauvais whisky qu'Adeline Durand avait déniché dans le bureau de Bechir. Jamais je n'oublierai la douceur de ce moment.

— Je n'ai pas terminé le scénario, tu vois, m'a dit Marianne. C'était comme mon cancer. Ça proliférait de partout. Comment fait-on pour terminer un récit sur le cancer ? Par la guérison ? La mort ? Dans mon testament, j'ai légué ces notes, ces scènes, ces bouts de dialogues à Emmanuel. Mais il n'en fera rien. Alors tiens. Prends ce sac.

C'est ainsi que je possède un manuscrit, des carnets de notes et ces cassettes où elle avait interviewé des malades.

Je prétendis, bien sûr, que je lui rendrais ces documents dès que je les aurais lus, que nous travaillerions ensemble, que l'hiver prochain tout irait mieux.

— Oui, fais des projets, ma Lola, dit-elle avec ironie.

— Ça ne m'empêche pas de rédiger des testaments, dis-je. J'en suis à mon dixième.

— A qui as-tu légué ton faux sein ?

— A ma rivale, avec un grand R, dis-je. Peut-être partage-t-elle la couche de Rafaël, le père de mon fils !

Nous eûmes une dernière crise de fou rire. Mais je sentais

bien que Marianne étouffait. Elle faisait le petit chien comme si elle eût été en train d'accoucher. Je lui caressais la main, j'aurais voulu lui faire du bouche à bouche. Mais je savais qu'elle avait, comme on dit, « baissé les bras » depuis longtemps.

— Cathi et son histoire de fellation au saké, murmura Marianne les yeux fermés.

— Encore le cul, dis-je, faussement indignée.

— De quoi veux-tu qu'on parle ? De l'immortalité de l'âme ? Moi ce que je regrette de la vie c'est l'odeur de sueur des hommes parfois. Et le goût de la bouchée de gruyère mélangée à de la pomme golden et à un peu de salive sentant le tabac blond. Je regrette de ne pas avoir fait l'amour avec tous les amants qu'on m'a prêtés.

— Tu ne regrettes pas le temps où tu étais une grande vedette ?

— Si, me dit-elle, je regrette. A cause du souvenir des sandwichs au pâté, du bar des studios de Joinville qui n'existent plus...

Je lui proposai de trouver dans l'hôpital du saucisson ou des rillettes pour pousser le whisky.

— Trop tard, dit-elle en regardant sa montre Oméga en or sertie de diamants achetée à Bahreïn. Elle l'enleva et me l'offrit.

Tout alla ensuite si vite. La lumière s'alluma. Vivi, suivie d'Adeline Durand, entra dans la chambre une perf' à la main.

— Vous êtes prête ? demanda Vivi, le visage impénétrable mais doux.

A moi, elle me dit sèchement de partir. Je sortis à reculons, envoyant des baisers à Marianne qui me dit, levant son verre d'un geste si las : « A ta santé, Lola. »

Puis je l'entendis s'écrier faiblement : « Je t'aurai à peine connue. »

Voilà pourquoi au milieu des journaux qui annonçaient la mort de Marianne Losserand des suites d'une longue et cruelle maladie, j'étais complètement sonnée ce jour-là.

Je n'avais pas débourré lorsque Noémi me trouva le lendemain matin mon litron à la main.

— Ah ! la la, me dit-elle de son ton kapo, qu'est-ce que ça peut te faire qu'elle soit morte celle-là ? C'est pas ta sœur. C'est pas ta mère. Tu ferais mieux de t'intéresser à moi qui suis vivante... C'est vrai, Lolette. A ta place moi je. Moi. Je.

Je lui collai avec un intense plaisir une tarte. Dieu que la vie était belle ! Ah, Noémi, ma tigresse de papier, si tu n'existais pas, il faudrait t'inventer !

22

Noémi voulait se suicider. Alors, je lui avais offert une brochure anglaise sur les diverses façons de se supprimer : pendaison, noyade, défenestration, hara-kirisation, balle dans la tempe ou dans la bouche, ciguë, grève de la faim, électrocution, cyanure, etc. Sans parler de méthodes moins barbares à base de roses petites pilules.

— Tu es un monstre, m'avait-elle déclaré.

Pourtant, la veille, au retour de l'enterrement de Marianne Losserand (se mouchant sur mon épaule, Emmanuel y sanglotait comme un veuf éploré, et tous les producteurs qui avaient laissé tomber l'actrice, en ne lui donnant plus de travail, les metteurs en scène qui lui avaient fait croire qu'ils tourneraient son film et s'étaient tous dégonflés — vivre un an avec le cancer, tu sais coco — vantaient, en chuchotant, pendant qu'on descendait le cercueil dans la fosse, son merveilleux talent, son imagination, son intelligence), au retour donc du cimetière de Montmartre, Noémi nous avait longuement expliqué que la vie ne valait pas la peine d'être vécue. Et Cathi, brave fille, avait essayé de lui remonter le moral, lui disant qu'elle était ravissante, aimable, douée pour tout ce qu'elle entreprenait : et bien sûr, cadre dans la pub, c'était pas prof de philo ou analyste, mais ce n'était pas si mal ; c'était « créatif ».

Noémi avait néanmoins continué à nous les courir, en geignant que si je n'avais pas été malade et que si je guérissais un jour, j'aurais immédiatement envie de me suicider. Et de son air de dame d'œuvre :

— Car on ne change pas Lolette. C'est notre histoire. Nous avons à peu près le même bagage génétique. On n'est pas doué pour la vie. Toi, peut-être pour la survie. On a tout raté. Tout... (Sa voix, comme toujours lorsqu'elle était émue, devenait nasillarde et aiguë.) Dans le fond, vous avez de la chance d'avoir un cancer. Ça vous donne une raison de vivre. C'est vrai, Lolette, vous avez un but dans la vie.

Tout juste, Auguste ! avais-je pensé en me mordant les lèvres pour ne pas gémir car j'avais de nouveau mal à mes vieux os et, une fois de plus, je ne pouvais localiser l'origine du mal : tête écrasée dans un casse-noix, quelqu'un m'étrangle, mon bras gauche se tétanise, mes extrémités se vident de leur sang... Et la douleur dans les reins, les hanches, les cuisses. Bref, j'en avais, j'en étais sûre, partout *again*.

Je n'osais appeler Samuel, je n'osais appeler Boutros, je n'osais appeler aucun des cancérologues, rhumatologues, pneumologues et autres *logues* que j'avais réussi à séduire avec mon cancer mosaïque.

Seul le bon Félix Katz ne m'enverrait pas sur les roses. D'ailleurs, sa spécialité, c'était le cœur, et j'avais l'impression permanente que mon cœur battait d'un rythme anormal. Je devenais hypocondriaque.

Certaine de la première réaction du professeur Katz, je prévins sa secrétaire :

— Dites-lui que j'ai *déjà* pris un Valium.

— Prends-en un second avec un verre de whisky, me conseilla-t-il ironiquement, abandonnant son patient, un ministre auquel la mauvaise tenue du franc bouchait les coronaires. Et il ajouta, goguenard : « C'est pas parce que tu aimes à la folie un cardiologue que tu dois avoir un infarctus. »

Puis il m'admonesta paternellement :

— Tu verras, Lola, tu regretteras dans quelque temps de ne pas avoir profité de ta rémission. Car tu es en rémission. Et d'ailleurs, nous allons en avoir le cœur net, crapule.

Et il téléphona à Bensoussan pour qu'il me fît d'urgence une scintigraphie osseuse dans sa clinique de luxe. Il me semble bien qu'il me dit que je n'allais pas vivre ainsi trois ou quatre ans dans l'inquiétude. « Car tu peux vivre aussi longtemps, Lola. C'est jouable ! »

J'étais la ruine de la Sécurité sociale : en un mois, je m'étais fait prescrire deux scanners du cerveau par mes divers « logues » et « thérapeutes ». « Dans le fond, Cathi et toi vous êtes des cancers de luxe », m'avait dit Vivi. On vous gâte. Vous charmez tous les médecins. Toi, tu souris. Elle, ouvre ses grands yeux bleus. Et hop ! une radio, un scanner, une scinti, des bilans et des re-bilans. »

Charmerions-nous la Blême ? — *Facile, Lola Frïedlander !*

— On n'est pas des privilégiés, m'avait expliqué il y a quelques jours la jeune coiffeuse. Ce sont les autres qui sont des défavorisés. Écoute, Lola, fais comme moi. Faut pas se laisser faire. Une fois qu'on sera bouffé par les vers, ça nous servira à quoi d'avoir été de bonnes citoyennes, de ne pas s'être fait remarquer, de n'avoir rien exigé, d'être mortes avec « pudeur », « dignité » ?

Donc, poussée par Cathi, j'avais essayé d'opter pour la ligne « chantage au cancer ». Qu'auriez-vous fait à notre place ?

Le directeur de la banque m'avait autorisé un découvert égal à l'ancienne moyenne mensuelle des honoraires que je ne percevais plus.

J'étais allée rendre visite à l'inspectrice des impôts — une dame solide à l'aspect sévère — qui, dans le temps, me terrorisait : oui, j'avais des années d'arriérés d'impôts mais j'étais seule avec un enfant, j'avais un cancer, des métas-tases, je ne savais quand je pourrais retravailler. D'ailleurs, j'avais peu de chance de vivre plus de deux ou trois ans dans le meilleur des cas...

Elle me regardait, le visage impénétrable. Je me mis à pleurer. Ce n'était pas de la comédie : je m'émouvais moi-même ; je souffrais pour cette malheureuse mère-célibataire cancéreuse... — *Encore heureux, chère Lola, que vous ne lui ayez pas fait votre numéro de pauvre petite fille de déportés.*

Alors l'inspectrice, ouvrant son chemisier, se précipita vers moi.

— Tâtez-moi, me dit-elle d'un air hagard. Je me suis

243

trouvée ce matin sous la douche une boule au sein. Je suis sûre que j'ai un cancer. Ma mère est morte d'un cancer. D'ailleurs, une personne sur quatre a ou aura un cancer. Tous les futurs cancéreux doivent se donner la main. Je demande pour vous un dégrèvement sur tout.

Je l'avais palpée, je n'avais rien senti de suspect, mais je lui avais donné le téléphone de Pat Milhaud qui s'occupait du dépistage.

— Merci, merci, m'avait-elle dit, en me rappelant de ne pas oublier de demander aussi le dégrèvement des impôts locaux et fonciers. Mais pour les ordures ménagères, il n'y a rien à faire. Cancer ou pas, faut payer.

Puis, je m'étais rendue au service social de la mairie demander les diverses allocations auxquelles j'avais d'ailleurs droit : car si l'on s'en tenait à ma situation réelle, telle qu'elle se résumait dans un dossier administratif, je pouvais comme beaucoup de cancéreux me jeter dans la Seine, tel cet ancien P-DG devenu clochard depuis qu'atteint d'un cancer du larynx, il avait cessé de travailler, fait faillite, dû quitter la maison qu'il ne pouvait plus payer, après avoir été en plus abandonné par sa femme.

Je me trouvais trop bonne mine. Dans le blouson de cuir que Mado m'avait offert, les oreilles alourdies par les pendentifs de ma grand-mère Sarah, je me disais : « *Paskoudnyka*[1], tu n'as pas honte ? »

Émigrés, jeunes chômeurs, vieux très dignes, il y avait foule.

— Calmez-vous, mémé Duval, dit le Vietnamien préposé à l'accueil qui connaissait tous les habitués, à une grosse septuagénaire un peu sale, aux jambes pleines de bandages, qui criait qu'elle n'avait pas mangé depuis une semaine car elle ne touchait plus de pension.

Une dame âgée très élégante demandait timidement sa boîte de lait hebdomadaire. En chapeau et costard blanc, des bagouses au doigt, un vieux rapatrié, me prenant pour une assistante sociale, me dit : « Ah ! je n'aurais jamais pensé

1. *Paskoudnyak :* yiddish, de l'ukrainien, désigne : voyou, personnage infâme, mais dans un sens plus large s'emploie pour qualifier une attitude un peu grossière.

244

finir ainsi. Je possédais six magasins à Alger, rue de la Lyre. »

Je pensais que si Bolivar n'existait pas, j'eusse préféré crever immédiatement de mon cancer que traîner vieille et solitaire.

Peu de temps auparavant, j'étais allée voir la mère de mon beau-père, la vieille Dora Nussenberg, abandonnée à cent et un ans — et elle n'a aucune maladie, s'indignait ma mère — dans un mouroir de luxe à la nourriture strictement casher, ce qui désespérait la vieille dame qui avait perdu la boule mais pas l'appétit.

Dans le grand salon de la maison de retraite, devant la télé allumée sous le chandelier à sept branches, des hommes et des femmes qui avaient pensé, créé, travaillé, couru, baisé, qui avaient traversé des frontières, des guerres, des révolutions, des crises avec astuce et force de caractère, étaient là, recroquevillés dans des fauteuils roulants, de la pisse et de la merde sous eux, les yeux fermés, la bouche ouverte, attendant que des Antillaises leur donnassent à la cuiller des biscuits écrasés dans du lait. Et ils se disputaient en yiddish. Et ils se traitaient de vieux fous. Et Dora Nussenberg, entre deux divagations où elle se croyait à Varsovie il y avait soixante ans, me disait, me fixant de ses yeux vitreux :

— Lolkelè, quand vais-je enfin mourir ? *Ratevet mikh*[1].

Cernée par les vieillards nécessiteux, je m'enfuis du luxueux service social de cette vieille mairie parisienne, alors qu'une des adorables assistantes me criait :

— Madame Frïedlander, ne soyez pas sotte, prenez cet argent ! Achetez des bottes à votre garçon. C'est bientôt les soldes d'été !

J'avais aussi accompagné Lucciana Manfredi, la mère d'Anna, chez le juge d'instruction. Pour les dix briques qu'elle avait escroqué en falsifiant la comptabilité de son patron, elle avait été inculpée et laissée en liberté provisoire. Retrouver le deuxième étage du Palais de Justice, les

245

cabinets des juges d'instruction, me rendit nostalgique jusqu'à l'écœurement.

Tailleur en tweed gris, chemisier de soie jaune, lisses cheveux châtains, la très jeune juge qui nous annonça d'un ton sec qu'elle ne savait si elle allait instruire pour escroquerie ou pour abus de confiance, avait l'air bon chic-bon genre ; ça n'allait pas être de la tarte.

Je rappelai que ma cliente devait bénéficier des circonstances atténuantes car elle avait détourné de l'argent pour rendre plus agréable la vie de sa petite-fille, atteinte de leucémie.

— Tss ! Tss ! Tss ! me coupa la juge.

Je lui demandai :

— Que feriez-vous si vous aviez un cancer ?

— Je brûlerais la vie par les deux bouts.

— D'accord. Mais ça coûte cher les deux bouts.

— A qui le dites-vous ! s'exclama le greffier qui semblait très branché sur la leucémie.

De ma poche, je sortis mon inséparable calculatrice :

— Si vous aviez un cancer, vous auriez besoin d'un peu de soleil en hiver, non ? Combien coûte une semaine au Sénégal ?

— Quatre mille francs, me répondit la juge.

— Ne mégotons pas, dis-je. Une semaine dans un bon hôtel, ça vaut de six à sept mille balles.

— Moi, c'est de Zanzibar dont je rêve, m'avoua-t-elle. A cause des clous de girofle.

— Ah ! la ! la ! Zanzibar, c'est quinze mille francs. Le voyage à Dar es-Salaam vaut déjà une brique. Au moins.

Je lui demandai si Venise ne suffirait pas. Voulait-elle voir, ou revoir Venise avant de mourir ? Elle voulait.

— Un vol vacances Air France, ça coûte au moins mille cinq cents francs. Une semaine à l'hôtel, combien ?

— Je mets jusqu'à trois mille francs, dit la juge.

J'additionnais. Ensuite : était-il plus agréable, quand on était fatiguée par les traitements, de porter un vieil imper ou une pelisse chaude ?

Quelle fourrure préférait-elle ?

Elle aimait le ragondin.

— Bon, une pelisse en popeline doublée de ragondin de

246

chez Bronsteïn, rue d'Hauteville : trois mille cinq cents francs. Prix de gros. Parce que c'est vous.

On en était déjà à près de trois bâtons.

Alors, elle me dit que s'il ne lui restait que peu de temps à vivre, elle aimerait transformer son appartement : elle avait toujours rêvé d'un loft à la new-yorkaise. Elle abattrait presque toutes les cloisons de son appartement, ferait installer une immense cuisine fonctionnelle mais chaleureuse, une chambre-salle de bains qui communiquerait avec un jardin d'hiver et une terrasse...

Je tapais sur la calculatrice : alors là, les travaux nous menaient dans les quinze millions. Rêveuse, la juge cherchait encore ses désirs. Et leurs prix.

— Calmez-vous, lui dis-je, sinon il faudra faire le casse du siècle. — *Et vous philosophâtes, ma bonne Lola, vous disant que si le fric aidait à mieux vivre la maladie, pour vous, tout l'or du monde ne pourrait calmer l'horreur de savoir que ce n'était pas une répétition mais l'unique représentation et que vous l'aviez jouée à l'économie. Mal. « Élève douée, aurait pu mieux faire », écrirait Yahvé, dans son Livre de la Vie.*

La juge se reprit, regarda sévèrement Lucciana qui faisait mine de ne plus comprendre le français :

— Tout de même, madame, vous avez exagéré.

Savait-elle combien l'Italienne gagnait ? Quatre mille cinq cents francs par mois. Brut. Comment pouvait-elle, sans s'approprier, comme disaient les Tupamaros, une infime, très infime partie des bénéfices du marchand de bouchons, faire brûler à sa fille les deux bouts de la vie ?

— Vous avez vraiment exagéré, dit la juge, en faisant signe au greffier de sortir. Il ne fallait pas vous faire prendre.

Et elle nous énuméra la liste des escroqueries que Lucciana aurait pu commettre sans être poursuivie.

Je croyais qu'elle allait lui proposer de se poster devant Saint-Eustache grimée en aveugle ou de sillonner les rames du métro déguisée en tragique Yougoslave, un bébé dans les bras, tendant son billet crasseux : « Je suis étrangère, je ne parle pas français, aidez-moi à nourrir mon enfant. »

Mais non. Elle nous parla des escroqueries sur les voitures à la casse, de celles sur les fausses listes d'appartements à louer.

— Connaissez-vous alors quelqu'un dans l'informatique ? nous demanda-t-elle. La petite Anna ne pouvait-elle apprendre, comme c'était de mode aujourd'hui, à se servir d'un mini-ordinateur ? C'est un investissement juteux : l'escroquerie à l'informatique avait un grand avenir.

Comme jadis aux cours de math, je ne comprenais rien. Elle soupira, défaisant le jabot de son chemisier :

— Alors, le plus simple, c'est l'escroquerie à la carte bleue.

Et elle se mit à déclamer :

— Une technologie en mutation rapide comme l'informatique, subissant des révolutions de toutes sortes, est difficilement saisissable par un droit pénal soucieux du respect des libertés individuelles.

Comme nous avions, Lucciana et moi, des airs de demeurées, elle s'énerva :

— Bon, vous vous regroupez à quelques-unes. Vous prêtez vos cartes bleues à des amis le vendredi soir. Le samedi, ils font des achats monstres. Et le week-end ils sillonnent la France de distributeur de billets en distributeur. Le lundi matin, vous portez plainte dans vos diverses banques pour vol de cartes. En plus, on vous rembourse vos comptes injustement débités. La banque ne poursuit pas les fraudeurs démasqués, préférant toujours des arrangements à l'amiable à des procès publics qui pourraient donner des idées. La jurisprudence est favorable aux contrevenants assimilant la machine à un employé qui aurait accepté de livrer de son plein gré la somme demandée.

Elle parlait comme un livre mais devait être en retard de plusieurs années sur les parades à l'escroquerie.

Soudain, après avoir allumé sa dixième cigarette et s'être comme dans un téléfilm assise sur son bureau, la juge reprenant ses esprits recommença l'instruction de l'affaire :

— Il reste à espérer, dit-elle, que les juges en correctionnelle ne soient pas des femmes : des hommes se laisseront plus facilement attendrir.

Ça se discutait. Car Lucciana serait quand même jugée. En attendant, elle restait sous contrôle judiciaire. Arnaque à la carte de crédit ou pas, finies les escapades avec sa fille.

Comment allait-elle survivre, et faire vivre Anna, me demandais-je, essayant de trouver un taxi pour aller me glisser sous la machine scintigraphiante de Bensoussan. Ange Francini, qui venait d'ouvrir de nouvelles salles de jeu clandestines dans les arrière-salles des restaurants de Vitry, veillerait-il sur elle ?

Trois heures plus tôt, on m'avait injecté le produit radioactif et je devais faire fissa. Cathi trouverait bien une solution pour Lucciana : grâce à ses dons extraordinaires d'emballage, sur son petit carnet noir, elle avait maintenant des noms de fonctionnaires, hauts ou bas, du planton au ministre, qui avaient perdu conjoint, amante ou enfant de la longue et douloureuse... Je me disais d'ailleurs que dans quelques années Cathi, battante-née, serait élue présidente du Parlement européen, et pourquoi pas Secrétaire générale des Nations unies. Le sentiment qu'elle avait d'avoir une formidable revanche à prendre sur la vie, allié à son intelligence, sa séduction, son énergie, son côté aventureux et joueur, en ferait aussi une grande chef d'entreprise si le cancer lui en laissait le temps.

Devant la station de taxi, place de la Nation, il y avait une immense queue. Je commençais à paniquer.

— Pourriez-vous me laisser passer en priorité, demandais-je aux femmes qui poireautaient depuis une demi-plombe sous la flotte. J'ai un cancer et je dois me rendre à un examen urgentissime.

Ricanements divers. Murmures agressifs.

— Non, mais celle-là, elle ne manque pas d'air. Avec la tête qu'elle a ! Moi, j'ai six cancers. Ah ! Ah ! Ah !

Je m'engouffrai dans le métro, plus délétère que jamais. Eh bien oui, je manquais d'air : j'allais tomber dans les vapes. « C'est la ménopause, ma pauv' dame », me dis-je. Depuis une éternité je n'avais pris le métro, et il me semblait débarquer sur une autre planète : plastique, couleur, les stations avaient changé ; heureusement, le public aussi : Paris-tiers monde, une ville multiraciale.

Changement à Montparnasse. Je zoomais sur les murs. Graffiti : « Vive l'imam Khomeiney », « La France aux Français », « A bas les bougnoules ». Je travellingais dans les

couloirs : musiciens kabyles, flûtistes et violonistes américains. Vendeuse de billets de loterie aveugle en larmes.
Homme-tronc, la consolant. Cracheurs de feu. Enfants
voleurs yougos. « Je n'ai plus d'argent pour rentrer chez
moi », écrit à la craie sur le sol par un homme assis en
tailleur. Tapis roulant servant de rendez-vous aux dizaines de
loubards. Patineurs à roulettes. Balayeurs africains. Hindoue
en sari vendant des tulipes. Cambodgiens proposant des
bijoux. Colleurs d'affiches de films que je ne verrais pas. Des
affiches contre le cancer. Marchande de journaux. Des titres :
« Faut-il castrer les avocates », « Les avocates ont-elles droit
aux circonstances atténuantes », « Elles ne peuvent résister
au charme des truands ». (Savent-ils, les journalistes, que les
avocates détestent les vrais truands et leur façon de les désigner pour avoir « un parloir de plus », pour y humer un parfum de femme et se faire materner. Car pour plaider, sauver
leurs têtes, c'est à des avocats mâles qu'ils font appel.)

Deux superbes filles, l'air un peu putes. L'une se retourna
vers un jeune homme au type asiatique : « Cesse de nous
suivre », hurla-t-elle. Très rapidement le jeune homme la
gifla puis il lui donna un coup de pied dans le ventre et il
s'enfuit. La foule passait, indifférente.

— Je l'ai reconnu, je l'ai reconnu, hurlait la fille qui se
tenait le sexe à deux mains en grimaçant de douleur. C'est le
Japonais, l'ami de l'Arabe !

Demandant si elle avait besoin d'aide, je m'approchai.

— Vous, occupez-vous de vos oignons, me dit-elle
méchamment.

— *Elle avait bien raison. Ne savez-vous pas, Lola, qu'il ne
faut jamais s'occuper des affaires des autres. Même lorsqu'on
vous demande le chemin dans la rue, il faut toujours indiquer
la direction contraire.*

Avec un ticket de seconde, je montai en première. Une
vingtaine de contrôleurs grimpèrent derrière moi. J'avais
l'impression qu'ils me fixaient sévèrement. Le cauchemar !
« Gardons notre sang-froid, me dis-je. Ce n'est tout de
même pas la Gestapo. Et s'ils me contrôlent, je dirai : j'ai un
cancer et bla-bla-bla et bla-bla-bla. »

Un jeune homme portait une souris dans une cage. Une jeune fille écoutait une radio libre sur laquelle Samuel Tobman discutait du cancer du sein avec un analyste. Je reconnus avec horreur la voix à l'accent allemand d'Adolphe Tsoulovski :

— Le cancer du sein serait un symptôme du désir d'inceste avec le grand-père, donc du désir refoulé d'allaiter son père...

— Oï ! Oï ! répondit en riant Tobman.

Je descendis à la première station. Dans un couloir désert, un élégant quinquagénaire rougeaud me dépassa, se retourna et essaya de me plaquer contre le mur. Je hurlai :

— Ne me touchez pas, j'ai un cancer.

Il sourit grassement :

— C'est pas contagieux, ma belle.

Avec difficulté, je me mis à courir, je sautai dans une autre rame et je m'effondrai près d'un ouvrier de la voierie. Je n'avais jamais vu un homme aussi noir. Il me sourit gentiment.

— Ça ne va pas ?

— Je vais m'évanouir, dis-je.

— Je vous retiendrai dans mes bras. Je vous ferai du bouche-à-bouche.

Il roulait les « r ». Était-il Bambara ou Sarakole ?

Je me dis que je tournerais bien de l'œil dans les bras du bel Africain.

— Allez, évanouissez-vous, me dit-il tendrement.

Je sortis mon flacon de sel anglais acheté à la pharmacie britannique rue de la Paix, en expliquant :

— J'ai des vapeurs parce que j'ai un cancer. Un sein en moins. Des métastases dans les os. Et des traitements très fatigants. En plus, on m'a ménopausée artificiellement.

— Le sein en moins, ça vous permet de mieux tirer à l'arc ? me demanda-t-il très sérieusement.

Je me sentais très lasse. Arriverais-je à temps pour la scinti ?

— Voulez-vous que je vous accompagne, me dit-il. J'ai les clefs de portes secrètes.

Au point où on en était ! Je le suivis. Effectivement, me

soutenant le bras, il me fit sortir du métro par des couloirs privés. Et je me retrouvais très vite à l'air libre devant la clinique de luxe où se faisaient soigner les grands de ce monde qui n'avaient pas le cœur à partager des chambres avec des mourants à l'UTATH.

Plus tard, après que la manipulatrice m'eut abandonnée sous l'énorme appareil, je me dis que j'aurais dû donner un rancard au travailleur émigré.

Peut-être me serais-je tapé un bide, comme ce fut le cas il y avait deux semaines à l'UTATH, avec le camionneur brun, costaud, moustachu, qui déménageait un scanner? Me voyant errer désespérément, le visage égaré, à la recherche d'un taxi (je venais d'apprendre la mort d'un jeune peintre égyptien que je rencontrais parfois à la chimio, recroquevillée contre son amant, un couturier italien), il m'avait proposé de me déposer à la porte de Pantin.

— Je ne sais pas pourquoi vous pleurez, mais faut pas vous en faire, ma petite dame, dit-il le long du boulevard d'Algérie.

Il s'était arrêté sur le bas-côté devant un de ces grands stades qui bordent les boulevards de ceinture. Il m'avait prise dans ses bras et consolée. Il sentait le tabac hollandais. Je lui avais demandé s'il voulait bien m'emmener à l'hôtel Terminus, porte de Plaisance, et faire l'amour avec moi.

Gentiment, il m'avait caressé le crâne, embrassé les yeux. Ça tombait bien, il n'avait pas le fétichisme des seins. Enfant, il avait détesté téter sa mère. Mais il ne faisait jamais l'amour aux dames.

— Ah, si vous aviez été un jeune leucémique. Un garçon roux comme vous, ça oui.

La manipulatrice me dit :
— Voilà, c'est fini.

Alors ? Alors, elle ne pouvait rien me dire. Seul le docteur Bensoussan savait interpréter.

Je rencontrai l'as des isotopes dans le couloir. Il me sourit.
— Vous me reconnaissez, demandai-je. Je n'ai plus de

cheveux. Et j'ai beaucoup changé. Vous vous souvenez : on avait parlé des Palestiniens.

— Madame Frïedlander, me dit-il, vous êtes de ces malades inoubliables dont on se souvient longtemps après leur mort.

23

Les yeux fermés, face aux collines où, d'après la légende, Ulysse aurait rencontré Circé la magicienne qui transformait les hommes en pourceaux, je flottais sur la Méditerranée, sur la mer Tyrrhénienne très précisément. Endroit magique mais haut lieu du fascisme : la terre, d'anciens marais asséchés, avait jadis été distribuée par Mussolini à ses miliciens. Sur les murs des villages on lisait les sigles du MSI[1]. C'était d'ailleurs sur cette plage, dans ce paysage bucolique, m'avait rappelé Mado, qu'avait eu lieu, quelques années auparavant, le double viol, moteur de la campagne féministe qui avait abouti en France à l'inculpation des pointeurs devant les assises. (« Tu t'en souviens pas, Lola ? Mais tu t'en souviens ! Fais pas la conne ! ») — *Vous vous en souveniez trop bien de cet événement qui avait indirectement forgé la renommée de votre cabinet de groupe — vous crouliez sous les femmes violées — et vous avait fait, plus indirectement, prendre le métier d'avocate en horreur.*

Drôle d'idée de louer fin août dans un lieu pareil. Depuis que nous étions, mes associées et moi, en vacances dans cette ferme italienne, sans hommes mais emmarmaillés jusqu'au cou, nous attendions de voir déboucher de la pinède des fascistes ou des violeurs. Mieux : des fascistes violeurs. D'autant que la marmaille se composait essentiellement d'un lot d'ados nues du matin au soir.

---

1. *Movimento sociale italiano* : parti néo-fasciste.

Je flottais sur le dos comme un fœtus dans le liquide amniotique, un fœtus qui ignore ce qui l'attend.

— *On connaît la chanson, Lola : l'horrible expulsion qui n'en finit pas et lui donne déjà l'impression qu'il n'y survivra pas, cette voix de femme qui crie en yiddish :* « Gewalt ! Au secours ! Göt ! Göt ! Ouvrez-moi le ventre ! » *Et celle du géniteur qui va d'ailleurs tomber dans les pommes :* « Avec moi, Mireleh, tu n'auras plus jamais d'enfant ! » *Et le fœtus sort tout bleu, à moitié asphyxié, et le procréateur crie :* « Vite un chirurgien esthétique ! » *Et déjà le terrifiant vertige d'être suspendue par les pieds dans le vide, et cette lumière aveuglante et cet air qui entre maintenant trop vite dans les poumons et ces bruits, et ces cris stridents :* « Mais non ! Mais non ! Elle en séduira plus d'un ! » *Pauvre Lola, pauvre fœtus, qui toute sa vie aura rêvé de retourner dans le liquide amniotique mais de retrouver un utérus plus tendre que celui de Mira.*

Je flottais sur le dos ; au loin, j'entendais un bref air de musique, une chanson populaire, comme dans un film de Fellini : *È un'emozione / che cresce piano piano ;* le bruit d'une vespa ; de temps en temps le cri d'un enfant : « *Gelati ! Panini !* »

Le corps heureux, l'absence de douleur, à part les petits bobos aux miches dus aux intramusculaires de l'infirmière indigène. (La chimio par les fesses, c'est pas du gâteau !) Le bonheur quand même : avoir deux jambes, deux bras, un seul téton mais frétillant dans l'eau, du duvet blond repoussant comme celui d'un bébé sur mon crâne bronzé. Et n'attendre personne. Pour la première fois de ma vie. « La personne que vous attendez ne viendra plus. — Tant mieux. »

Je ne pensais presque jamais à Rafaël Même lorsque Bol'Dav', qui lui ressemblait de plus en plus, se serrait contre mes fesses dans l'eau, me disant en espagnol avec cet accent caraïbe qu'il avait piqué je ne sais où : « *Ola negrita loca*[1]. »

Nous n'avions pas le téléphone et, tous les soirs, j'allais à

1. Négrillonne folle.

l'alimentari (je disais *alimentara,* mais Bolivar me reprenait : « *Ri* maman, *ri,* t'as pas fait du latin ? ») j'allais à l'épicerie-bar-cabine téléphonique attendre les appels de Katz et de Michel qui, comme à Paris, tenaient à leur créneau quotidien, prétendant me bigophoner pour que je ne flippe pas. Ils avaient d'ailleurs dîné ensemble pour se répartir les horaires.

Tous deux parlaient de venir-séparément-visiter ma couche une fin de semaine. En fait, Félix voulait fuir son épouse parpaillote qui, bien que grand-mère, avait décidé à quarante-cinq ans de pondre un nouveau gniard, pour emmerder la fille de salle peule dont il était trop épris.

Michel, lui, ne comprenait pas que je passasse mes premières vacances post-métastatiques dans un camp de personnes déplacées (avec ses matelas étalés dans les couloirs et la pinède, c'est bien à ça que ressemblait la ferme), occupant mes soirées à éplucher des patates en chantant à plusieurs voix avec mes copines : « Col-chiques-dans-les-prés-fleu-rissent fleuri-ssent. »

Il voulait me *kidnapper* au Marga Circé, le vieux palace local à deux cent mille lires la nuit. De sa célèbre voix chaude qui bouleversait les représentants du parquet, il criait, pendant qu'on entendait des *pronto ? pronto ?* :

— Je ferme les yeux et j'imagine que je caresse tes seins.

— *Mon* sein.

Je hurlais : *Sinus, sine, sinum, sini, sino, sino.*

— Sotte ! Mais qu'elle est sotte ! soupirait-il.

Puis, j'avais droit à l'inévitable :

— Tu m'aimes ? Dis-moi que tu m'aimes... Non, je sais que j'ai perdu d'avance. Car j'ai comme rivale : la mort.

Charmant !

L'aimais-je ? Sans doute, un peu. J'aimais qu'il prétendît m'aimer. J'aimais transgresser l'interdit de Noémi. (« Tu n'as pas le droit d'avoir une histoire avec lui. C'est de l'inceste. Et d'ailleurs, il ne t'aime pas. C'est moi qu'il recherche en toi. Il sublime. C'est de l'illusion. »)

Possible, ma douce petite frangine. Mais on ne peut passer son temps, sous prétexte de lucidité *analytique,* à voir les humains pour ce qu'ils sont : un tas de viande périssable.

Par peur de se faire assassiner par Noémi, Michel avait

finalement renoncé au voyage en Italie. Comme d'habitude, elle me collait et elle avait débarqué « pour veiller sur moi et superviser mon traitement » !

En fait, ni de Katz ni de Michel, je n'avais besoin, encore moins de leur projet de « Jules-et-Jimerie », car j'étais en affaire avec le patron de l'*alimentari :* un superbe sexagénaire brun, sec, aux yeux très pâles, dont j'avais décidé, sans jamais lui avoir adressé la parole, qu'il avait fait la guerre d'Espagne dans la compagnie Garibaldi et avait été *partigiano* là-haut dans la montagne (... *sta mattina / mi sono alzato / bella ciao / bella ciao...*), alors que c'était peut-être le chef des fascistes du coin.

En silence, il me souriait comme j'ai toujours aimé que les hommes me sourient. Je me disais : « Ça c'est la vie, Lola ! »

Ces vacances auraient dû continuer à être heureuses, mais je pensais sans cesse au pavillon des cancéreuses, à mes copines de l'UTATH. J'aurais voulu prendre des nouvelles de Marie-Aude. Mais je n'avais pas son numéro dans la Gironde.

J'essaie de me souvenir de cette chimio, ce jour de la fin juillet où il faisait si lourd à l'hôpital. Le souk habituel : Cathi avait rapporté de Biarritz des lots de jupes gitanes et d'espadrilles muticolores. Branchées à nos perf', nous jouions aux mannequins ; les infirmières sablaient le champagne avec une malade américaine en fin de cure ; Vivi se faisait interviewer par la télévision belge pour une émission culinaire ; le professeur Samari, une souris cancéreuse dans une main, se lamentait parce que les travaux des nouveaux bâtiments n'avançaient pas assez vite tandis que ceux de son rival à quelques mètres étaient déjà terminés : « Il aura le ministre à l'inauguration. C'est cuit pour la nouvelle tranche de crédit. » Puis il s'en fut, criant ésotériquement :

« Je suis Malraussien, c'est-à-dire fondamentalement optimiste. Un enfant meurt, les femmes pleurent ; les hommes cachent leur chagrin. Kadhafi m'offrira le plus beau centre anticancéreux du monde. Chez eux, tout se règle de l'humain à l'humain ! »

Par son CRS, Marielle s'était fait offrir une nouvelle jambe, longue et fuselée, qui ne ressemblait pas à la

258

défunte : courte et potelée. Mais elle était heureuse, car elle dansait enfin le rock et montait à cheval. Béni sois-tu, CRS !

C'est ce jour-là que tu es entrée dans la bande, France. Tu n'avais plus ta superbe mine d'il y avait huit mois, quand je t'avais aperçue pour la première fois. Au bout de dix ans de rémission où tu avais contrôlé tes *blastes*[1], me diras-tu plus tard, les tenant à distance (« Mais oui, Lola, on peut tenir ses cellules cancéreuses à distance »), ta leucémie lymphoblastique avait reflambé. On avait dû te refaire une lourde chimio, tu sortais du « stérile » et tu avais perdu à nouveau tes beaux cheveux blonds. Mais tu portais quand même une minijupe en cuir rouge au ras du bonbon. Je notais sur mon petit carnet : « *La belle leucémique a une expression de lassitude, un air humilié et orgueilleux. Un peu haineux aussi. Regard de bête traquée. Contraste avec le sourire narquois. Façon de se pencher en avant, de se tenir la tête à deux mains. Puis de rire crânement.* »

Ce jour-là tu m'expliquas, après que je t'eusse passée à la question avec mon habituelle indiscrétion, que comme Jean-Pierre, l'ami de Cathi, tu étais originaire de Pamiers dans l'Ariège, institutrice dans le primaire, avais quarante ans, deux filles adolescentes et un mari cadre supérieur à la SNCF. Je ne savais pas encore que tu avais rechuté à la suite de la mort de ton père.

Un jeune homme chauve, assez beau, le visage rongé par l'angoisse, était entré dans la salle de chimio et, sans un mot, s'était déshabillé, tendant à une infirmière une de ses cuisses pour qu'elle le scarifiât au BCG.

Avec complicité, nous avions ri ensemble, et Jeanne Martin t'avait immédiatement prise en grippe. Par la suite, elle prétendra que je te préférais à elle « parce que tu étais comme moi frimeuse et sans doute friquée ». Et je l'entendais déjà confier au téléphone à Maryvonne, avec son accent breton : « Ça c'est encore du monde à part. »

Jeanne était hors d'elle ce jour-là : après six mois de traitement à l'interféron, traitement qui était un succès,

1. Blastes : du grec « germe », globules blancs (lymphocytes qui se divisent et prolifèrent dans les leucémies).

259

on avait tout arrêté parce que Samuel Tobman était à couteau tiré avec Dupraz, le médecin choisi par le ministère pour diriger l'essai thérapeutique sur un groupe restreint de malades. Jeanne n'était pas la malade de Dupraz ; il ne voulait plus lui donner du produit supposé miraculeux.

— Merde ! Merde ! hurlait Jeanne, que je voyais pour la première fois perdre son calme coutumier. Je ne me suis pas farcie 40° de fièvre pendant six mois pour tout arrêter... Alors quoi, je vais crever ? Faut aller l'acheter en Amérique, l'interféron ? C'est pour les riches ?

Pour l'apaiser, on voulut lui faire une piqûre de Tranxène. Elle se débattait : elle ne voulait ni Valium, ni Tranxène. Mais de l'interféron.

— Un chien vivant vaut mieux qu'un lion mort, dit Samuel, en s'asseyant à côté de moi d'un air accablé. Et je crus qu'il allait me réciter l'Ecclésiaste. Il jouait avec une perf' et une aiguille papillon. Allait-il s'autobrancher ?

— Je suis fatigué, ajouta-t-il. J'en ai marre. Fais-moi un café.

Traînant mon pied de perf', j'allais dans le placard-cuisine-entrepôt de médicaments faire chauffer de l'eau. Un couple s'y embrassait frénétiquement. J'appris plus tard que c'était la mère et le grand-père de deux enfants leucémiques hospitalisés — deux personnes qui ne se connaissaient pas un mois plus tôt mais qui calmaient ainsi leur angoisse.

Le téléphone sonna. Je décrochai. Un jeune homme demandait Adeline Durand mais la surveillante générale était à son cours de yoga. Alors, me prenant pour un médecin ou une infirmière, il me dit qu'il s'appelait Patrice Shneïder. Il s'inquiétait : sa mère, Marie-Aude, partie depuis le matin en ambulance avec deux chauffeurs de Guedj-Frères aurait dû revenir depuis longtemps. Lui était-il arrivé quelque chose ? L'avait-on gardée, hospitalisée ?

Traînant toujours mon pied de perf', j'investiguais. Mais personne n'avait vu Marie-Aude depuis quelques jours.

— Elle va très mal ta copine, me dit mystérieusement Bechir Boutros qui recevait ses malades dans une sorte de cagibi.

260

— Ses petites bêtes dans la moelle épinière, comme elle dit ? demandai-je.

Il alluma une cigarette, m'en glissa une dans la main, comme font les Arabes du Machrek :

— Et toi, ça va, mignonne petite juive ? (C'était bien un fantasme d'Arabe : les juives, même vieilles et monstrueuses avaient toujours toutes les séductions.)

J'insistais :

— Elle a des métastases cérébrales, Marie-Aude ?

Il ne répondit pas. Puis jeta, en ramassant ses dossiers :

— Faut que j'aille faire une greffe de la moelle, beauté.

Et il m'abandonna, me disant ironiquement en prenant l'accent français :

— Faut qu'on se voie et qu'on se fasse une petite bouffe.

J'apportai le café à Samuel. Il hurlait à Marie-Célimène d'appeler les ambulances Guedj-Frères pour savoir s'ils avaient ce jour-là rendez-vous avec l'ambassadrice. Il marmonna entre ses dents :

— Elle en a partout Mi-Do. Elle est mal barrée. Je ne suis tout de même pas un fossoyeur. Ah, il faut que je la tire de là.

Parfois je me demandais s'il se souvenait que moi aussi j'étais promise au fossoyeur. — *Comme vos lecteurs, ma chère Lola.*

Marie-Aude débloquait depuis plusieurs jours. Ça avait commencé lors d'un déjeuner à l'ambassade du Gabon où elle était arrivée la perruque de travers, le cou, les oreilles, les bras et les doigts couverts de bijoux — six montres, dix colliers, vingt bracelets... —, le visage curieusement maquillé comme d'habitude de rouge sur les paupières, du jaune sur les joues et du bleu sur les lèvres. Oubliant ses faux seins, elle était vêtue d'une robe moulante à l'immense décolleté qui exposait les deux cicatrices pâles barrant son ravissant torse doré.

Très digne, ou très amoureux, Charles avait fait mine de ne remarquer ni l'étrange tenue de son épouse, ni l'immense cabas où elle traînait son argenterie.

— J'ai décidé de la vendre, expliqua-t-elle, sortant ses couteaux, ses fourchettes, à son voisin, l'attaché culturel ghanéen qui était très gêné car elle avait trop bu et parlait très fort.

— J'ai un cancer, je vais mourir et je ne veux pas que ma mère donne mes bijoux à ma sœur. Et je sais que Charles, pauvre chou, se remariera. Pas question que la suivante utilise mon argenterie.

Régnait un immense silence. Les hommes, habillés en costumes trois pièces par le couturier italien Smalto, les femmes en faux Chanel, regardaient avec stupeur cette ambassadrice de France qui léchait son couteau, suçait ses doigts, rotait.

Ironique, elle dit :

— Un ange passe. Silence. Qu'est-ce qu'on fait ? On l'encule ?

Silence de plus en plus lourd.

— Un deuxième ange passe...

On entendit quelques toux discrètes.

Soudain, Marie-Aude suffoqua, elle avait l'impression d'être sous terre dans un cimetière :

— Mais vous êtes tous déjà morts, murmura-t-elle en se levant et en partant à reculons.

Charles l'avait excusée auprès de l'hôtesse, puis l'avait ramenée chez elle. Aussitôt seule, elle avait appelé les ambulances Guedj-Frères.

L'ambulance roulait à 150 à l'heure sur la départementale 104 en direction de Vaux-sur-Aure. La voix merveilleuse de Wilhelmenia Wiggins Fernandez chantait « la Wally » presque aussi bien que la Callas, et Marie-Aude, serrée entre Abraham et Mohamed, buvait du calvados en riant délicieusement.

Abraham, porte de la Muette, avait eu l'idée de prendre le périf' ouest, puis à Saint-Cloud, l'autoroute. De Rouen, ils avaient roulé jusqu'à Honfleur, puis ils étaient redescendus vers Caen. Maintenant, sortis de Bayeux, ils allaient vers Cherbourg.

— Et si on s'embarquait pour l'Amérique ? proposa le jeune juif tunisien qui n'aimait pas le bocage : ce vert, ce ciel blafard, ces champs enserrés par d'épaisses haies, ce vent violent, lui donnaient le bourdon.

Mohamed, lui, découvrait la Normandie et s'étonnait, ayant lu tous les livres sur la Seconde Guerre mondiale, que tant de châteaux et d'églises soient encore debout.

Sur une place plantée de tilleuls et de marronniers, dans un village mélancolique aux toits d'ardoise tournant le dos à la campagne, ils s'arrêtèrent. Au café-restaurant « Les joyeux compagnons », ils se gavèrent d'andouillettes de Vire, de tripes à la mode de Caen, de gâteau aux pommes, le tout bien sûr arrosé de gnôle. Ils se promenèrent dans un immense cimetière hérissé de croix et de quelques étoiles en marbre où étaient enterrés 9 385 soldats américains.

Ils la tenaient tous les deux par la taille. Ils étaient forts et tendres. Le petit Juif aux cheveux noirs et bouclés parlait très fort mais était le plus timide ; le mince et long Arabe aux cheveux raides filetés d'or se taisait, mais le premier, il lui avait caressé la paume de la main. Et elle avait senti dans le bas de son ventre une sensation oubliée qu'adolescente elle appelait « la balançoire », et elle avait rougi jusqu'au pubis et ses bras s'étaient couverts de plaques rouges.

En boitant, elle courait entre les tombes. Avec le jean de son fils, son grand tee-shirt blanc, ses cheveux noirs presque ras, elle avait l'air androgyne. Manger, dormir sur la plage et, pourquoi pas, faire l'amour avec les deux garçons étaient ses projets. Puis, ensuite, elle se donnerait à tous les hommes qu'elle rencontrerait.

Ils traversèrent des dunes, des blockhaus et se retrouvèrent sur une plage, longue de plusieurs kilomètres, au bord d'une mer plate, bordée par ce qu'elle prit pour une digue mais qui était le reste d'un mur antichars construit par les Allemands l'année de sa naissance. On voyait les restes d'un navire anglais coulé à quelques encablures du rivage lors du débarquement en 1944.

Enlacés les uns aux autres, ils s'assirent, regardant les mouettes et peut-être au loin la raffinerie du Havre. Au début, elle les embrassait séparément. Mais maintenant, elle voulait les avoir ensemble contre elle, qu'ils ne formassent qu'un seul corps.

Le soir tombait. Allongés au milieu des vieux bouts de tissus, des bouteilles en plastique, des boîtes de conserve rouillées, détritus que la mer ramène sur les plages aujourd'hui, ils étaient nus, recroquevillés sous une couverture de l'ambulance, car le vent s'était levé.

Abraham racontait sa vie, sa petite enfance à Monastir en Tunisie, où son père était boucher, son adolescence à Sarcelles, son bref séjour en Israël. Il aurait voulu devenir médecin, mais trop pauvre, il avait dû se contenter d'un diplôme d'ambulancier et d'une place chez Élie Guedj qui était son cousin. Mohamed, lui, avait fait l'ENA algérienne, mais préférait curieusement son actuel statut social à Paris qu'être sous-préfet à Djanet.

— Si je vends mes bijoux et mes maisons, nous pouvons aller en Amérique, dit Marie-Aude. On ouvrira une société d'ambulances ou une compagnie de pompes funèbres.

Et elle se mit à rire. Eux aussi se marraient. La plupart des cancéreux qu'ils fréquentaient étaient sympathiques : souvent givrés vers la fin, mais cette si belle femme, au parfum de rose poivré, ils l'adoraient.

— Vous ne consommez pas de jambon ? leur demanda-t-elle. Je ne suis pas casher.

Serrée entre les deux garçons, elle avait en effet l'impression d'être la garniture d'un sandwich, mi-semoule cuite, mi-farine sans levain.

Contre son ventre, ses reins, ses fesses, elle sentait leurs sexes durs, chauds et doux : elle allait s'ouvrir à eux, fondre, s'épanouir. Soudain, elle poussa un cri bref et ils s'écartèrent brusquement. Atroce : c'était comme si on lui avait fendu le crâne à la hache, comme si cent couteaux lui tailladaient les chairs et comme si mille scies lui fendaient les os. Doucement, elle se mit à pleurer. Ils se rhabillèrent, l'enveloppèrent dans la couverture et coururent vers l'ambulance. A l'aube, ils étaient à l'UTATH.

Lorsque je l'avais vue pour la dernière fois, avant de partir en vacances, Marie-Aude arrivait sur une civière.

On alla la coucher dans la chambre commune de l'hôpital de jour où l'on installait les malades non hospitalisés mais qui ne tenaient pas sur leurs cannes. Je remarquai l'étrange silence des médecins et des infirmières, la frayeur des autres malades. Il est vrai que l'ambassadrice était très maigre, très pâle, presque jaune, et ses gestes extraordinairement lents.

— Si c'est pas ma'heu'eux, soupira Marie-Célimène, si belle, si 'iche... Cet' maladie, c'est v'aiment l'épée de Madame Okl'ess.

Ma perf' au bras, j'allai m'asseoir sur le lit de Marie-Aude. Elle me dit qu'elle était restée seule à Paris dans l'appartement aux meubles couverts de housses, en compagnie de la bonne mauricienne qui lui tapait sur les nerfs, après avoir expédié Charles et les enfants sur le bassin d'Arcachon :

— Pourquoi gâcheraient-ils leurs vacances ? Je les rejoindrai bientôt. Je ferai de la chaise longue, nous commanderons des repas dans un restaurant qui jouxte notre maison...

Elle avait passé la nuit à classer des photos pour ses enfants, à noter au dos des dates, des lieux : cette petite fille coiffée à la Jeanne d'Arc, tirant la langue, découvrant ses jambes brunes sur une bicyclette, c'était « Maman en 1951 à Metz » ; la superbe créature en sari vert, « Maman en 1962 à Delhi ». Il y avait aussi « Maman en 1970 sur la plage de Beaulieu-sur-mer », jouant à la vahiné.

— Tu devrais faire pareil, me dit-elle, classer les photos, ranger les papiers, c'est rassurant.

De temps en temps, un médecin entrait, lui prenait le pouls, lui regardait le fond de l'œil, lui bougeait la nuque, testait la motricité de ses jambes, leur sensibilité. Marie-Aude demandait pourquoi on ne lui faisait pas un scanner du cerveau. Personne ne répondait. Elle demandait pourquoi elle n'arrivait pas à voir Samuel :

— Il me fuit, disait-elle. Sa secrétaire me dit au téléphone qu'il n'est pas là.

On aurait cru qu'elle parlait d'un amant infidèle. — *Et vous vous dîtes, ma bonne Lola, que jamais vous ne transféreriez ainsi sur un cancérologue : se barder d'indifférence, ne plus rien attendre des autres, même de Samuel.*

Bechir Boutros, des radios pulmonaires à la main — poumons pleins de métastases en lâcher de ballons — vint voir Marie-Aude, l'embrassa tendrement, mais s'en fut immédiatement sans nous avoir adressé la parole.

Pour se rassurer, Marie-Aude, d'une petite voix, parlait comme un moulin :

— Je sais qu'il n'y a rien de grave. Mais je veux en être

sûre. Pourquoi, mais dis-moi pourquoi ne me font-ils pas un scanner du cerveau ? Tu trouves normal, toi, que Samuel ne vienne pas me voir ? Pourquoi ne me dit-il pas ce qu'il a confié à Charles avant son départ ? Charles a pleuré la nuit. Ensuite, il a prétendu qu'il rêvait.

Ce fut au tour d'Adeline Durand de venir bisouter Marie-Aude :

— Vous voulez être hospitalisée ? demanda-t-elle. Mais je n'ai pas de place pour les vrais malades.

Marie-Aude me dit :

— Que veut-elle dire par *vrais malades* ? Je suis guérie ?

Je partis à la recherche du chef de clinique libanais. J'étais très énervée, je me sentais haineuse :

— Pourquoi vous ne lui dites rien à Marie-Aude ?

Bechir me regarda comme si j'eusse été débile :

— Mais qu'est-ce que tu veux qu'on lui dise ? Elle a mal, c'est normal. Elle n'a tout de même pas une grippe !

Puis il s'en alla, gêné.

Le pope Anatoli me dit mystérieusement :

— Il ne faut jamais donner des bananes aux singes, ça les rend méchants.

Je m'allongeai alors sur le lit à côté de mon amie. Malgré la bibine qu'elle éclusait, les médicaments, elle sentait toujours aussi bon.

— Je partirai demain à l'aube en ambulance pour le Cap-Ferret, me dit-elle. Je continuerai mon traitement à Bordeaux à la Fondation Bergonié...

Elle me parla de ses enfants, de sa dernière fille :

— Pauvre chou. Quelle enfance ! J'ai toujours été énervée, fatiguée. D'une certaine façon, pour elle, ce serait un soulagement, si je disparaissais.

Sans en penser un seul mot, je lui dis qu'elle nous enterrerait toutes, que moi aussi il faudrait me descendre à la carabine. D'ailleurs, à la rentrée, nous allions un peu nous remuer, faire du sport : pourquoi ne pas aller à la piscine ? La natation, c'était bon pour les os malades.

— Oui, me répondit-elle. C'est une bonne idée, la natation.

Bravement, elle souriait.

— J'ai été au temple, me dit-elle. Le sermon du pasteur

était si beau : avoir foi en la résurrection, c'est d'abord arracher de son cœur la complicité avec la mort. Notre vie vaut plus que nous ne le pensons. Il faut accepter la vie que nous avons reçue et il faut accepter l'épreuve...

Samuel passa la tête par la porte, regarda Marie-Aude et disparut. Puis il revint, entra et lui demanda, la vouvoyant curieusement, si elle avait toujours mal à la tête.

— J'ai mal partout, répondit-elle. Puis elle lui rappela qu'il lui avait promis de « *la sortir de là* ».

Il ne répondit pas, mais lui caressa la joue. Comme d'habitude, me mêlant de ce qui ne me regardait pas, j'annonçai qu'elle voulait descendre vers l'Océan rejoindre ses enfants.

Il sourit, dit doucement :

— Vous avez une excellente idée. Allez vous reposer.

Je me souvins alors du jour où il m'avait dit : « A Auschwitz, je savais, en voyant le regard d'un déporté, s'il allait mourir. »

Je me souvins surtout de cette phrase prononcée le jour de mon arrivée à l'UTATH : « Marie-Aude Shneïder, elle a la même chose que toi depuis sept ans. Et elle va très bien. Prends exemple sur elle ! » *Play it again, Sam !*

J'avais fini ma chimio. On me débrancha.

— Rentre chez toi, me dit Marie-Aude. Ne t'en fais pas pour moi, ma belle chérie. Je te téléphonerai à la rentrée.

Et elle ajouta, m'embrassant la main :

— Je m'excuse de t'avoir annoncé si brutalement la mort de Mains diaphanes.

Flottant sur le dos, regardant en haut de la colline les rues du village italien construit par les Grecs qui ressemblait à une casbah arabe, je me demandais dans quel état je retrouverais la belle Marie-Aude, la mort au look Saint-Laurent, dont Jeanne m'avait dit : « J'ai serré la main de Marie-Aude. Et je me suis ensuite longuement lavé les mains. J'ai eu l'impression de toucher un cadavre. »

Bolivar, qui nageait sous moi, me déséquilibra et je bus la tasse. Lui tapant dessus en le traitant de « petit con », je me mis à pleurer.

Il cria :

— T'as les boules, Mamouk ?

Et, se foutant de moi comme mes copines :

— Va donc voir ton « fiancé ».

J'allai péniblement à l'*alimentari* (cent mètres à pied, avec cette nouvelle chimio en intramusculaire, était une épreuve) ; j'y bus deux ou trois Campari-gin, et j'appelai Katz.

— Dame Angst a encore frappé ? me demanda-t-il ironiquement.

Je l'interrogeai :

— Qu'est-ce qu'on fait quand on a des métastases cérébrales ?

— Où as-tu pêché des métastases cérébrales ? Dans les marais pontins ? se marra-t-il.

J'insistai.

— Ça dépend, dit-il, se prêtant à mon jeu obsessionnel. Le nombre, l'importance... On peut opérer, irradier, chimiothéraper...

— Quel est ton dernier pronostic pour moi ?

— Je te l'ai dit, choupette. En l'état actuel de la science, trois ans. Mais chaque jour qui passe, c'est bonnard. C'est un plus. Huit mois de rémission, c'est au moins un an de plus d'assuré. Deux ans de rémission, ça nous donne au moins une survie de quatre ans.

« Il dit n'importe quoi, ce bon Félix », soupirera plus tard Samuel. « Il lit dans le marc de café ? Ce serait trop facile. Le cancer, c'est la non-loi. Un malade veut vivre, il meurt. Un autre veut mourir, il vit. C'est le boxon complet. L'espacement entre l'apparition des métastases pourrait vouloir dire quelque chose, si tu n'avais pas de traitement. On se dirait : sa tumeur se dédouble à telle cadence... Mais il y a la chimio. Et dans chaque tumeur, il y a des populations différentes de cellules cancéreuses. Avec une vitesse de croisière différente, un âge différent. »

Katz me garantissait trois ans. Et à chaque pièce défectueuse, serait-ce lui qu'on mutilerait ?

— Écoute, trois ans, c'est pas mal, me dit-il. Il y a quelques mois, tu avais dit : « Je prends, même si je dois survivre que dix mois de plus... » Tu dis n'importe quoi, c'est bien connu. Mais je t'aime quand même... Alors avec qui

baises-tu ? Laisse-moi deviner. Michel est avec toi ? Mieux :
Emmanuel, l'amant de Marianne Losserand, a abandonné
pour toi sa productrice. Vous étudiez ensemble le Talmud ?

— It is not my cup of tea, dis-je en raccrochant.

Non seulement je ne songeais pas aux galipettes ritales,
mais j'allais abréger mes vacances et rentrer à Paris.

J'appelai Cathi qui avait repris son travail chez Arturo J.
En chuchotant, elle me prit d'une cabine du salon :

— C'est l'horreur. Je ne pourrai pas continuer ce boulot.
Écouter les conneries de ces bonnes femmes...

Elle se marra :

— Figure-toi que j'en entends une expliquer à sa voisine
que son mari est parti avec une cancéreuse ; *de la viande
faisandée*, elle disait. Je lui ai renversé calmement le produit
décolorant sur les épaules. Elle pleurait, ça lui brûlait le cou.
« Non, c'est une illusion », lui ai-je dit.

A mon silence, Cathi comprit que je n'allais pas.

— Qu'est-ce que t'as, ma poule ?

Je lui dis que je m'inquiétais d'être si loin de l'hôpital.

Elle m'engueula :

— Lola, si tu n'es pas capable d'affronter les vacances,
c'est que tu n'es pas capable d'affronter la vie : c'est pas la
peine de te soigner.

Comme toujours, elle parlait d'or : j'allais me reprendre
en main. — *Et vous pensâtes à cette phrase de tante Rivke :*
« *Je me suis toujours demandé pourquoi j'avais survécu aux
camps.* » « *Pour prouver tout le reste de votre vie que vous
étiez digne de survivre* », m'a répondu un rabbin.

Je ne résistai pas au désir d'appeler chez Marie-Aude.
Longuement, le téléphone sonna. Elle devait toujours être
en vacances. Mais on finit par décrocher. C'était une des
petites filles. Je demandai à parler à mon amie.

— Je vous passe mon frère, dit-elle rapidement.

— Puis-je parler à votre mère ?

— Mère n'est plus, me répondit-il.

— Comment n'est plus ? demandai-je, la voix blanche,
comme on dit. Elle n'est plus *où* ?

269

— Mère est décédée. Il y a huit jours. A Bordeaux, me répondit le jeune homme. Doucement. Avant de raccrocher.

Le patron de l'*alimentari* m'apporta une chaise et un verre de mauvais cognac. Je pleurai contre son épaule de partisan ou de fasciste. Ou de partisan devenu fasciste. Mais pas violeur. Je bus tant qu'il dut aller chercher mon fils à la ferme. Bolivar me ramena pratiquement sur son dos.

Cette nuit-là, je bravai l'interdit, le regard plein de reproches de Noémi qui aurait sans doute préféré que je me consolasse près d'elle, et je dormis contre mon grand garçon qui, sans doute lassé par mes drames, m'annonça à l'aube qu'il souhaitait partir pour Saint-Domingue vivre avec son père. Car le beau Rafaël lui avait écrit.

En douce, derrière mon dos, depuis que j'étais malade, Mado, son époux, leurs fils et Bolivar avaient comploté et bien sûr retrouvé Rafaël Leonidad, qui n'était pas mort comme chacun savait en 1965 sur le pont Duarte pendant l'insurrection mais, après avoir fait de la prison, était redevenu ce qu'il avait toujours été, un fils de latifundiaire. Grand avocat d'affaires, il était député du PRD, le parti du centre gauche qui allait prendre le pouvoir. Oublié « *el marxismo-leninismo, el foco, el Che et toda la compania* »...

— Ton père est mort, dis-je à Bolivar. Ça ne m'arrange pas qu'il ressuscite. Mais si tu veux me quitter... Pars, mon fils.

Je me trouvais admirable en mère sacrifiée. En fait, ça m'arrangeait. La passion que je vouais à cet enfant me pesait. Si je devais mourir, autant ne pas être encombrée d'amour.

24

C'était à nouveau septembre, le mois de mon destin. Septembre, où j'étais née, où mon père avait disparu, où Rafaël m'avait bibliquement connue, où mon idolâtré fils était né, où j'avais enfin découvert mon cancer, puis douze mois plus tard, mes métastases. L'an passé, j'abordais ces terres étrangères qui commencent de l'autre côté des boulevards de ceinture, sous un ciel sale ; aujourd'hui, nous allions vers un automne somptueux. — *The sun also rises for you, Lola.*

A présent, ça baignait, comme dirait Bolivar. J'étais devenue une « pro » du cancer, à croire que j'avais fait ça toute ma vie ; j'étais une de ces femmes à l'air ironique des initiées qui manipulent avec désinvolture leur goutte-à-goutte, appellent le personnel — du grand patron au garçon de courses congolais, transporteur de globules et de culots de sang — par leur pseudo ou leur diminutif et se font servir comme dans un salon de coiffure de luxe, petit déj' ou thé complet. Une de ces malades qui viennent le week-end tailler une bavette avec Vivi, Coco ou Iseult, l'infirmière de permanence — car le cancer ne chôme jamais — et s'offrir ainsi une psychothérapie à l'œil, genre : « Mais ma pauv' madame Dupont, buvez un coup avant qu'il ne soit trop tard », ou « Vous avez le cafard, vous le regretterez quand vous mangerez les pissenlits par où vous savez ».

— *Une fois de plus, vous exagérez, Lola : ce genre*

*d'humour c'est seulement avec vous qu'elles le pratiquaient,
les gentilles nounous, materneuses de vieux cancéreux.*

Et je n'avais plus besoin, pour avancer, d'appeler à mon
secours mon intime femme SS, sa silhouette de chauve-souris
sur la neige, sa cravache, la pointe de ses bottes dans mon
cul, la crosse de son flingue dans mes reins. — *Ratevet dir,
Lola.* — *Sauve-toi, Lola, cavale, le cancer est derrière toi.*

Pour avancer, j'avançais, les dents serrées au point d'en
avoir en permanence la migraine.

*— Ah! molle Lola, vous êtes bien de ce peuple à la nuque
raide, comme disait l'autre, incapable de jouir en paix, mais
doué pour la survie. Kancer land, sa Lagerstrasse, ses places,
ses ruelles, ses gargotes, échoppes, hôpitaux, courettes, passages, ses terrains vagues, était devenu votre territoire. « Le
territoire du désespoir, le terrain de la mort à courre »,
ironisait Michel. Et vous répondiez : « On a le territoire qu'on
peut ou qu'on mérite, It's up to you. »*

*Les taxis, certains médecins, la plupart des malades, se
perdaient au milieu des chemins barrés, des nouveaux corps
de bâtiments inachevés, des parcours fléchés, des grues et des
camions-bennes. Mais vous alliez les yeux fermés au vieux
pavillon de l'UTATH où l'on continuait à s'entasser voluptueusement. Il est vrai que vous aviez toujours eu un grand
sens de l'orientation.*

*Enfant déjà, vous décriviez à votre tante Rivke, par le
menu, l'itinéraire que vous prendriez pour vous rendre du
bloc 5 du camp de femmes de Birkenau à Auschwitz 1 ou à la
Buna, ces camps où peut-être s'était trouvé votre père, « Oï!
Oï! cette enfant est folle », gémissait votre mère qui avait
aussitôt caché les recueils de récits de déportés et tous les
albums de photos, puis avait insulté sa sœur qui vous racontait
tous les soirs pour vous endormir (dans cette chambre de
bonne où vous attendiez pendant que Mira allait courir le
guilledou avec l'irrésistible Aaron) l'histoire de la tentative
d'évasion de Malla-la-Belge et celle de Bereleh, le petit garçon
polonais qui avait réussi à s'enfuir à la porte de la chambre à
gaz, s'était fondu dans la foule sur la Lagerstrasse, avait à
nouveau été sélectionné pour l'extermination, puis s'était à*

nouveau échappé de la colonne en rampant, fondu à un autre
groupe, puis re-sélectionné puis re-carapaté...

Ce matin de septembre, j'avais rendez-vous avec Samuel qui devait décider à quel nouveau protocole de chimio j'étais condamnée. Dans ta R 5 grise, je délirais, France, je te disais que le monde m'appartenait, que tout compte fait ce cancer que j'avais cherché était peut-être une chance, je lui faisais danser le quadrille à ma tumeur, je la phagocytais, et que... et que... maintenant je savais qu'avec un peu de force physique, des nerfs solides, un minimum d'intelligence, on se sortait de toutes les situations *(petit patapon)*. Je te disais ça et toutes ces conneries que l'on trouve dans la majorité des récits de cancéreux qui se croient guéris : et la maladie comme voyage initiatique, et la maladie comme rédemptions... — *poil au menton.*

Toi, tu souriais en silence, l'air de dire : plus dure sera la chute, ma grosse. Car toi aussi, dix ans plus tôt, tu avais fait ton trou en ce lieu, tu l'avais adoré puis oublié. Et maintenant, obligée d'y revenir, tu le haïssais.

La veille, d'Italie, j'étais rentrée métamorphosée. Et Aïcha avait béni le ciel : *El Hamdoulah ! El Hamdoulilah !* car j'étais bronzée, j'avais à nouveau cils et sourcils et ce qui, pour moi, était un casque de cheveux. (Bien que Noémi m'eût dit à Fiumicino, rejetant en arrière sa longue natte brune et faisant tressauter sous le foulard qui lui servait de bustier ses deux jolis nibards dorés : « Tu comptes prendre l'avion *comme ça* ? Sans turban ? »)

Sans défaire mes bagages, j'avais écouté les messages du répondeur :

« Ici papa Félix... Salut la cancéreuse ! T'as mal nulle part ? Tu as droit à une angoisse tous les trois mois et à une métastase tous les trois ans... (Rires.) J'ai pensé que tu devrais demander la légion d'honneur de la cancéreuse la plus méritante... Mais j'espère que tu l'auras à l'ancienneté. Allez, je t'embrasse, choupette... »

Puis :

« Qu'est-ce que tu as une belle voix. Quel dommage que tu te sois fourvoyée dans le barreau... Tu devrais postuler pour un poste d'hôtesse de l'air, tu bercerais les passagers. (Soupirs.) Ah! Comme je voudrais être ton passager. Je t'aime, ma Lola. Je t'aime... Tu sens toujours le foin coupé? »

V'là aut' chose! Lui aussi, il avait une belle voix, Michel. Et le pire était sans doute que ses sornettes m'émouvaient comme une midinette. Pourquoi ne pas m'inventer que j'étais amoureuse de lui?

« C'est maman... Maman a téléphoné. Noémi... » (Mots inintelligibles en yiddish, mais le ton semblait dire que ma demi-sœur s'était plainte de mon indifférence. J'étais *a kalte gazlen* ou *a kalte neshumeh*[1].)

« Ma chérie-chérie, je suis au fond de mon lit. Samuel refuse de me prendre au téléphone. Je suis triste. Téléphone-moi... Téé-lé-pho-neee-moi! moa! moa! »

Figée d'horreur, j'étais. C'était la douce voix de Marie-Aude, son accent pointu, sa curieuse façon de fredonner la fin des phrases, comme dans une comédie musicale.

Je fis reculer la bande. Mais j'allai trop loin et j'entendis, entre deux quintes de toux, la voix rauque de Marianne :

« Alors, beauté, qu'est-ce qu'on fait? Tu baises? T'as une voix de call-girl. On dirait que tu es occupée à faire une passe avec un émir... Souffrir n'est rien. Mais il faudrait de temps en temps un peu de répit. Rappelle-moi ce soir. »

Ce message, je le connaissais; il était vieux de trois mois. Mais celui de Marie-Aude, jamais je ne l'avais entendu. Je me mis à trembler.

J'appelai Cathi :

— Ben quoi, me dit-elle. Il n'y a rien d'extraordinaire à ce que tu trouves un message de Marie-Aude.

Je me tus. Mais bien sûr, je ne réussis pas à tenir longtemps ma langue — comme Marie-Aude n'avait pu résister à m'annoncer la mort de Mains diaphanes.

— Mais elle est morte. Elle est morte! Il y a huit jours à Bordeaux.

Aussitôt, je regrettai mon indiscrétion, me disant : « C'est le passage du témoin, ça ne me portera pas bonheur. »

Bredouillant : « Mais c'est pas vrai! Mais comment?

---

1. En yiddish : « Monstre froid », « Âme froide ».

Pourquoi? Elle n'allait pas si mal!» Cathi s'était mise à sangloter.

Je ne savais que lui répondre. Rouge de honte, comme un adulte pris en faute, je me taisais. Alors, sans doute par culpabilité, moi aussi je me mis à gémir. Et je lui fis écouter par téléphone la bande du répondeur. Et lorsque nous eûmes bien chialé, nous nous souhaitâmes une bonne nuit.

«Vous êtes folles, me dis-tu ce matin, France. Quel cinéma! Si tu veux qu'on soit amies, garde pour toi ce genre d'information. Moi, je ne veux rien savoir; je n'aime que les bonnes nouvelles.»

Comme toujours, il y avait foule dans les couloirs, les escaliers et les paliers.

— C'est la place Djemaa-el-Fna à Marrakech, disait Zoubeïda qui devait avoir des hallucinations, car point d'acrobates, de mangeurs de feu ni de charmeurs de serpents.

Mais aujourd'hui une curieuse agitation. Un des internes, le petit Stern, un papier et un crayon à la main, demandait à la cantonade aux malades : «Quels sont les volontaires mâles?»

En effet, comme chaque année «pour aider la recherche», l'UTATH organisait un dimanche sportif à la campagne avec bal, buffet campagnard et compétition : cancérologues contre cancéreux.

Ah, je voulais admirer les professeurs Tobman, Samari, Bensaïd et Cie, toute la mishpokhéh en short! Jo Grin, le roi du sportswear, s'était déjà inscrit ainsi que le colonel Dujardin et Ange Francini. «C'est une farce», me dis-je. Nenni. Je vis sur les portes des affiches : «Supporters, venez nombreux. Vaincre le cancer par le sport. Repas campagnard : adulte 50 F, enfant de dix à seize ans, 35 F. Match de foot, tournois de tennis, de volley.» Suivait la liste des chefs de service, des professeurs, des agrégés, des chefs de clinique et des internes.

— Tu veux participer au match de volley contre les infirmières? C'est Pat Milhaud la capitaine, me proposa Stern.

C'était la meilleure! Attendre d'avoir un cancer pour se

lancer dans la compétition. Depuis que j'étais malade, il est vrai que je me farcissais tous les articles, reportages, télés, films et livres sur les performances des handicapés. Et je m'exerçais parfois, comme lorsque j'avais six ans, à avancer à cloche-pied, à me déplacer les yeux fermés, à tenir mon crayon avec les dents. (« Intéressant, ces fantasmes, dirait Tsoulovski. *Ach so ?* Enfant, déjà, vous vous imaginiez mutilée ? »)

— Le volley, c'est pas mes délices, dis-je à Stern.

En vérité, Lola, ça vous fatigue de décrire ce match de foot et ce tournoi de volley délirants où montaient des tribunes, remplies de vedettes du sport ou du show-biz racolées par Samuel pour qu'ensuite ils raquent pour la recherche, des : « Vas-y Sam ! SA-MU-EL ! B. B. ! B. B. ! Patou ! Patou ! »

J'allai chercher ma feuille de chimio, le cœur battant, comme avant chaque rendez-vous avec le divin professeur. Et je pensais à *Dispatches,* ce livre américain sur la guerre du Vietnam que m'avait lu Marianne [1] : « ... *Ce qu'il aurait fallu c'était une flexibilité plus grande que tout ce que pouvait donner la technologie, une sorte de don spontané, généreux, pour accepter les surprises [...] Si vous êtes de ceux qui pensent avoir toujours besoin de savoir ce qui va se passer, la guerre peut vous liquéfier... Ce serait chouette de s'adapter, on est obligé d'essayer, mais ce n'est pas pareil que de se forger une discipline, de puiser dans tes réserves et d'acquérir un vrai métabolisme de guerre, de te forcer à ralentir quand ton cœur veut jaillir de ta poitrine, d'accélérer quand tout se fige autour de toi et que tu ne sens plus de toute ton existence que l'entropie qui la cingle au passage... »*

Eh bien, l'entropie s'emparait de moi, je me désagrégeais, me désintégrais, m'affaiblissais. Car je vis, accroché sous la dernière feuille de mon dossier de chimio, un papier où, de l'écriture de Samuel, je lus : « Foie sclérosé. » Avais-je une métastase au foie ? Et on ne m'aurait rien dit ? Mais je n'avais passé aucun examen dernièrement (scinti ou échographie) permettant de la détecter.

---

1. Traduit sous le nom de *Putain de mort*, de Michaël Herre, Albin Michel.

Je faisais les cent pas, en m'exclamant : « Ah mais c'est pas à moi ça ! Je n'ai pas *en plus* un truc au foie ! »

— Faut pas mégoter comme ça, me dit Jo Grin. Prenez tout. On vous fera un prix de gros.

Il se marrait.

Affolée comme toujours, Adeline Durand m'arracha la feuille de chimio :

— Mais vous voyez bien, petit chou, que ce n'est pas à vous. C'est à madame Feldlander. Pas Frïedlander. Quelle sotte !

Et elle m'embrassa.

— Va me falloir un whisky pour me remettre, dis-je.

Et Ange Francini me proposa de me ramener ensuite pour boire un verre dans son bar. Était-il en voiture ?

— Oh, me dit Jo Grin, on a tous ici des véhicules qui nous attendent, à commencer par un corbillard...

Et il se mit à chanter : « Elle attendait son carrosse. Elle attendait ses chevaux... »

J'en profitai alors pour lui demander s'il pouvait me faire des prix car je rêvais d'une canadienne en cuir.

— Non seulement je vous fais un prix de gros, *zis kind*[1], mais je vous offre tout mon stock. Mais vous croyez que pour prendre le dernier autobus vous aurez besoin d'une canadienne ? Moi, je me contenterais d'un pardessus sans manches.

Alors j'aperçus le visage amaigri de Charles Shneïder qui attendait dignement dans un coin, frileusement couvert, malgré la saison, d'un manteau de cachemire noir. J'allai l'embrasser.

— Je m'apprêtais à vous appeler, me dit-il. Marie-Aude vous aimait beaucoup...

Puis il me chuchota : « Tout a été finalement si vite. Nous avons passé, Marie-Aude et moi, tant de bons et de mauvais moments. La rémission, vous savez, c'est du provisoire auquel on finit par s'habituer et que l'on imagine définitif... On a tort. Mais on ne peut vivre tous les jours intensément comme si c'était le dernier. »

Alors Samuel sortit au pas de course de sa salle de

1. En viddish : enfant sucrée.

277

consultation. Il se dirigea vers un couple d'adolescents en jeans, blousons de cuir et baskets. Lui était chauve, elle pleurait contre son épaule :

— Alors qu'est-ce qu'il y a ?

Le garçon lui présenta la jeune fille : « C'est Caro, ma nana. » Samuel l'embrassa sur les deux joues ; elle expliqua que son patron ne voulait pas lui donner une semaine de congé, et qu'elle ne pourrait accompagner Louis qui partait dans le Limousin entre deux chimios.

— Ça c'est un enfoiré, dit Samuel.

Il demanda le numéro du patron, un certain Tardieu, et s'empara du téléphone le plus proche. Puis d'une voix lasse, il dit :

— Ici le professeur Samuel Tobman. Vous savez qui je suis ?... Bon. Vous savez qui je soigne ? Non ? Loulou Pavé, le fiancé d'une de vos employées.

Il se tourna vers la petite : « Comment tu t'appelles ? » Elle s'appelait Caro Cheveau.

— ... Caroline Cheveau. Vous savez ce que c'est que d'avoir un cancer à vingt ans ? Je sais, ça arrive aussi à soixante ans. Mais c'est pas pareil. Pourquoi ? Trop long à vous expliquer, mon vieux. Bon, Loulou, il veut prendre un peu de bon temps. Et le bon temps, c'est Caro. Alors vous allez laisser cette petite prendre une semaine de congé sans la virer. Sinon vous aurez de mes nouvelles... D'accord ? Vous êtes un brave homme.

Il raccrocha, embrassa les jeunes gens, les poussa vers le hall.

J'étais certaine qu'ensuite il allait me dire : « L'amour, Lola, l'amour, c'est la meilleure des chimios. »

Il serra la main de Charles Shneïder qui lui dit :

— Vous avez reçu ma lettre ?

Samuel hocha la tête :

— Je suis désolé, mon vieux.

Charles semblait avoir des difficultés à parler :

— Je voulais vous dire : elle a beaucoup souffert moralement de votre silence. Elle vous a appelé dix fois de Bordeaux...

— J'étais à un congrès aux USA, dit Samuel. Je suis désolé. Vraiment. C'est un malheureux accident. Mais les métastases cérébrales, ça saigne parfois... Je vous l'avais dit : on se battait sur plusieurs fronts. Et les feux se rallumaient sans cesse. On n'est que des pompiers...

Voûté, il repartit vers sa salle de consultation. Il me faisait de la peine. Et je me dis : « Lola, espèce de conne, tu vas pas te faire du mouron pour lui. » En même temps, son attitude me confirmait dans ma décision de ne compter que sur mes propres forces. Il fallait que je me procure de quoi me suicider, lorsque le moment serait venu de faire mes paquets, de prendre mon aller sans retour.

En attendant mon tour, j'allais me promener dans les salles de chimio. On n'écoutait plus FIP mais des radios libres. Sur l'une d'elles, je reconnus avec horreur la voix nasillarde de mon ex-protégé, Remy, qui animait une émission intitulée : « Salut les taulards ! »

En relisant mes notes, je me souviens qu'un petit garçon algérien très turbulent, dont on avait dû attacher le bras pour qu'il ne bougeât pas durant la perf', me dit en arabe : « *djib thiyara* », et que je me précipitai pour lui acheter une voiture et un avion mais le lendemain il n'était plus là. Puis une dame de Verdun qui avait des métastases pulmonaires depuis un an, un enfant de quatre ans élevé par ses parents à Saint-Étienne. Elle me dit d'une voix douce : « C'est une maladie qui complique la vie, non ? » Un autre jeune couple, athlétique celui-là, et d'une beauté étonnante ; elle avait une maladie rare : sa moelle osseuse ne fabriquait pas assez de globules blancs ou rouges. On devait en permanence lui transfuser du sang. Son amoureux lui tenait les seins à pleines mains et l'embrassait goulûment. Ce jour-là, je revis la grosse Lyonnaise brune que je croyais trépassée car elle m'avait dit en avoir au foie, aux poumons et aux os, lorsque je l'avais rencontrée il y avait un an.

— Au contraire, me dit-elle, je suis en pleine forme. Je retravaille. Mes métastases ont totalement régressé.

Je baisais ses deux bonnes joues. Visages nouveaux. Comme d'habitude, ça tournait à plein. Une femme était au bord de l'évanouissement, comme moi le premier jour de ma première cure de chimio. Comme Jeanne Martin alors, je m'accroupis à ses pieds, je lui pris la main et je dis :

« Respirez. Respirez. Comme pour l'accouchement sans douleur. Heu ! Heu ! Heu ! »

J'entrai enfin dans la salle de consultation, au moment où Dujardin en sortait furieux.

— De quel droit m'assassine-t-il, celui-là ? rugissait-il.

Il se ravisa et rentra à nouveau sur mes talons.

— C'est pas vrai, dit-il comme un enfant boudeur à Samuel. Vous mentez, toubib. J'ai pas un cancer. Ce sont des polypes...

— Écoutez, Dujardin. Vous vouliez savoir la vérité. On vous a fait une chimio, mais vous avez refusé de comprendre. Maintenant ça ne s'arrange pas. Il y en a dans les os. C'est moche.

Samuel avait l'air épuisé, son teint était cireux.

— De quel droit m'assassinez-vous ? se mit à crier Dujardin comme un animal traqué.

— Je ne vous assassine pas, mon vieux. Mais je vous respecte. Vous êtes un soldat. Vous devez savoir la vérité. Vous avez de la famille ?

— Je vais mourir ? demanda alors doucement Dujardin, presque résigné.

Samuel lui prit la main :

— Moi, je crois que seuls les gens qui ne savent pas la vérité meurent vraiment. Les autres, ceux qui la connaissent, se battent et, même s'ils sont vaincus, ne meurent pas vraiment. Leur corps disparaît. Ils meurent pour eux-mêmes, mais ils sont éternels dans le souvenir des autres...

— Ça me fait une belle jambe votre beau discours, dit Dujardin en reculant.

Et, me regardant :

— C'est de la littérature pour vos belles petites malades.

Et, comme au théâtre, il sortit. Sauf que c'était « pour de vrai ». Comme lui, je me branlais de survivre dans le souvenir des autres une fois que je sucerais les graviers sucrés du Père-Lachaise.

Faisant toute sorte de mimiques et de grimaces, Samuel refeuilletait une fois de plus mon volumineux dossier. Il me dévisagea longuement en silence et je me dis : « Il doit vérifier si, comme les poissons frais, j'ai encore l'œil rose. »

280

— T'es mignonne avec tes cheveux qui repoussent, me dit-il. Puis :

— Qu'est-ce que je pouvais lui dire à Charles Shneïder ? Que sa femme picolait trop, que c'est pas bon pour les métas cérébrales ? D'ailleurs, elle est pas morte de son cancer, elle est morte d'une hémorragie cérébrale...

Ce qu'il ne me dit pas, mais je l'appris en passant le petit Stern à la question, alors qu'il classait les dossiers des malades décédés dans les sous-sols : avant de mourir, Marie-Aude était restée quarante-huit heures paralysée, aphasique, fixant Charles de ses grands yeux noirs jusqu'à ce que, peu à peu, son cerveau totalement noyé dans son sang, elle n'entrât dans un profond coma. Et il n'y avait pas de médecin dans le grand hôpital vide, et aucune infirmière n'avait voulu prendre la responsabilité d'abréger de quelques heures cette petite vie... Savoir cela. Pour moi, une connaissance inutile comme l'écrivit une ancienne déportée[1] : « *Alors vous saurez qu'il ne faut pas parler avec la mort. C'est une connaissance inutile.* »

Bechir entra sans frapper :

— Tu veux me voir, Sam ?

Pour la première fois, je les entendais s'engueuler et cela me déprima.

— Samari est fou, tu le sais, martelait Samuel. Il n'y a qu'à l'Assistance publique qu'un chef de service peut continuer à exercer. Même fou. Et toi, tu joues le jeu.

— Mais il n'est pas plus fou que d'autres, risquait Bechir.

— Son projet d'ONU du cancer financé par le tiers-monde ? ricana Samuel. Se faire nommer Secrétaire général de l'International Strategic Anti-Cancer Committee ? Et ce bâtiment ? (Il montra par la fenêtre l'immense phallus de huit étages qui se dressait dans le ciel bleu.) On ferait mieux d'augmenter les infirmières...

Je fis mine de sortir.

— Reste. Tu fais partie de la famille, me dit ironiquement Bechir.

Il essayait de raisonner Samuel :

— Ça sert à quoi de se répandre partout en disant que

1. Charlotte Delbo, *Une connaissance inutile*, Éd. de Minuit.

Samari est fou ? Et Neguev, il n'est pas timbré ? Et de Montmaison ? On est tous cinglés. Sinon on ne se serait pas mis dans la tête qu'on pouvait vaincre le cancer.

Samuel lui répéta qu'il avait tort de se solidariser avec Samari :

— Ton poste d'agrégé, jamais tu ne l'auras avec lui. C'est Dupraz qui l'obtiendra. Il te fait marcher, mon vieux.

— Je m'en fous, dit Bechir d'un air fatigué. Je vais repartir au Liban. Je redeviendrai généraliste. La guerre, ça refroidit le cancer.

Puis doucement, caressant mon crâne :

— Elle est belle notre Lola. Elle va bien ?

— Elle est en rémission complète, dit Samuel soudain calmé. D'ailleurs, je vais l'écrire. Tu vois, Lola, j'écris : « *Rémission complète.* » D'ailleurs, tu vas guérir. (Il oubliait que je l'avais entendu dire : « Aujourd'hui, guérir ce n'est pas ne plus avoir de cancer, c'est vivre aussi bien ou presque aussi confortablement et presque aussi longtemps que le reste de la population. » Toute la nuance était dans le *presque* et il y en avait des variétés de *presque*.)

Après avoir longuement hésité, il me proposa — façon de parler — de continuer le même traitement mais à des périodes plus espacées :

— Et tu vois, Lola, ce traitement ne fait plus tomber les cheveux.

Lorsqu'il me raccompagna dans le couloir, deux jeunes gens l'attendaient.

— Professeur Tobman ?

— Oui.

— Nous sommes les fils de Mme Vexandeau.

— Oui ?

— En juillet, vous lui avez dit qu'elle était guérie...

Il eut un sourire d'enfant, ne répondit pas.

— Elle est morte dimanche.

Et ils s'en furent.

Je me raccrochai au bras de Samuel. J'avais la tête qui tournait. Il me fit une curieuse mimique :

— Elle s'est peut-être fait renverser par un camion.

Et le pire c'est que je me marrais.

Pour lui raconter l'anecdote, je partis à la recherche de

Bechir. Devant la porte d'une chambre sombre entrouverte sur un couloir, je trouvai Vivi. On distinguait deux flacons de sérum bougeant avec volupté en haut d'un pied de perf' qui oscillait dangereusement. Et sur le lit, jupe relevée, Cathi, branchée au bras droit, chevauchant Jean-Pierre, branché au bras gauche et qui gémissait : « Encore... encore... encore... »

Vivi me lança un regard lourd et m'entraîna dans le couloir.

Enfermé dans sa salle de consultation-cagibi, Bechir était très déprimé : rien ne gazait ; il ne re-séduirait plus son épouse s'il restait en France ; et d'ailleurs, ici, pour les chefs de clinique, l'avenir était bouché. Il avait beau, en fait, être responsable du service d'hématologie, il n'aurait jamais le titre d'agrégé ; toutes ces années, ces nuits, ces jours passés dans ce service pourri n'auraient servi à rien...

La cancérologie n'étant pas reconnue comme spécialité, à la rigueur, s'il trouvait du fric, pourrait-il ouvrir un cabinet privé de généraliste, ce qui le faisait gerber. Il avait l'air sérieusement flippé, mon beau Libanais aux yeux jaunes.

— Je vais m'engager à « Médecins sans frontières », me dit-il. Je vais partir avec Dujardin. Depuis que Sam lui a dit qu'il avait un cancer, il veut partir en Afghanistan ou en Thaïlande...

Il riait :

— Aujourd'hui, pour séduire une femme, il ne faut plus être vedette de cinéma, grand patron, aventurier ou reporter de guerre, mais médecin dans une de ces organisations de volontaires qui courent de maquis en tremblements de terre...

Un peu rétro, Bechir ! Les femmes n'aiment plus les héros, ça fait tarte, les héros. — *Dites ce que vous avez sur le cœur, ma bonne Lola : les mecs, torse nu dans la jungle, pistolet ou bistouri à la main, impavides sous les pilonnages de mortier, au plume, c'était souvent zéro plus zéro plus zéro. Par contre, on avait parfois de sublimes surprises, coincée par hasard sur un canapé, par un petit gringalet légèrement efféminé, qui s'effraye de sa propre ombre, pas médaillé ni titré de gloire. Ah, ma bonne madame Frïedlander, vous n'avez plus vingt ans et vous ne laisserez à personne dire que quarante ans c'est le plus bel âge de la vie.*

— Tu peux rester dans mon bureau si tu as des coups de téléphone à passer, me dit Bechir, qui connaissait mon vice secret. La ligne est directe. Je reviens dans une bonne heure.

Imitant la désinvolture de Cathi, j'étais confortablement installée les pieds sur le bureau, attendant en bigophonant que mes amies arrivassent pour que, de conserve, nous fissions notre chimio.

A l'autre bout du fil, Mado, *ma bonne mère,* aux lourds seins au creux desquels je souhaite rendre l'âme, m'appelait « mon poussin », « ma petite puce » et me donnait des nouvelles de mes deux consœurs entrées dans des cabinets ministériels et qui s'y faisaient chier comme des rats morts.

— Ah Lola, me dit Mado, quel dommage que tu sois malade. Tu aurais adhéré au PS. Je te vois bien sous-secrétaire d'État à la Guinche. Quand on pense que tous ces cons ont commencé à militer vingt ans après nous, alors que par flippage nous nous replions sur nos divans. Et que nous qui... Et que nous que... Et tu te souviens de l'Algérie, et tu te souviens de Saint-Domingue, et tu te souviens du Mozambique...

Non, je ne me souvenais plus de rien. Sauf de Simon qui dirait : « Mettons le déconnage automatique... »

En fait, mes associées étaient réunies en conclave pour décider si oui ou non Zoé devait larguer le père de ses enfants, vu que question baise c'était plus ça.

— On est tout de même pas des bêtes, mes sœurs, dis-je, suivant l'expression consacrée.

— Tu l'as dit, Boufi, continua Mado en s'envoyant, j'imaginais, une gorgée de beaujolais.

Occupée à me bidonner au téléphone, écoutant les habituelles conneries dont jamais je ne me lassais — et qui d'une certaine façon me tenaient en vie —, je ne m'étais pas aperçue que quelqu'un essayait en vain d'ouvrir la porte du bureau. Le verrou avait dû se fermer automatiquement. Je finis par crier : « Entrez. »

— C'est vous madame Frïedlander ? Ouvrez !

C'était la voix de Zaza, une fille de salle antillaise. Sans raccrocher, j'allai ouvrir. Me lançant un regard lourd de suspicion, Zaza entra et se mit à farfouiller dans les bacs de plastique où des dossiers médicaux étaient entassés.

Je terminai tranquillement ma conversation. Puis, pensant que Jeanne, Zoubeïda, Marielle, la petite Anna devaient être arrivées, je les cherchai dans le salle de chimio. Et, suivies de Cathi et de toi, France, nous allâmes nous installer avec nos perf', tête-bêche sur des lits rapprochés, dans une des chambres de l'hôpital de jour.

Parfois, d'une main, nous faisions une belote, un poker. Mais aujourd'hui, Zoubeïda s'était mise en tête de nous apprendre à jouer aux tarots.

Soudain, le visage grave, Vivi entra. Et d'un air de cheftaine elle me demanda :

— Qui t'a donné la permission de t'enfermer dans le bureau de Bechir, de téléphoner et de lire les dossiers secrets ?

Je restai muette de stupéfaction. Depuis longtemps je ne m'étais sentie aussi abandonnée, aussi humiliée. Et je haïssais ce sentiment d'humiliation. Et j'étais humiliée de haïr. Et je haïssais celle qui avait provoqué cette haine et cette humiliation.

— Tu veux que je te paie les communications ? demandai-je, la voix voilée.

— C'est pas la question. Si toutes les malades faisaient comme toi ? Je te le demande encore une fois, Lola : pour qui te prends-tu ? Tu te crois au-dessus des lois ?

Et elle sortit, l'air pincé.

Silence dans la chambre. Flippage général. On était toutes sur le cul. Zaza avait cafté. Où allait-on ? Pourquoi cette agressivité ? (A qui me faisait penser Vivi pour que je fusse à ce point bouleversée ? Bien sûr, à la sentencieuse Noémi. Mais plus loin, plus profond, à toutes celles qui, au long de ma vie — de la maternelle à la fac en passant par tous les groupes où j'avais moisi croyant que j'allais changer le monde —, à toutes ces « ramenardes » qui m'avaient dit : « Mais pour qui tu te prends, Lola ? » Toutes celles — les vraies, les fausses, les imaginaires, les trop réelles — qui m'avaient coupé les ailes, fait honte, interdit. — *Oh ça va, Lola, on le connaît le refrain sur* la mauvaise mère !)

Je bouillais intérieurement. Je ressentais la fameuse sensation de violence impuissante que j'avais éprouvée toute ma vie. Cette rage, si bien masquée derrière cette apparence placide, qu'on m'avait surnommée « Mona Lisa ».

« Réagis, Lola, me dis-je. Sinon tu vas retomber malade. Ne retourne pas ton agressivité contre toi-même. »

Alors, je me levai et me précipitai, toujours branchée à ma perf', vers la salle de chimio ; je relevai Vivi qui, penchée en avant, s'apprêtait à piquer une malade, et je lui envoyai d'une main un aller-retour ; je la secouai comme un poirier, lui donnai des coups de poing sur la tête et des coups de pied dans les tibias. Comme une folle, je criai :

— J'ai pas eu un cancer pour qu'une petite conne comme toi me dise ce que j'ai l'autorisation de faire ! Tu vas peut-être me donner aussi l'autorisation de vivre !

Stupeur dans la grande salle. Je pleurais hystériquement, sachant bien que tout cela était exagéré. Mais je continuais à taper sur la malheureuse infirmière.

N'étant pas consciente que ce qui se jouait était vital pour moi. « Calme-toi », me disait-elle gentiment, presque tendrement, en tentant de se protéger.

Jamais plus, croyais-je, quelqu'un ne m'autoriserait ou ne m'interdirait quoi que ce soit : c'était une question de vie ou de mort.

Finalement, Adeline Durand et d'autres infirmières nous séparèrent.

« Petit chou. Petit chou, calmez-vous », me chuchotait l'adorable surveillante générale, me faisant une piqûre de Valium pour mettre fin à ma crise de nerfs.

Allongée sur un lit, entourée de mes amies, je me fis chapitrer :

« Tu as tort de te conduire ainsi, me dis-tu, France. On est entre leurs mains. Si tu étais hospitalisée, tu t'apercevrais que tu dépends totalement d'elles. Il ne faut pas se les mettre à dos. En plus, elles sont vraiment gentilles. — *Vous fîtes alors, Lola, un grand discours ringard sur le thème : on a toujours raison de se révolter. Vous dîtes, je crois : « Si elles étaient, les infirmières, sur un mirador avec des mitraillettes, on se demanderait s'il vaut mieux résister ou se soumettre. Mais elles n'ont qu'une seringue entre les mains et leur seul pouvoir, celui de nous faire péter les veines! » Vous saviez que vous les gonfliez toutes avec vos fantasmes. D'ailleurs, Cathi vous remit à votre place : « Tu te crois au cinéma? »*

Jeanne Martin se rangea du côté de Vivi : les infirmières ne supportaient pas la gabegie, le laisser-aller du service ; elles étaient exploitées, travaillaient dur, il n'y avait pas de crèche à l'hôpital.

— Elles n'ont qu'à changer de métier, dit Marielle.

Alors, en cortège derrière Vivi, entra une véritable délégation. Les infirmières fermèrent la porte derrière elles, me firent face. Un véritable mini-tribunal :

— On voulait te parler, me dit froidement Vivi.

J'en pris pour mon grade. Elles en avaient toutes marre de moi et de ma bande : nous étions indisciplinées ; nous faisions trop de bruit ; nous dérangions les autres malades ; tout le monde était choqué de nos bavardages ; certains malades ne savaient même pas qu'ils avaient un cancer ou se croyaient guéris ; nous — moi en particulier — avec nos propos cyniques sur les rechutes et les métastases, nous affolions les autres malades ; nous étions snobs ; d'ailleurs, on nous appelait « la bande des snobs ».

— *Kif-àsh?* Snoub? demanda Zoubeïda.

— Marie-Aude Shneïder, elle était snob? demandai-je perversement.

— Oui, dit Vivi. Vivante, elle était snob. Et c'est une morte snob... Très vite, elle se reprit : ... Tu me fais dire n'importe quoi. Elle n'est pas...

Alors Jeanne, Marielle, Anna et Zoubeïda, qui ignoraient jusque-là le décès de notre amie, se mirent à dévorer avidement des chocolats. Vivi avait enchaîné :

— Vous parlez tout le temps de fringues, de fêtes...

— Et de cul, la coupa Cathi. Comme vous, mes belles...

Vivi poursuivit son réquisitoire :

— Quand on vous donne le doigt, vous prenez le bras... D'abord, vous n'avez pas à vous mettre dans cette chambre, sur des lits. C'est réservé aux malades très fatigués. Vous comprenez, il y a un an, c'était encore un petit centre. Maintenant on croule sous les malades. Il faut de l'ordre. D'ailleurs, dans le nouveau bâtiment, ça ne se passera pas comme ça Vous serez chacune dans un box. Et toi, Lola, tu ne pourras plus dire des conneries morbides devant les autres malades…

— Dans le fond, vous en avez marre de nous voir, dis-je méchamment. Faut que ça tourne. On devrait être mortes. Et vous penseriez à nous avec nostalgie.

— T'es folle, me dit Vivi. On peut pas discuter avec toi.

Un silence à couper au couteau pesa sur la chambre. Nous étions chacune dans nos petites pensées.

— Les relations humaines se dégradent dans cette taule, finit par dire Anna.

— Ah toi, tais-toi ! lui intima Vivi. Les enfants ne se mêlent pas aux conversations des grandes personnes.

— C'est vous qui êtes des gamines, dit Anna. Allez les filles, on se dispute plus, la vie est trop courte pour ça… Moi, j'ai été dans d'autres hostos. C'est affreux. Ici, c'est peut-être le boxon, comme dit Samu, mais c'est plein de vie. Ailleurs, c'est déjà l'antichambre de la mort. On n'y a pas de nom. On est la leucémie myéloïde, la leucémie lymphoblastique, l'ostéosarcome… Et ici, c'est grâce à vous que parfois on oublie qu'on est malade. Ici, non seulement on a un nom, mais un prénom, et même un surnom…

Vivi et ses camarades s'étaient mises à pleurer. Nous les imitâmes. Un vrai chœur de pleureuses. J'embrassai Vivi qui sanglotait en se mouchant contre mon pull parme, payé une fortune chez Sonya Rykiel : c'était si dur, tous ces hommes, ces femmes, ces enfants qui apparaissaient, auxquels on s'attachait et qui disparaissaient. On avait l'impression de vivre dans un cimetière. Et cette odeur…

Re-hurlements dans le couloir :

— Ah ! on va pas se laisser dicter notre loi par un boche ! (C'était la voix de Samuel.) Ce type il n'a pas de cancer. C'est un hypocondriaque. Et il vient nous emmerder tous les six mois. Il ne veut pas rater l'avion pour Munich ? Il attendra quand même son tour.

Notre cher professeur pénétra dans la chambre et s'assit sur mon lit, d'un air accablé :

— Qu'est-ce qu'il y a encore ? Tu fais des psychodrames, Lola, maintenant ?

Je ne lui avouai pas que je venais de prendre une bonne leçon. Une de plus ! Ici, comme ailleurs, les mêmes rapports de pouvoir, de rivalité. En plus, la lutte de classes ou son avatar traversait aussi l'hôpital.

— La vie c'est un grand camp de concentration, Lola, me chuchota-t-il, comme s'il avait lu dans mes obscènes pensées. Résistant ? Héros ? Kapo ? Délateur ? Qui peut dire où les petits conflits personnels mènent ?

Puis il repartit, me jetant :

— En attendant, Lola, ne te laisse pas faire. Et ne te bats jamais sur le terrain de ton adversaire.

Les infirmières lui emboîtèrent le pas.

Mes amies restaient divisées. Cathi trouvait que nous avions peut-être eu tort dans le passé de tant copiner avec les infirmières :

— On n'a qu'à vraiment les snober. Elles n'aiment que les malades en début de traitement, bien infantilisés, sur lesquels elles peuvent régner, jouer aux nounous.

— Elles vont maintenant nous en faire baver, dit Marielle qui était terrorisée.

Jeanne, évidemment, me donnait toujours tort :

— Je ne vois pas pourquoi tu as passé tes nerfs sur Vivianne, dit-elle. C'est vrai que Cathi, Marie-Aude, Marianne et toi vous êtes du monde à part.

— Étiez, dis-je. Étiez.

Elle haussa les épaules :

— Vous ne pensez qu'à vous, vous êtes égoïstes. Les infirmières, ici, sont moins payées que dans certains centres anticancéreux qui ont un statut semi-privé ; elles en savent presque autant que les médecins et pourtant elles n'ont rien à dire sur la marche du service...

Visiblement abattue, Zoubeïda se taisait. Elle adorait Vivi, qui s'était tant dévouée pour elle alors qu'elle n'avait pas encore ses papiers en règle. Anna s'était endormie.

Et toi, France, tu étais partie terminer ta chimio dans un coin solitaire, après avoir dit : « Vous vous épuisez en combats inutiles. Gardez vos forces pour des événements plus importants. »

Et comme toujours, tu avais raison.

Au café « La belle vie », où nous allâmes boire un thé pour nous remonter avant de partir rôder au centre commercial Babylone, à la porte des Lilas, où tu voulais t'acheter des soutiens-gorge, nous aperçûmes Dujardin, blanc comme un linge, qui attendait Zoubeïda.

Je savais que le colonel et la Marocaine se voyaient souvent. En voiture, il venait la chercher avec son enfant et les emmenait se promener.

Au début, il agaçait un peu la belle Maghrébine en lui racontant par le menu ses souvenirs des guerres coloniales : Et les Viets étaient endurants mais dissimulés. Et les Tunisiens étaient des femmes. Et les Algériens, des hommes, et les Marocains, des lions. Surtout les Berbères. Ah ! les chleuhs de l'Atlas ! Puis un jour, il lui avait expliqué que, veuf depuis dix ans, il envisageait de refaire sa vie. Voulait-elle divorcer pour l'épouser ?

Elle avait bien ri. Les hommes ne l'intéressaient plus.

Au café, je les matais. Dujardin pleurait. Zoubeïda, de ses longues et fines mains sombres aux paumes couvertes de henné, lui caressait le visage comme si c'eût été un enfant. Le public habituel d'ambulanciers, personnel hospitalier, employés communaux, ne les remarquait même pas : ici on avait l'habitude de voir des gens pleurer.

— Faut pas les croire, ils racontent n'importe quoi, disait la patronne en servant du cognac à Dujardin.

Le colonel cessa de chialer :

— Bon, c'est d'accord. Même si je n'ai plus qu'un an à vivre, c'est toujours ça de pris sur l'ennemi.

— *Mektoub,* disait Zoubeïda. Que tu vives longtemps ! *Tbârk Allah !*

Il insistait pour l'épouser : il n'avait pas d'enfants, elle hériterait de ses biens.

La belle Marocaine riait comme lorsqu'on écoute un enfant rêver :

— Colonel ! Colonel ! Les hommes, Baraka ! Fini pour moi.

— Tu ne veux pas de moi parce que j'ai un cancer ?

Elle riait de plus belle :

— Tout le monde il en a un ou il va en avoir un *Sellat.*

Elle prit son courage à deux mains et finit par lui avouer qu'elle voulait bien accepter qu'il lui donnât de l'argent pour aller à Marseille voir sa fille, bien que H'saïn son mari le lui eût interdit pour cause de mésalliance.

— Ma fille, elle a eu un garçon. Mon troisième petit-fils, dit-elle. Après je rentre au Maroc. Pas à Casa. Mais chez moi dans le désert.

Je crus entendre : « Dans le désert pas de cancer » et Dujardin lui répondre : « Emmène-moi dans le désert, Zoubeïda. »

Mais sans doute avais-je inventé.

Car toi, France, tu n'avais rien vu, rien entendu. « Tu devrais écrire des romans, me disais-tu. Tu as beaucoup d'imagination. »

Dans ta voiture, je parlais, je parlais, je racontais ma vie : et Rafaël par-ci, et Katz par-là, et Michel, que faire de Michel ? Toi, tu te taisais, tu gardais ton mystère, tu le garderas jusqu'au bout. « Mon père était espagnol », me diras-tu un jour pour expliquer ta discrétion.

Mais tu faisais des projets. Tu voulais profiter de ton séjour à Paris où ton mari venait d'être nommé pour courir les expositions, les spectacles...

« Si tu veux, me proposas-tu, on peut aller ensemble tous les jours au cinéma. Il y a en ce moment plein de reprises. »

Je prétendis être trop fatiguée, que tous ces traitements m'avaient rendu claustrophobe ; j'avais souvent l'impression de m'évanouir dans les endroits clos.

Et c'est à ce moment, à la hauteur de la caserne du 1er R.T. boulevard Mortier, que tu me dis cette phrase que je n'oublierai jamais :

« Oh ! Lola, on aura toute la mort pour dormir, on aura tout le temps de se reposer au cimetière. »

ller à Marseille voir sa fille; bien que H'saïn son mari le lu
ût interdit pour cause de mésalliance.

— Ma fille, file avec un garçon. Mon troisième petit-fils,
dit-elle. Après je rentre au Maroc. Pas à Casa. Mais chez moi
dans le désert.

Je crus entendre : « Dans le désert pas de cancer » et
Dujardin lui répondre : « Emmène-moi dans le désert,
Zoubeïda. »

Mais sans doute avais-je inventé.

Car toi, France, tu n'avais rien vu, rien entendu. « Tu
devrais écrire des romans, me disais-tu. Tu as beaucoup
l'imagination. »

Dans ta voiture, je parlais, je parlais, je racontais ma vie :
« Rafaël par-ci, et Katz par-là, et Michel, que faire de
Michel? Toi, tu te taisais, tu gardais ton mystère, tu le
garderas jusqu'au bout. « Mon père était espagnol », me
diras-tu un jour pour expliquer ta discrétion.

Mais tu laissais des projets. Tu voulais profiter de ton
séjour à Paris où ton mari venant d'être nommé pour courir
es expositions, les spectacles...

« Si tu veux, me proposas-tu, on peut aller ensemble tous
es jours au cinéma. Il y a en ce moment plein de reprises. »
Je prétendais être trop fatiguée, que tous ces traitements
n'avaient rendu claustrophobe ; j'avais souvent l'impression
je m'évanouir dans les endroits clos.

Et c'est à ce moment, à la hauteur de la caserne du 1er R.T
boulevard Mortier, que tu me dis cette phrase que je
n'oublierai jamais :

« Oh! Lola, on aura toute la mort pour dormir, on aura
out le temps de se reposer au cimetière. »

25

C'est dilué dans les tons sépia. Je suis étonnée de ne pas porter de menottes dans ce train qui me mène vers la prison de la Santé où je dois subir une xérographie pour vérifier si je n'ai pas de métas ou une jumelle tumeur dans l'autre nibard, l'orphelin, le survivant, l'ahuri.

Point de gendarme pour me convoyer mais une assistante sociale brune aux yeux bleus qui ressemble, il faut le dire, à Vivi. Je pense, façon de parler : c'est chouette la taule, ça commence bien, si toute les matonnes sont comme celle-ci, je me démerderai, je serai la chouchoute, la sainte nitouche, la pas-donneuse mais qui empêche les mutineries, la digne, la cool — mais pas brisée, celle qui donne aux autres détenues des cours de couture, celle qui se branle en douce mais jamais ne se jette frénétiquement sur une détenue plus jeune pour l'obliger à lui lécher le cul, ou à lui enfoncer quatre doigts par là où ça fait du bien, celle qui va à la messe, se confesse au curé en salopette qui comprend tout et dit « les détenus gèrent très sagement leur homosexualité », celle qui ne se fait pas la malle à la fin des permissions, celle pour qui la sous-directrice socialiste a aménagé au dernier étage de la prison un bureau, dans une cellule désaffectée, pour qu'elle y poursuive ses études : je passerai mon certificat d'études, j'écrirai même un livre, ce qui me vaudra des années de rémission de peine...

Alors je suis en train de chercher des soutiens-gorge dans les sous-sols d'une immense lingerie dont les rayons portent des noms de marques : ni « Warner » ni « Rosy » ni « Lou » mais « Cherche-Midi », « Petite-Roquette », « Loos-les-Mines », « Petites Baumettes », « Fort de Ha » et je me fais tancer par une vendeuse brune, aux yeux verdâtres comme ceux de Noémi, qui me dit : « Vous n'avez pas le droit. Et d'ailleurs vous piétinez les Bikinis. »

Je m'étais alors réveillée car la crête de mon os iliaque métastasé, ma hanche quoi, se rappelait à moi, comme toujours la nuit, par des élancements : j'avais changé de position et je m'étais rendormie. Alors là, ce fut délicieux et dans les tons pastel. Je suis dans un grand lit posé au creux d'une clairière au milieu d'un immense parc qui longe une baie au bord d'une mer pâle qui pour une fois la garce ne se met pas en colère. Un homme. Eh oui, un homme à la peau extraordinairement douce repose près de moi. Je suis minuscule, installée sur son ventre au grain de peau très lisse ; mon nez s'enfonce dans les boucles satinées des légers poils de son pubis ; je vois son sexe large, court, très brun, si gentiment posé sur sa cuisse que ça m'émeut aux larmes ; au bout de ce sexe — à la cicatrice en forme de marguerite comme si le circonciseur avait hésité et coupé par petites touches —, dans la minuscule petite fente, une légère goutte ; je me dis que c'est de la vanille. J'éprouve le désir violent de frotter ma joue sur ce ventre, à cette tendre verge et de la sucer longuement, non pour la faire durcir mais pour me donner du plaisir. Presque celui éprouvé adolescente en aspirant des tubes de lait concentré. Cet homme s'appelle Krim. Mais ce n'est pas un Arabe. Je le connais pourtant. Cet homme, ce sexe m'appartiennent. C'est absolument exquis.

— Tu conduis à gauche, me dit Jeanne. Fais attention. Et pourquoi tu chiales avec ce sourire d'idiote ? On n'est pas rendues ma grande. Quelle saucée ! C' tantôt a débauché le temps. Mets tes essuie-glaces.

Merde alors ! Si on pouvait plus revoir ses rêves tranquillement. Moi j'aimais, en marchant, en conduisant, ou quand les autres me les gonflaient à me raconter leurs projets débiles, j'aimais tirer peu à peu les fils d'un rêve ; et alors, séquence après séquence, le film que j'avais mis en scène en dormant, se déroulait. La plupart du temps, douloureusement, lorsqu'il y avait trop de barbelés, de bel homme roux qui passait sans me reconnaître. Mais parfois, après ces rêves où je renversais, caressais, effleurais, léchais, suçais, respirais, aspirais, pénétrais la moiteur de créatures au sexe souvent indéterminé, dont je ne voyais jamais le visage, c'était, des heures durant, la félicité.

— C'est drôle comme tu conduis mal pour une avocate, me dit Jeanne.

Je ne voyais pas le rapport. Et je lui dis que si elle n'était pas contente, elle n'avait qu'à téléphoner à Cathi qui, dans sa Golf GTI, la mènerait à destination avec célérité, et en musique. J'ai toujours détesté conduire ; cela faisait des mois que je n'avais pas conduit ma VW oseille et l'autoroute 49 glissait.

Je fus traversée par une sourde inquiétude en évoquant Cathi. Mon gourou, mon souffle de vie, ma jolie coiffeuse qui m'avait empêchée de crever il y a un an, n'allait pas bien. Elle s'était réveillée le visage couvert de boutons ; au travail, alors qu'elle teignait en bleu les cheveux d'une vieille anglaise, elle avait été saisie de vomissements. J'étais venue la chercher chez Arturo J. Je la trouvai toute jaune, les pommettes et le front luisants, le cou en sueur. Et cette tenue ridicule que le boss les obligeait à porter : short et boots kaki, peignes, brosses, bigoudis, épingles, mini-séchoirs passés dans la ceinture comme une cartouchière ! Avec ses petites et minces guibolles, Cathi me fit penser à une de ces poupées, type « Action Jo », qu'on voit sur les présentoirs des stations-service. Mais brisée.

Je l'avais emmenée en taxi à l'UTATH où, pour l'occasion, les infirmières rompirent la quarantaine dans laquelle elles nous avaient mises. Après l'avoir examinée, Samuel avait dit :

— Je vais appeler Eslama. Il faut qu'on te réopère. Un « third look », comme on dit. Comme ça on en aura le cœur net. Ton foie, il a repoussé depuis la dernière opération. Mais peut-être qu'il a repoussé avec des cellules cancéreuses ?

Puis, se tournant vers moi :

— Mais tu as très mauvaise mine. Tu as maigri dernièrement ?

Je venais de prendre quatre kilos. Et Cathi, malgré sa douleur sous les côtes, m'avait dit en riant :

— Il accommode mal. Il a encore l'image de ma gueule dans la rétine.

La veille de son entrée à l'hôpital pour sa troisième opération, Cathi, bien sûr, avait l'intention de donner une fête.

A Nantes, je pris la direction de Rennes, Roazhon, comme disent les autochtones breizou. Mais nous n'étions pas là pour découvrir la Bretagne et son intimité comme proposent les guides. « On découvrira mieux l'intimité de la nature bretonne en la sillonnant au pas du cheval ou en roulottes hippomobiles au pas du limonier... » Point de fest-noz, de crêpes, de cidre, de joueurs de biniou, de harpe et de triskelle aux sabots ; pas plus que de boîtes rock et cuirs, fleurons de nos belles provinces. Non, nous c'était : direction le service de « réa » du CHU de Rennes.

Nous contournâmes une petite ville entourée de remparts avec tours, poternes, mâchicoulis, maisons à pignon, en encorbellement, et tout le saint-frusquin. Nous traversâmes des forêts et, très vite, ce fut une zone industrielle, des usines Citroën, une raffinerie, des hangars Coca-Cola et Ricard.

Enfin la Vilaine et ses rives. Je me garai dans un parking face au quai Duguay-Trouin et nous nous perdîmes dans les ruelles de la vieille ville où les fast-food commençaient à s'implanter.

— Le CHU, nous dit une ravissante punkette, c'est l'hôtel-Dieu.

— Non, objecta un obligeant flic réunionnais, le CHU c'est l'hôpital du Sud.

Nous reprîmes l'auto pour ressortir de Rennes vers une zone périphérique où se trouvait l'hôpital Pontchalliou dans un lit duquel gisait Maryvonne.

Petit retour en arrière pour expliquer que depuis un mois Jeanne et Maryvonne avaient décidé de se tirer de chez elles. — *N'allez-vous pas lasser, Lola, avec votre pensée flash-backante ?* Bien sûr, elles avaient renoncé à Moorea. Elles avaient opté pour un séjour à Monaco dans une maison de repos dépendant de la Mutuelle des agriculteurs. Au retour, elles envisageaient de se mettre en ménage à Puteaux dans un logement que Jeanne avait obtenu grâce aux relations de Marie-Célimène. (« S'ils veulent une bonne, avait dit Jeanne, parlant de ses fils et de son époux, ils n'ont qu'à demander une aide ménagère au service social de la mairie. »)

Elle ne les supportait plus et préférait, malgré sa fatigue, tenter de trouver un travail. Dame-pipi, voilà ce qui lui aurait plu, mais c'était impossible : la charge se vendait à prix d'or. Alors, elle espérait trouver une place de caissière dans un supermarché. (« Ils prennent bien des Arabes, se disait-elle, ils peuvent bien prendre une Française malade. »)

Maryvonne, elle, ne pouvait plus encadrer sa belle-fille Jacqueline, son syndicalisme, ses idées de modernisation : ne s'était-elle pas mis en tête d'acheter un mini-ordinateur pour gérer la ferme ! Son petit-fils, l'orphelin, était maintenant en pension chez les curés à Vanves, il viendrait aussi bien la voir à Puteaux.

Les deux Bretonnes avaient eu rendez-vous la veille à la gare Montparnasse, comme il se doit. Mais sa valise à la main, bousculée par des troufions en permission, Jeanne avait en vain attendu des heures les trains qui venaient de Brest. (« Où il pleut toujours comme il pleuvait avant, comme chacun sait », avais-je connement ricané, interrompant le récit de Jeanne.)

Elle avait fini par téléphoner chez Maryvonne.

— Elle est partie, lui avait répondu une voix d'enfant.

— Elle est partie avec une valise ?

— Non. En ambulance.

Un moment, Jeanne s'imagina que sa vieille copine imitait feu Marianne Losserand et se servait des ambulances comme de voiture de maître. Mais, non. L'enfant avait précisé : elle est partie allongée. A Paris ? L'enfant ne savait pas.

Jeanne s'était précipitée à l'UTATH. Dans aucun service on n'avait trace de Maryvonne. Cathi l'avait alors emmenée passer la nuit chez elle puis avait retéléphoné à la ferme ; on lui avait appris que la vieille paysanne était en réanimation au CHU de Rennes, à la suite d'une hémorragie gastrique ou intestinale. Bien sûr, de l'hôpital, on ne donnait aucune information par téléphone. Cathi malade, j'étais de corvée. Alors brave Lola avait protesté : elle n'était pas SOS-Cancer comme Cathi. Si elle était payée pour savoir que tout se rembourse dans la vie, le bien, le mal et surtout le pervers amour de la mort, elle ne se sentait redevable aujourd'hui d'aucune gracieuseté vis-à-vis de quiconque. Sauf envers son fils.

— J'irai pas, dis-je. J'ai besoin de toutes mes forces. Ça me flippera de voir Maryvonne en « réa ». Et je te conseille de t'abstenir comme moi.

— C'est un peu salaud, non ?

— C'est salaud. Mais je te demande d'en faire autant avec moi quand ce sera mon tour.

Et c'est ainsi que je me retrouvai, moi qui déteste conduire, qui déteste les autoroutes, qui déteste la pluie et la Bretagne, en train de tourner dans les faubourgs de Rennes, après être passée et repassée devant la prison de femmes que je connaissais trop bien. Et pas seulement parce que tante Rivke s'en était évadée en 1943 avant d'être balancée par une copine puis reprise et déportée, mais parce que j'y avais eu une cliente infanticide.

Apercevant enfin les bâtiments modernes du CHU qui me semblait avoir servi de décor au film *Les Choses de la vie*, bâtiments modernes mais pas hiltoniens comme ceux du CHU parisien où officiait Katz, je me dis :

« Dans le fond, Lola, tout ce que tu auras connu du vaste monde, ce sont les prisons et les hôpitaux. Et si, au lieu d'être avocate, tu avais été fliquesse ou médecin, cherchant à accumuler les indices, serais-tu tombée malade ? »

— Tu viens avec moi ? me demanda Jeanne qui grelottait sous son petit imperméable en gabardine bleu pétrole, ses minces cheveux teints en roux aplatis par la pluie.

Je secouai négativement la tête :

— C'est *ta* copine, pas la mienne. Et puis j'ai une overdose de mal barrées.

Elle me regarda comme si j'eusse été un monstre venu d'une autre planète, et poussa les portes de verre.

J'allai me garer à l'emplacement réservé aux ambulances,

j'allumai une cibiche et je fermai les yeux. Et une fois de plus, j'eus mes nuisances : l'entêtant travelling de la colonne des déportées, pieds nus dans la neige, et l'obstinante bande-son *Schnell ! Schnell !*, et le plan moyen sur celle qui tombe d'épuisement et le gros plan sur mon bras qui la tire mais la femme sans visage ralentit bientôt le rythme de la colonne et je détache ma main de celle qui s'agrippe à moi... Ah merde ! J'en avais ma claque de ce cirque répétitif. Change de film, change de disque, change de livre, Lola, ça te fait même plus jouir.

J'ouvris les yeux, je regardai la vieille dame près de la barrière qui clôturait la cour, la vieille dame voûtée qui vendait des roses sous la pluie, je me dis que j'aimais les roses et les magnolias et les seringas et les pivoines et les narcisses et les iris et les lys et cela me donna envie de chialer car jamais je ne m'offrais de fleurs. — *Et lorsqu'on vous en offre, Lola, ça vous révulse, ça vous terrorise : « Mais qu'est-ce qu'ils veulent ? Pourquoi ? » Et vous vous récitâtes :* « Ici la tentation n'est pas de jouir mais de vivre... Vivre est devenu une tâche sainte... La mort est devenue le mal absolu. »

Qui avait écrit ça ? Robert Antelme, le premier mari de Duras, dans L'Espèce humaine. *Comme vous auriez aimé utiliser ce titre pour vos petites écritures. Car maintenant vous auriez souhaité que l'on publiât vos petites crottes, ces petits souvenirs de la ballade des cancéreuses, un livre que vous auriez intitulé* Deadline, *ce terme employé par les journalistes pour signifier l'heure limite après laquelle un article ne pourra plus être imprimé. Ou bien* One more time, *ou* E pericoloso sporgersi, *ou* Les Fiancés de la mort, *mais c'était le nom d'une association d'anciens SS, ou* Je n'ai pas bien compris, *ou encore* Fausse Sortie.

Entre deux malaises, deux angoisses, deux testaments, vous vous projetiez écrivaine ou grand reporter comme Pauline. Vous n'auriez eu un cancer que par voyeurisme.

Comme ces phrases que vous aviez écrites au marker rouge sur les murs de votre chambre, à l'intention de Samuel Tobman :

« J'y suis allé pour couvrir la guerre et c'est la guerre qui m'a couvert ; vieille histoire, sauf bien sûr si vous ne l'avez jamais entendue. J'y suis allé avec la conviction rudimentaire et sérieuse à la fois qu'on doit pouvoir être capable de tout regarder : sérieuse parce que je ne me suis pas dégonflé et j'y suis allé, rudimentaire parce que j'ignorais et il a fallu une guerre pour me l'apprendre qu'on est aussi responsable de ce qu'on voit que de ce qu'on fait [1]. » *(Pauvre Lola, pauvre pomme qui se prend en plus pour un personnage à la Conrad.)*

La pluie avait cessé. Un gardien me fit signe d'aller me garer à l'extérieur :

— Vous n'êtes pas une ambulance ?

— Non, je suis un corbillard.

Le connard rit de ma fine plaisanterie mais me donna l'ordre d'obtempérer. Non, je ne taperai pas sur la gueule de ce brave homme.

Dans la rue, j'achetai des pralines à un immigré et, tout en me bâfrant, je philosophais sur mon radieux avenir de rémissionnaire.

Étais-je capable de prendre des risques comme Cathi ? Souvenirs d'enfance : « T'es cap' Lola ? T'es cap' de sauter de l'arbre ? » Et Lola, morte de trouille, saute et se casse une jambe. Cathi, une fois de plus, on allait lui ouvrir le buste en biais, puis étaler ses tripes sur la table d'opération, sortir le foie, le couper en tranches, examiner attentivement chaque tranche à l'aide d'un appareil sophistiqué venu des USA dont elle serait le premier cobaye français ; puis, si l'on retrouvait quelques cellules en division, on lui referait une lourde chimio, elle reperdrait ses beaux cheveux blonds, Gaspard, son fils, en serait désespéré, et elle se déplacerait au bord de l'évanouissement permanent.

Et pourtant, le jour où Samuel lui avait annoncé le « third look », elle avait brûlé ses vaisseaux.

D'abord, elle avait donné sa démission du salon de coiffure, bien qu'elle n'eût pas un rond car Jean-Pierre n'était pas en état de reprendre son travail de maçon.

Yves, le vieil amant banquier, pas nationalisé par la gauche « mais ça ne saurait tarder » disait-il et d'ailleurs il s'en moquait car il était patriote et c'était pour la France,

---

1. *Dispatches*, Michael Herr.

comme en 1940 quand il était parti pour Londres, Yves donc, l'avait attendue un soir au coin de la rue Saint-Honoré, l'avait emmenée dîner chez Francis à l'Alma et, entre deux belons, lui avait annoncé qu'il s'était enfin décidé à quitter sa femme :

— Je n'ai que soixante ans après tout, Cathi, nous pouvons rebâtir une famille. J'élèverai Gaspard, nous le mettrons à l'École alsacienne, puis il fera l'ENA s'ils ne la suppriment pas. Il ne sera plus dans la lune, il ne sera plus dyslexique et même, s'il ne peut suivre des études supérieures, on lui fera faire du commerce, tout continuera à s'acheter et à se vendre, il fera de la publicité, tu as remarqué il les connaît toutes par cœur, mieux que ses tables de multiplication... Je te ferai un autre enfant. Tu es guérie, Cathi. Guérie ! Cette opération, c'est ridicule, c'est pour nous rassurer. J'ai téléphoné à Tobman... Je lui demanderai si tu peux avoir un enfant. Il nous donnera le feu vert...

Cathi souriait, dégustant ses oursins :

— Je vais faire un enfant. Mais pas avec toi. Avec Jean-Pierre.

— Mais les cancéreux sont stériles, Cathi.

Elle se marra :

— Mais pas impuissants. Et d'ailleurs, on lui a congelé le sperme avant de commencer la chimio, au cas où la spermogenèse ne reprendrait pas après les traitements. Et il sera pour moi.

Comme toujours, lorsqu'elle était de bonne humeur, Cathi parlait très fort, et leurs voisins de table n'en perdaient pas une. La jeune femme adorait ça.

— J'ai plus faim, dit Yves en reposant son crabe.

Il était très triste car il aimait Cathi.

— Tu n'es pas obligée de vivre avec moi, dit-il. Mais soyons amis. Laisse-moi te voir de temps en temps, t'inviter à dîner, te gâter. Veux-tu que je t'achète un salon de coiffure ou un institut de beauté ?

Cathi ne voulait rien. Elle ne savait pas encore ce qu'elle ferait de sa vie, mais jamais plus elle ne dépendrait d'un amant ou d'un patron.

Elle m'avait proposé de m'associer à elle pour monter une affaire, dans l'éphémère :

— Un truc à court terme, disait-elle, au jour le jour, mais qui nous permettrait de ramasser du blé. Marieuses, entremetteuses, SOS-je-ne-sais-quoi, et avec le fric on aiderait les cancéreux en difficulté.

Elle était toujours dans son trip de rendre aux autres tout le bien qu'on lui avait fait depuis qu'elle était malade (une diamantaire anversoise, mère d'un petit leucémique décédé, lui avait encore récemment offert un week-end aux Grenadines en compagnie de Jean-Pierre), oubliant que tous ces cadeaux lui étaient exclusivement destinés à *elle*, pour ses talents : parce qu'elle était ravissante, émouvante, courageuse, marrante, culottée — vivante quoi !

Moi, en fait, à part écrire obsessionnellement sur mes petits cahiers, écouter de la musique, lire des romans américains, manger des tomates en feuilletant des revues de mode, regarder le ciel gris, le ciel bleu, le ciel haut et bas au-dessus des toits de la synagogue et observer les allées et venues de mon merveilleux garçon qui chaque jour ressemblait un peu plus à son père et à mon père — ce qui était un exploit —, je n'avais pas de vrai désir. — *Sinon, Lola, celui, dur, de durer durement durablement ?*

Mais il faudrait bien gagner des pesetas. A quarante-deux balais, je ne pouvais continuer à me faire entretenir par le pauvre Nussenberg. Encore moins par mes associées. Car, en attendant la Blème, fallait croûter.

« Quand même, s'était exclamé ma mère. *Ot azoï*[1] ? Mademoiselle la *printsess* veut abandonner le barreau ! Après toutes ces études coûteuses qu'Aaron t'a payées. D'accord, avec l'argent de ton père. (Larmes.) Ah, Hitler ! Hitler ! *Ot azoï ? Panié Chouchou*[2] (c'était moi) n'est pourtant plus une jeune fille ! Et puis *porkwa* tu l'as pas épousé le professeur Katz ? *Porkwa* tu t'es pas mariée, Lodja ? Noémi, c'est *autre* chose : elle a pas eu de chance, son mari l'a quittée. Mais *porkwa* aussi elle a pris ce Michel, cet *advokat* qui ne divorcera jamais ? Et maintenant c'est toi, elle m'a dit ta sœur. Pourtant elle n'est pas morte ta sœur. Mais qu'est-ce

1. « C'est comme ça ? »
2. « Madame Chouchou ».

que vous lui trouvez à ce goï ? Tu as besoin de *deux* amants ?
Je ne comprends pas. La *printcess* est ma-la-de et elle a deux
ou trois ou quatre ou qu'est-ce que je sais, dix *gelibteh*[1].
C'est moderne, ça ? »

*— Je pense que vous vous égarez, Lola. Que voulez-vous
au juste exprimer ?*

J'avais tenté de passer une journée dans mon officine.
Patiemment j'avais écouté la succession de drames : l'Ange-
vine battue par son mari, l'Américaine homosexuelle violée
au métro Porte-Dorée, le Malien expulsé et — le pompon —
l'Arménien, surtout l'Arménien, arrêté à Orly avec un faux
passeport dont nous devions nous occuper, mes associées et
moi.

Je m'étais enfuie.

Et c'était Mado qui avait — merveilleusement comme
toujours — plaidée pour Lucciana, la mère d'Anna ; elle
n'avait pris que six mois et, en plus, avait été dispensée de
peine. Moi, je ne défendrai plus la veuve et l'orphelin, le
terroriste repenti ou le braqueur merdique. Et si j'entrais un
jour en prison, je saurais pourquoi. — *Oui, Lola, on connaît
le refrain : car vaut mieux être coupable que malheureux et
avoir des remords que des regrets !*

— Tu causes toute seule, me dit Jeanne, ouvrant la
portière.

Et elle s'assit à côté de moi, me faisant signe de démarrer.
Je la regardai : pour la première fois, je m'apercevais qu'elle
avait dû être très jolie autrefois. Elle ne pleurait pas. Son
visage s'était dégonflé, était redevenu fin, juvénile.

— Elle est morte comme un chien. (Jeanne parlait entre
ses dents.)

Je m'entendis dire, de ce ton haineux que j'avais souvent
dernièrement :

— On meurt tous comme des chiens parce qu'on a tous
vécu comme des chiens.

Je repris la route de Paris. Jeanne était recroquevillée dans
son chagrin. Je savais que pour elle c'était comme si sa mère

1. Amants.

venait de mourir une seconde fois. Je craignais que cette immense douleur ne fasse remonter le « pic » de son myélome, comme elle disait, qui s'était stabilisé.

— Tu sais Jeanne, dis-je. On est là. Il reste Cathi, Marielle. Et France. Tu verras, elle est très sympathique.

— France, c'est comme toi, du monde à part, me dit-elle. Tu vois, Lola, un jour à la télé, j'ai entendu Samuel dire que les cancéreux formaient la seule société communiste, égalitaire, solidaire. C'est pas vrai. Le cancer, c'est comme la vie. Quand on va mal, on se tient la main, mais dès que ça va mieux...

Je me souvenais d'une chanson idiote : « Pleure pas Raymonde... au ciel on sera tous des Miss Monde. » Et j'avais, malgré la mort de Maryvonne, envie de me marrer.

Pour dérider Jeanne, je lui racontai l'histoire de la psychiatre rencontrée récemment à l'UTATH. Son chat était leucémique et elle avait supplié Samuel de lui obtenir de l'interféron. « Mais chère consœur, lui avait-il dit, c'est impossible. Je suis prêt à tout tenter. Mais pour un chat, même si c'est le chat de votre vie, c'est difficile. » La voyant effondrée, au bord du suicide, il lui avait conseillé d'aller en Suisse où, avec beaucoup de pognon, elle pourrait peut-être en acheter. « Mais alors, s'était-elle exclamé, ça ne sera pas remboursé par la Sécurité sociale ? »

— Tu vois bien, me répondit Jeanne que ça ne faisait pas rire, y a des restrictions d'interféron pour moi, mais y en a pas pour les chats des foldingues qu'ont de l'argent ou le bras long.

Il pleuvait à nouveau. La nuit était tombée et je détestais conduire la nuit : « On va se planter, me dis-je. Friedlander, un peu de vigilance. » A la radio, le groupe Chagrin d'Amour chantait : « Cinq heures du mat' / J'ai des frissons, Je claque des dents... »

Je proposai à Jeanne de venir passer la nuit chez moi : demain était un autre jour.

— Non, me dit-elle d'un ton las. Dépose-moi chez moi. C'est trop tard, je ne partirai plus. Et puis Maurice, il en vaut bien un autre...

Et sa petite valise à la main, l'ascenseur étant toujours en panne, elle remonta à pied les cinq étages de l'escalier B du bâtiment F de la cité Maurice-Thorez ou Politzer, avenue de Stalingrad ou avenue Paul Vaillant-Couturier. Ça ressemblait à un mauvais film. Mais c'était comme ça.

Alors je repris les boulevards extérieurs, entrai dans Paris par la porte d'Orléans, descendis le boulevard Saint-Michel, passai la Seine et je me répétai une fois de plus que je vivais dans la plus belle ville du monde et j'eus même un moment la tentation d'être heureuse.

« Au lit ! Au lit ! » me disais-je en grimpant, boitant un peu, mais toujours quatre à quatre, les escaliers de mon immeuble. Pas de lumière chez tante Rivke mais, malgré l'heure tardive, des roucoulades de musique venant de chez moi.

— Tiens, me dis-je, Bolivar écoute Sinatra maintenant ? « *What can you say when a love affair is ooover* » sur un vague air de samba.

Mine de conspiratrice catastrophée comme si un grand malheur s'annonçait, Aïcha me guettait sur le palier : « *Meskina ! Meskina !*[1] » soupira-t-elle, essayant de donner du gonflant à mes courts cheveux bouclés et tapant sur mes joues comme pour les faire rosir. Était-elle devenue maboule ?

Toutes les lumières de l'appartement étaient allumées. Je m'apprêtais à hurler : « C'est les Mille et Une Nuits ici ! Vous mariez qui ? »

Et soudain, je le vis. Là. Sur la chaise à bascule blanche, devant le grand miroir marocain, un brun quinquagénaire aux cheveux bouclés, un peu longs dans le cou, aux tempes grisonnantes légèrement dégarnies, au petit nez busqué, le menton un peu empâté, les yeux de braise, très bridés, à l'expression un peu cruelle, la fine moustache trop bien taillée au-dessus d'une bouche un peu féminine et de grandes dents très blanches qui lui donnaient l'air d'un félin au repos.
— *Un vieux félin, vous vous dîtes, Lola. Mi-Pedro Armendariz, mi-Clark Gable dans* Autant en emporte le vent, *chez Pancho Villa. Plus maffioso que guerillero, dans son costume*

1 Infortunée (en arabe).

trois-pièces en velours marron, gilet à petits damiers, chemise
en soie beige et large cravate jonquille.

Il se leva, apparemment ravi de sa bonne blague, vint vers
moi, son havane à la main et je sentis son odeur d'after-shave
poivrée, genre « En avoir ou pas ». Il riait en silence, la
bouche fermée, comme au bon vieux temps :
— *Estas feliz de ver me, negrita ?*
Si la « petite négresse », comme il disait, était heureuse de
le revoir seize ans plus tard ? Vite un Valium ! Je cherchai
fébrilement dans mon sac mais j'avais malheureusement
balancé toutes mes pilules dans les chiottes.
Nous nous observions en silence :
— *No me das un beso, mujer ?*
C'était bien Rafaël ça : il me dit au revoir un soir d'avril
1965 dans un café de la porte Saint-Denis, me laissant en
guise de souvenir outre Bolivar-David et une ridicule poupée
alsacienne, un carton de tir perforé dans une fête foraine où
il avait écrit ces fameux vers de Neruda qu'il répétait sans
cesse : « *Es tan corto el amor es tan largo el olvido* » ; il me
serre une dernière fois contre son grand corps sombre et
maigre qui sent la vanille, il penche vers moi son visage
presque décharné aux pommettes indiennes, il m'embrasse
les yeux et me dit : « *Mujer me voy... Me voy a morir.* »
Et le mois suivant, son nom figurait dans *Le Monde,* parmi
ceux des dirigeants de la guerilla assassinés par les marines
américains sur le pont Duarte... Et maintenant, il aurait
trouvé naturel que je le serrasse dans mes bras et que je
l'embrassasse affectueusement, maternellement.
Je n'arrivais pas à articuler, j'étais paralysée, je me sentais
rougir, blêmir, ça me démangeait, comme si j'avais attrapé
un urticaire géant, mes paupières se gonflaient, ma langue
épaississait, mes amygdales s'enflammaient, l'asphyxie me
guettait. Et le bide, n'en parlons pas ; il se ballonnait, comme
si j'eusse été à nouveau en cloque. Ah ! si j'avais pu me
gratter furieusement, roter, faire des vents, comme disait
Marie-Aude. Mieux : m'évanouir sur le champ.
Rafaël Leonidad s'approcha encore, me caressa la joue :
— Tu rougis toujours quand tu me vois ?
Maintenant, était-ce le mélange d'odeur de cigare et d'eau

de toilette virile ajoutée aux effluves d'essences de la journée, j'avais une horrible envie de vomir.

Je m'effondrai sur un divan, balbutiant :

— Mieux vaut tard que jamais.

Nous observant, notre fils bien-aimé se tordait et il se mit à chanter, imitant Aznavour : « Je reviens te chercher/Tu vois bien que rien n'a changé. »

Je tentai de lui administrer une paire de baffes mais, plus grand et plus souple que moi, il s'échappa. Puis il dit en riant — et je lui trouvai un sinistre air lubrique :

— Bon, eh bien je vous laisse, vous devez avoir beaucoup de choses à vous dire.

Et il embrassa son père, un *abrazo* à la latino, comme s'il l'eut toujours connu : « *Buenas, papi.* »

Et *mon bel amour mon tendre amour ma déchirure*, « *Te acuerdas, Lola de Aragon ?* » et moi-même restâmes en tête à tête, après qu'Aïcha m'eût de loin fait des signes cabalistiques qui devaient signifier : « Je vais me coucher mais je ne dors que d'un œil, au cas où le Kelb responsable de ta goisse et de ta maladie ne se livrât sur ta personne à des pratiques magiques. » A moins que son geste, l'index frotté sur le majeur, n'eût voulu dire : « Le flouz ! N'oublie pas de lui demander du flouz ! »

— Tu prends un verre avec moi ? me demanda Rafaël.

— Je ne bois plus, mentis-je (me disant : « Frïedlander, faut garder toute sa tête, c'est pas le moment de perdre le nord »). Et immédiatement, je bus une rasade de vodka.

Il sirotait tranquillement son whisky, tirait sur son cigare, me tenait la main, les yeux mi-clos, bien calé au fond du divan :

— On est bien, n'est-ce pas ?

De ma vie, je n'avais été aussi mal. Toutes ces larmes, cette douleur, ce deuil, ces obsessions, ces rêves, ces cauchemars, cette comédie, ces drames pour le revoir, ne serait-ce qu'une fois avant de mourir, cette pensée le jour où j'avais senti la boule pas ronde dans le sein : « J'ai un cancer, s'il est vivant, il l'apprendra et il reviendra... » Cette joie le jour où j'avais appris que j'avais des métastases : Maintenant, c'était sûr, il reviendrait sur son cheval blanc réveiller la princesse qui n'avait pas pleuré ce jour où elle avait accouché seule dans cet hôpital de banlieue et qui crânait et qui disait qu'elle avait toujours voulu avoir un enfant sans père et tralali et tralala.

Cette blessure, que j'avais fait semblant d'ignorer, pour me retrouver dans cet état de malaise, de malheur, alors qu'il était là, car soudain, j'étais envahie de cette glauque tristesse comme dans ce rêve où je savais que celui que j'attendais ne viendrait plus. (« Il ne faut jamais retourner sur les lieux du crime » m'avait dit un jour Anatoli, le pope grec de l'UTATH, à propos d'une femme qui, avant de mourir, avait été en Amérique revoir un homme pour lequel elle avait dans sa jeunesse abandonné mari et enfant, et n'avait retrouvé qu'un banal petit homme d'affaires provincial, remarié plusieurs fois et qui, en plus, lui avait laissé régler la note de restaurant.)

— J'aurais préféré que tu sois mort, dis-je au beau Rafaël.

Il crut que je blaguais. Et il me fit le récit de ses aventures de « catorcista », après le soulèvement du 24 avril 1965. Et Wessin y Wessin. Et comment les militaires d'extrême droite s'apprêtaient à faire un « prononciamento ». Et comment les officiers « constitutionnalistes », Francisco Camaaño et Cie arrêtèrent les officiers putschistes. Et comment ils sortirent de leurs casernes, s'installèrent dans la vieille ville et distribuèrent des armes au peuple. Et comment les ex-guerilleros du M.P.D. et du *M-14 de junio* se battirent avec Camaaño contre la 82e division aéroportée yankee envoyée par Lindon Johnson sous les conseils d'un de ses conseillers nommé curieusement Thomas Mann... Et la bataille sur les rives du rio Ozama. Et la caserne de San Isidro et Imbert et sa junte trujiliste et Garcia Godoy et Juan Bosh. Toujours Juan Bosh... Et des noms et des noms, dont je me foutais à présent comme de ma première chemise, alors qu'il y avait seize ans, j'écoutais le cœur battant le récit de la guerilla de 1963, de son échec, de la prison, des tortures, de la prise d'otages, de l'échange et de la libération vers Alger.

Bref, il avait en 1965 fait un an de prison, avait oublié à sa sortie le *M-14 de junio*, pâle copie du « 26 juillet » de Fidel Castro, avait adhéré au Parti révolutionnaire dominicain, une formation liée à l'Internationale socialiste mais où militaient aussi des libéraux riches propriétaires terriens. Il avait repris son métier d'avocat, possédait le plus important cabinet d'affaires de l'île, faisait des affaires avec les USA, le Venezuela...

J'étais presque endormie, mon mal au ventre avait disparu.

— Qu'est-ce que tu fais ce soir ? dis-je. Moi, je vais me coucher.

— Moi aussi, dit-il.

Et comme si cela allait de soi, il enleva ses chaussures, son veston, commença à déboutonner son gilet.

— La chambre est toujours au même endroit ?

— Non, dis-je, je l'ai laissée à Bolivar quand il est né. Je me suis installée dans l'ancienne chambre de Noémi.

Tout en enlevant sa cravate, sa chemise, son pantalon, son caleçon américain à petites fleurs et sa montre, il me suivit jusqu'à la salle de bains.

Je n'osais le regarder. Quelle histoire ! Mon Dieu, que faisais-je avec cet étranger qui pissait dans mon bidet ?

Je ne pouvais me décider à me déshabiller.

— Tu trouves que j'ai grossi, me demanda-t-il, secouant tranquillement sa bite dont le souvenir m'avait barré l'existence. (« On dit ça, on dit ça, dirait Tsoulovski. Mais ce n'est qu'un fantasme. A-t-il même existé cet homme ? Parlez-moi plutôt de celle de votre papa. »)

— Pas vraiment, dis-je, tu as rapetissé, tu t'es étoffé, fait « homme » comme on dit.

Il prit ma brosse à dents électrique et tranquillement se mit à nettoyer sa superbe denture, et je me souvins qu'une de mes perversions naguère consistait à lui lécher longuement les quenottes jusqu'à ce qu'elles fussent totalement nettes.

Bravement, je me décidai à enlever mes innombrables pulls et maillots de corps en soie italienne.

J'étais nue devant lui, seize ans et beaucoup de cicatrices en plus. Le miroir me renvoyait l'image d'une vieille femme à la peau trop blanche, au ventre rebondi, aux cannes trop minces : j'avais cent ans.

Assis sur le bidet, il m'observait :

— Tu sais, Lola, tu es bien plus belle qu'à l'âge de vingt-cinq ans. Maintenant, tu es une femme. Avant tu avais l'air d'une adolescente. Tu as l'air calme, reposé. Tu rayonnes. Avant tu me faisais peur. Tout était toujours si dramatique. Et puis ces cheveux courts te vont très bien. On dirait un *pastor griego*.

Un pâtre grec ? Et moi qui me trouvais avec ces cheveux courts frisés (oui, après la chimio ça repousse toujours bouclé) un insupportable air de vieille minette. Je passai une robe kabyle, cousue par Aïcha, et nous allâmes nous coucher.

Comme au temps jadis, il me fit signe de me pousser : il dormait toujours à la droite des dames. Et je me poussai bien que je détestasse à présent être coincée contre le mur. Et comme il y a seize ans, comme à la belle époque, il se tourna vers moi, passant sa jambe droite sur mon corps ; il posa la paume de sa main sur mon torse pour, comme dans le passé, s'endormir en me tenant le sein gauche Il chercha, tâtonna, échoua sur ma cicatrice.

— Ce n'est pas le bon côté, dis-je, au bord de la crise de fou rire.

— Il n'y a pas de bon côté, dit-il tendrement. Je veux te toucher, te caresser.

Et il répéta cette phrase qui m'avait toujours fait marrer :
— *Eres la carne la mejor organisada del mundo*[1].

Et il ajouta que mon sourire, lui, ne vieillirait jamais et il dit qu'il n'avait jamais oublié mes yeux jaunes et il me dit, et il me dit...

Mais ni sa voix, ni ses mains, ni ses yeux, ni son odeur, ni son corps lourd ne m'étaient familiers. Et dans mon demi-sommeil affleura cette scène au bord d'une plage qui était peut-être sur la Méditerranée : je suis assise sur une barrière, le vent remonte ma jupe en angora rose, découvrant ma culotte de coton blanc, je balance mes jambes couvertes d'égratignures, le bel homme roux au sourire irrésistible me retient par la taille pour que je ne tombe pas ; il me dit : « Regarde la mer, ma princesse de Palestine. » Il me dit : *Tokhteré*. Il me dit : *Meydelè*. Il me dit : *Shepselè*[2]. Il me dit

1. « Tu es la chair (viande) la mieux organisée (distribuée) du monde. »
2. « Mon petit enfant », « ma petite fille », « mon petit agneau ».

Louloushka, Lolkelè, Loniouta. Il me dit, il me dit, il me dit. Et il me pose sur ses épaules et nous courons vers la mer...

— On dort, dis-je à Rafaël, en me recroquevillant dans mon coin.

Il se retourna, s'endormit très vite ; je remarquai qu'il ronflait à présent. Peut-être en avait-il toujours été ainsi ? J'allais enfin pouvoir me livrer à mon plaisir solitaire : sangloter doucement sur le paradis perdu, sangloter pendant des heures. Mais non, impossible, la prédiction de Tsoulovski s'était réalisée : je ne pouvais plus pleurer.

Lorsque je me réveillai, épuisée par cette nuit d'horreur, Rafaël était déjà habillé et il prenait son petit déjeuner avec Bolivar-David qui avait décidé de sécher le lycée. Le père et le fils avaient de grandes nouvelles à m'annoncer. Rafaël nous invitait l'été prochain à Saint-Domingue. Je rencontrerais son épouse, une ancienne Miss Saint-Domingue devenue directrice d'une galerie d'art ; et Bolivar-David ferait connaissance de ses demi-sœurs dont l'aînée avait trois ans de plus que lui.

Mon morceau de gruyère à la main, je marquai un temps d'arrêt :

— Tu avais une fille lorsque je t'ai connu ?

Il me regarda avec un air d'indulgent reproche :

— Lola, *lo sabias que yo era casado...*

Le savais-je, du temps de ma folle jeunesse, qu'il était marié ? (« Certainement, dirait Tsoulovski. Où aurait été le plaisir si vous n'aviez pas été Trrrois ? ») Quelle importance aujourd'hui ? Passons.

Je rentrerais ensuite à Paris pour me soigner et continuer ma brillante carrière d'*avocada* et Bol'Dav' resterait chez son papa où il terminerait ses études préuniversitaires. Ensuite il l'enverrait à Boston au MIT[1].

A ce point du discours, je ne pus m'empêcher de sourire.

« Tous les Leonidad Hernandez di Tavios doivent recevoir la meilleure éducation du monde, Lola. »

Bolivar semblait très emmerdé. D'un côté il y avait le magnétoscope, le walkman, les divers jeux électroniques que

1. Massachusetts Institute of Technology.

son papa lui avait ramenés du Japon, plus la perspective de faire du ski nautique, de la pêche sous-marine, de conduire une voiture de sport dans deux ans, de bouffer des Mac-Do à volonté et d'avoir enfin une autre image masculine que celle d'Aaron Nussenberg. Mais, de l'autre, il y avait Aïcha-la-tendresse. Et moi ? Peut-être aussi un peu, moi : la mamma.

— Tu as bien changé, Lola, me dit Rafaël. Tu as une drôle d'idée de ce qui se passe en Amérique latine. *Sabes lo que succede en Guatemala, en San Salvador ?*

Raison de plus. J'avais pas réussi, afin d'emmerder Hitler comme disait tante Rivke, à ce qu'il y eût à nouveau un Frïedlander mâle pour qu'on retrouvât un matin son corps mutilé, flottant sur le rio je-ne-sais-quoi.

Rafaël finit par lever le camp, son avion décollant dans deux heures. Il rappela de l'aéroport :

— Je compte sur vous. Je vous attends cet été. *Ciao* Lola ! *Hasta luegito !*

Je m'aperçus alors que j'avais oublié de lui demander pourquoi il n'avait jamais donné de ses nouvelles.

26

Personne n'en revenait. Pourtant j'en avais entendu des : « mais Lola, t'es pas capable de faire ça ; jamais tu n'auras le courage » ; des : « à ton âge on ne change plus » ; des : « t'y as fait ton trou, c'est ta cellote, ce sera ton tombeau ! »

Eh bien voilà : je m'étais jetée à l'eau, j'avais moi aussi brûlé tous mes vaisseaux.

Sans me prévenir, un matin, France avait fait passer une annonce dans *Le Figaro* et j'avais été mise devant le fait accompli. Le lendemain, dès l'aube : émeute dans le somptueux escalier du XVIIIe siècle salopé par le maroquinier du second ; et tante Rivke, en pyjama de soie, essayant de discipliner à coups de balai la vociférante foule qui se bousculait pour louer mon appart'. Enfin celui dont j'avais, me croyant dix-huit mois auparavant à l'article de la mort, fait donation à la chair de ma chair. Mais Bol'Dav', grand seigneur, m'avait dit :

— Mamouk, la seule chose dont j'ai besoin dans la vie, c'est de toi. Si tu meurs, à quoi me serviront cet appartement et les bijoux de mon arrière-grand-mère Sarah ? Vends tout et profite de ton fric. Être le plus riche orphelin ne m'intéresse pas.

Courageuse mais pas téméraire, je m'étais contentée de louer, pour de folles sommes, l'héritage de mon héritier à la productrice Magy G., l'amie de Marianne Losserand — qui vivait d'ailleurs maintenant avec Emmanuel dont la passion n'était plus le philosophe Levinas, ni le Talmud, mais la télématique.

Et moi je mettais les voiles, je changeais de crèmerie. Oui, je quittais cet ancien atelier de confection où j'avais été conçue, entre deux coupons de tissus (avec quelques ratés au niveau de l'ADN ou de l'ARN[1]), ce lieu du deuil impossible où mon père avait tourné de l'œil le jour de ma naissance, disant prophétiquement à ma mère : « Avec moi, Mirelè, tu n'auras plus d'enfant ! »

De cette demeure, où les fantômes des clandestins de la MOI[2] se réunissaient parfois la nuit pour préparer comme en 1941 l'exécution d'un officier allemand, je déménageais.

Je me sauvais de ce living où sans cesse je revoyais le divan recouvert de velours vert sur lequel il y a quarante ans Leïb Friedlander faisait semblant de dormir alors que, à califourchon sur son ventre, je criais « à dada » rouge d'excitation.

Adieu à cette longue enfilade de pièces récupérée en 1947 après ce long procès aux bons Français qui l'avaient occupée après que les Boches l'eussent pillée.

Salut à cet appartement violé en 1948 par les Nussenberg, père et fille, à cette pièce où j'avais dû partager mon petit lit-cage avec Noémi, supportant ses pleurnicheries et ses pissements.

Bonsoir à la chambre avec vue sur les toits de la synagogue où Bolivar avait été conçu lors de la plus longue baiserie de mon existence : trois nuits, trois irréels jours, pleins de rires, de délires, de mélancolie déjà et de délices entrecoupés de bombances à base de piments farcis, de viande crue au citron et de chocolat chaud.

Je n'aurai plus de crise de boulimie nocturne dans cette cuisine où, pendant la guerre d'Algérie, Mado et moi avions compté tant de billets de banque pour les *frères* ou plutôt pour les beaux yeux de Michel et de son réseau de soutien au *feuleuneu,* dont nous étions le fleuron jusqu'à ce que Mado se fît alpaguer ; comptions et recomptions les billets froissés de l'émigration, pendant que Noémi faisait le guet au cas où

1. ADN : Acide désoxyribonucléique. ARN : acide ribonucléique. Constituants des gènes sur les noyaux des cellules.
2. Main d'Œuvre Immigrée, organisation dépendant avant la guerre du P.C.F. et qui regroupaient des immigrés juifs, polonais, italiens, arméniens, etc. Ils firent les premiers attentats contre les nazis en France. Ex. : le réseau Manouchian était F.T.P.-M.O.I.

nos parents se réveilleraient et surprendraient les allées et venues des « Jean », « Pierre » ou « Pedro », au teint un peu basané, qui repartaient à l'aube, leurs valises pleines de pognon.

J'oublierai cette table de bistrot devant laquelle en mangeant des *latkes* [1] et en buvant de la Viborowa un Palestinien. qui mourrait comme Simon de plusieurs balles de 9 mm, avait dit :

— Pourquoi seuls les guerriers seraient des héros ? Le courage d'aujourd'hui, c'est de nous reconnaître et de faire la paix.

Les jours du Kippour, je ne verrai plus par la fenêtre les jeunes juifs à parkas kaki, leurs talkies-walkies à la main, dressés sur les tuiles grises comme sur les remparts de Jérusalem ; mon regard ne plongera plus sur leurs camarades, leurs châles de prière sur les épaules, fouillant les passants (possibles poseurs de bombe), organisant des barrages avec des tables de bois et interdisant aux riverains furieux « on n'est plus chez soi, merde ! » de se garer. — *Et vous n'éprouverez plus, perverse Lola, ce trouble sentiment de honte — car ces jeunes sépharades ignorant sans doute le nom de Mohdehaï Anielewitz, le héros de l'insurrection du ghetto de Varsovie, ressemblaient un peu à des fachos et — de fierté — vous les trouviez si beaux, ils semblaient n'avoir peur de rien et surtout, eux, étaient VIVANTS !*

Bref, en déménageant, je me berlurais : du passé je croyais faire table rase. De plus, Aïcha avait brusquement décidé de retourner en Algérie pour se remarier avec un de ses cousins garde champêtre.

— Ton fils va partir chez son père, m'avait-elle dit en sanglotant. Je vais me retrouver seule sans bébé à élever. Toi, tu n'as plus besoin de moi, tu n'aimes plus personne. Mieux vaut rentrer chez moi.

Je l'avais laissée prendre son billet : elle pourrait toujours revenir si c'était la tasse du côté de Bou-Saada...

---

1. Galettes de pommes de terre traditionnellement préparées pour la fête de Hanoukah (fête des lumières commémorant la victoire des Macchabées sur les Syriens en 167 avant J.-C.).

Avant de m'installer dans un immeuble moderne — ce que je détestais — j'avais longuement hésité :

— Il me faut un ascenseur, dis-je à France, car un jour je ne pourrai plus monter les escaliers.

— T'es folle, répondit-elle. Il faut jouer sur la santé. Pas sur la maladie. Prends sans ascenseur.

Cathi trouvait ce raisonnement idiot :

— Sous prétexte que tu ne veux pas t'installer dans la maladie, tu ne vas pas, par superstition, te coltiner cinq étages ! Et riant : A quatre-vingt-cinq berges, tu seras fine, te traînant avec tes paquets le long des escaliers.

Oui, il fallait songer à nos vieux jours. Et pourquoi pas réserver des places dans la maison de retraite des cancéreux centenaires ? Lieu voluptueux où, comme Ninon de Lenclos, nous accorderions nos faveurs à de très jeunes gens en leur disant :

— Je fais une exception pour vous, jeune homme, parce que c'est le jour de mon anniversaire.

Ah, que ce furent des mois heureux, France, ces six mois de 1982 : tu débordais d'énergie, tes cheveux repoussaient, tu disais :

— Cette fois-ci, je les contrôle vraiment mes *blastes*. Ils ne me joueront plus de mauvais tour.

Tout de même, un soir, tu me demandas si j'avais rédigé une lettre pour mon fils : une sorte de guide, de livre de morale. Toi, tu avais enregistré une cassette pour tes grandes filles, sur laquelle tu leur expliquais ce qui, à ton sens, se faisait ou ne se faisait pas dans la vie, ce que tu avais compris, raté, réussi et ce que tu leur souhaitais d'entreprendre pour être heureuses.

Cela m'étonna de toi qui faisais des projets à dix ans, à vingt ans même : abandonner l'enseignement par exemple (les gosses étaient trop cons aujourd'hui, disais-tu), ouvrir une boutique de mode à Toulouse et ensuite, quand ton époux serait à la retraite, te réinstaller dans ton village pour faire de l'apiculture...

Tu parlais peu de toi, de ton passé, de ce que tu avais vécu il y a dix ans, lorsque tu avais failli mourir une première fois :

— La mort, Lola, tu sais, ça vient à n'importe quelle

316

heure, doucement ou douloureusement. Il ne faut pas y penser, m'avais-tu simplement dit un soir.

Mais, comme nous toutes, tu ne pensais qu'à la blême dame sans cils. De ton père, républicain espagnol, réfugié en France en 1939 et déporté à Buchenwald, de ton père ajusteur, puis garagiste, tu disais :

— Lui, c'était un homme.

Tu te taisais sur ton mari, bel homme trapu aux cheveux grisonnants qui semblait t'adorer. Et moi, qui ai toujours eu le don d'extirper les confidences les plus intimes, je n'ai jamais pu savoir ce que tu ressentais pour lui : je te pressentais même un amant secret.

Pourtant, un jour, tu m'as affirmé :

— La maladie, ou ça rend nymphomane ou, au contraire, ça vous détourne complètement du sexe.

Je te parlais parfois de mes nonchalantes et étranges affaires avec Katz ou Michel, de mes affectueuses relations avec d'anciens amoureux : vieux séducteurs de mes quinze ans, jeunes coquins de mes quarante ans (« La vie est un manteau d'Arlequin », m'avait dit fort justement Anatoli, le pope grec.) Je revoyais donc, de-ci, de-là, mes galants, mon petit harem ; parfois séparément, souvent réunis. Incapable de choisir aujourd'hui, de privilégier une relation. Je les aimais *bien* tous et chacun pour d'autres raisons. C'est-à-dire que je n'en aimais aucun. Et c'était très bien ainsi.

— Tu as tort, Lola, me disais-tu. Tu as encore la vie devant toi. On a tous des phobies. Moi, ce sont les ascenseurs anciens dont on voit les câbles. Toi, tu as la phobie de l'amour. Tu as une conduite d'évitement. Il ne faut pas avoir peur d'aimer.

Me brancher sur un homme me semblait aujourd'hui difficile. D'ailleurs, deux heures après l'envol de Rafaël vers ses Caraïbes, je m'étais à nouveau mise à rêvasser à lui. Sans douleur, sans passion, avec nostalgie et tendresse, comme à un vieux frère incestueux.

Cette nuit à Paris, en 1982, n'avait pas compté : il resterait l'homme de ma vie. Maintenant, je me disais : « L'important n'est pas de voir ceux qu'on croit aimer ni de les posséder, l'important c'est qu'ils soient vivants quelque part, même dans les bras d'une autre. »

— *Comme tout ce que vous écrivez, Lola, ça se discute. Vous pourriez dans deux heures exprimer exactement l'idée contraire. Et puis, entre nous, n'oubliez pas les brassées de roses rouges que Rafaël vous avait envoyées à l'escale de Madrid ? Et, deux jours plus tard, l'arrivée du cousin de Los Angeles, et le chèque libellé en dollars glissé dans un disque argentin où une dame, sur un air de tango, pleurait sur « tu amor que se fué... todo se acabo... jamas tu volveras...* [1] *»*

A l'aide de la petite machine qui vous servait à calculer vos globules blancs, vous aviez, avec stupéfaction, compris que vous pouviez — au taux atteint par la devise américaine — vivre ainsi tranquillement pendant deux ans et même rembourser vos nombreuses dettes. C'était pas le moment de canner ! Vous n'aviez pas fermé l'œil de la nuit. Cet argent vous brûlait les doigts. A quel titre en useriez-vous ? Au titre de mujer seducida y abandonada [2] *? Au titre de « grand invalide » de la passion ? Partagée entre votre nouvelle philosophie, inspirée de celle de Cathi « Le cancer doit être tout bénéfice », et votre vieille et ancestrale culpabilité, le* es past nisht [3] *de votre enfance, vous en aviez eu une crise de psoriasis.*

— Prends cet argent, me conseillèrent France et Cathi. C'est pas pour toi, c'est pour ton fils. Une sorte de pension alimentaire rétrospective.

— Cet argent, dis-je, trop grandiloquente pour être honnête, a sans doute été gagné par la simple rédaction ou la négociation de contrats entre multinationales, pilleuses de pays pauvres. Je suis sûre que Rafaël et son cousin sont conseillers de Nestlé. Et puis, avec cet argent, une famille indienne vivrait... (alors là, j'hésitai entre dix et trente ans).

— Ces nobles sentiments t'honorent, ironisa France. On déposera sur ta tombe la médaille de « la cancéreuse la plus digne ». Avec ces mots : « Atteinte d'un mal incurable, elle se laisse mourir de faim en pensant au tiers monde asphyxié

1. Espagnol : « Ton amour qui s'est enfui. Tout est terminé. Jamais tu ne reviendras. »
2. Espagnol : femme séduite et abandonnée.
3. Yiddish : « Ça ne se fait pas » (c'est indigne).

par le lait en poudre avarié, au tiers monde où le cancer, cette maladie de riches repus, n'existe pas. »

Bien sûr, Noémi prit un air pincé pour me dire qu'elle était certaine que je prendrai ce fric car je n'avais jamais vraiment eu de principe, n'ayant pas été, comme elle, *balisée* par la loi du père. (La loi d'Aaron Nussenberg, parlons-en !) Et d'ailleurs, mon père, il n'avait même pas été foutu de survivre comme le sien, et d'ailleurs mon père, il écrivait peut-être des poèmes mais en vérité...

— Et dans le fond, Lola, tu t'en fous de ton père, comme tu t'es toujours foutue de Rafaël, ça te servait juste à jouer un rôle.

J'étais livide. Elle se dirigea vers la porte ; je lui demandai une cigarette, elle m'en jeta une de son air de reine déchue et, comme d'habitude, les larmes aux yeux, le visage ravagé de douleur, me dit :

— Désolée, c'est la seule chose que je puisse t'offrir.

C'était la fameuse goutte d'eau. Nous savions l'une et l'autre que nous ne nous reverrions plus que par obligation familiale. Je m'empressai de vérifier si j'avais bien précisé dans mon testament que je lui interdisais de mener le deuil à mon enterrement.

Bien sûr, je ne touchai pas à cet argent mais, prudente et gagne-petite, je ne le renvoyai pas à l'expéditeur californien. Je le mis à la Caisse d'Épargne au nom de Bolivar-David.

Cathi me fit remarquer que nous avions bien accepté, pour la survie d'Anna et de sa mère Lucciana, l'argent d'Ange Francini. « Et pourtant, le fric du Corse, c'était sans doute racket, prostitution, jeux et Cie. » Justement. Justement.

Néanmoins, j'avais besoin d'argent pour acheter des machines à coudre car nous avions décidé, France, Cathi et moi de nous lancer dans le prêt-à-porter sur les conseils de Jo Grin, le roi du sportswear, qui serait notre *adviser*. Ange Francini, qui, depuis le départ de Zoubeïda pour Marseille et le Maroc, ne quittait plus le colonel Dujardin, nous avancerait quelques briques.

Installées au milieu des tapis verts, des joueurs du mah-jong, de paijin et de weigi [1], des jackpots, pokers et

1. Dominos et sorte de jeu de go.

autres machines à sous, dans l'arrière-salle du restaurant chinois du quartier des Olympiades, transformée par le truand corse en salle de jeu, nous rêvions au Mouvement de libération des cancéreux que Cathi voulait créer, partant du principe qu'il y avait 900 000 cancéreux en France.

Je constatai que cela faisait presque 2 % de la population. Si l'on ajoutait leurs familles, leurs amis, leur collègues, on pourrait faire lobby, présenter un candidat à la mairie de Paris. Il y aurait bien un jour un candidat noir aux élections présidentielles aux USA ! On pourrait magouiller : juif + cancéreux + homo/femmes + cancéreux + nègres. Toutes les combinaisons étaient possibles.

En fait, plus sérieusement, nous préparions notre première collection d'hiver : « Le look cancer » comme disait Cathi : du mou pour l'aérophagie, du souple pour la douleur, de la couleur pour le moral.

Tante Rivke était très excitée. Elle, qui avait réussi à Auschwitz à « organiser », c'est-à-dire à subtiliser du « Canada [1] » du fil, des aiguilles, et même du tissu pour faire des soutiens-gorge, avait décidé de nous donner des cours de coupe.

— Tu vas te lancer dans le *shmattes* [2] ! s'était lamentée ma mère, en me regardant tragiquement. Tous les enfants des confectionneurs deviennent professeurs ou psychanalystes... et la *printcess* abandonne le barreau pour se mettre à coudre à la machine comme sa grand-mère !

Elle parlait sans doute de *sa mère* Lodja, qui d'ailleurs vendait des harengs et aimait les violoneux, car *ma grand-mère* viennoise, Sarah Frïedlander, n'avait jamais tenu une aiguille de ses blanches mains qui jouaient du Chopin. — *C'est vous qui le dites, Lola. Et d'ailleurs, ça lui a servi à quoi de jouer du piano et de danser la valse à la belle Sarah ? Lodja est morte d'un cancer et Sarah, elle, a terminé comme les autres : dans les chambres à gaz de Maïdeneck.*

Oui, ce furent six mois merveilleux. Cathi n'avait plus de chimio. Le « third look » avait été concluant : point de

1. Hangars où étaient triés les vêtements, le contenu des valises de ceux qu'on menait à la chambre à gaz.
2. Du polonais *szmata*, guenille. En yiddish : la confection, mais aussi manque de tenue, de caractère..

nouvelles cellules cancéreuses, son foie repoussait absolument sain. France, Marielle et moi continuions nos cures d'une manière plus espacée, et nous étions moins fatiguées. Marielle allait d'ailleurs épouser son CRS qui était entré aux Renseignements généraux, après avoir suivi des cours du soir. Dès qu'on cesserait la chimio, la jeune kinési pourrait concevoir un bébé. Comme c'était aussi le projet de Cathi, l'UTATH ne serait plus un centre anticancéreux mais une pouponnière ! Pourtant, les deux jeunes filles étaient inquiètes : avec toutes ces drogues, leurs enfants seraient-ils normaux ?

— Mais bien sûr que si ! affirmait Samuel qui se fiait de plus en plus à son intuition et à son imagination : ce qui lui valait la haine de ses confrères : « C'est un irresponsable, il y a des critères, Bon Dieu ! disaient-ils. La chimio, c'est codifié, on connaît toutes les stratégies. Sam se prend pour un artiste, il marche à l'inspiration. Alors parfois il sauve des gens condamnés, mais souvent il se plante. »

Et eux ? Ils ne se plantaient pas ? Avec Samuel, au moins, on savait qu'on n'entrait pas dans une randomisation [1], on n'était pas un numéro auquel le hasard destinait ce traitement plutôt qu'un autre.

Pourtant, après la mort de Marie-Aude, j'étais en pétard, j'en voulais à Samuel d'avoir laissé tomber l'ambassadrice les derniers temps de sa vie, par peur de lui dire la vérité, c'est-à-dire son impuissance à la guérir. Et j'avais eu la tentation de changer de thérapeute. Katz m'en avait dissuadée :

— Tous les cancérologues sont barjos, mais Samuel au moins, il a du talent. Jamais je ne t'aurais laissée entre ses mains si je n'étais sûr que c'est *the best*...

Je m'étais souvenue aussi de Marise qui, peu avant sa mort, m'avait téléphoné pour tenter de me faire signer cette fameuse tribune libre intitulée : « Les cancérologues sont des nazis » qu'elle projetait de publier dans *Le Monde,* et où elle voulait expliquer que le professeur Tobman, ancien déporté, avait pris tous les vices des SS. Devenue folle,

1. De l'anglais *random* (hasard). Lorsqu'on n'est pas sûr qu'un cocktail de produits soit meilleur qu'un autre sur un certain type de tumeur, on établit divers protocoles et l'on tire au sort les listes de malades qui auront les uns ou les autres. Et l'on compare les résultats.

changeant tous les quinze jours de cancérologue, allant de Paris à Houston, du Memorial de New York à la clinique Mayo dans le Minnesota, puis repartant pour Hadassa à Jérusalem, elle était morte en répétant : « Moi, je suis en train de guérir. Mais Tobman, c'est un méchant. Dans un dîner, il m'a dit : On ne guérit jamais d'un cancer. »

A l'inauguration des nouveaux bâtiments (en présence de plusieurs ministres, de députés de toutes les formations et du maire communiste de cette banlieue offerte au cancer), j'observais Samuel. Voûté, dans son vieux costume élimé, il se tenait pour une fois loin des caméras de télévision. Pourtant, toutes les dames de la presse n'avaient d'yeux que pour lui : « Le professeur Tobman est-il là ? » entendait-on. On se battait pour lui arracher une déclaration. Certaines invitées le détaillaient comme s'il eût été une star du show-biz : « Oh il est moins bien qu'à la télé » ou « Il a le crâne un peu déplumé » et encore « Tu crois qu'il est marié ? » — *Il vous sembla même entendre : « Crois-tu qu'il baise bien ? »*
L'œil humide, la bouche gourmande, une femme se jeta sur lui :
— Professeur, vous me reconnaissez ? On s'est bien connus il y a vingt ans. Vous avez soigné mon mari... Un cancer des poumons... Il est mort depuis, le pauvre, d'un infarctus.
Et elle lui présenta son nouveau mari, auquel je trouvais une vilaine toux. Une jeune fille lui tendit un exemplaire de poche de son best-seller : *On ne meurt qu'une fois,* afin qu'il lui donnât un autographe :
— J'espère qu'il y aura une suite, demanda-t-elle, émoustillée.
Était-ce ma présence, mon regard ironique, il prétendit ne pas avoir de stylo. Le professeur Bensaïd, qui venait de sortir un livre plus technique intitulé : *Il voit des cellules partout,* dont le succès s'annonçait moins spectaculaire, lui lança un regard sombre.
Le héros du jour, le professeur Samari était très exalté, comme s'il marchait à la coke. Il avait eu l'idée de briser sur la porte d'entrée, non une bouteille de champagne, mais un flacon de sérum physiologique.

— Chers amis, hurlait-il dans un mégaphone. Bientôt le cancer sera à la portée de tout le monde. Il faut que fleurissent partout des centres anticancéreux, des instituts de lutte contre le cancer, des CHU avec d'immenses départements d'oncologie. Le cancer, c'est le dieu du vingtième siècle !

Il se livra ensuite à un long développement sur le chiffre 5, chiffre magique qui protégeait du « mauvais œil » lui aurait suggéré un important ayatollah iranien atteint d'un cancer de la prostate, qu'il avait soigné récemment à Qum. Dans le cancer du sein, par exemple, il fallait effectuer 5 clichés de radios, classer les biopsies en 5 catégories histologiques, les doses d'irradiation devaient être de 5 Roëntgen, la *chicken-soup* une association de 5 produits anticancéreux donnés durant 5 jours, les cures devaient être de 5, 15 ou 25...

Et brusquement, il annonça qu'il nous abandonnait pour aller au cinéma voir le dernier Fassbinder, laissant bouche bée les vieilles dames chics de la Ligue contre le cancer, les hagards chercheurs, les infirmières qui se tordaient de rire et les cancérologues japonais et britanniques venus spécialement pour l'événement.

Il y eut ensuite les inévitables discours : l'avenir merveilleux de la recherche, dépenser moins pour les armes nucléaires, plus pour la santé, des crédits pour la prévention, une meilleure qualité de vie, l'hospitalisation à domicile, la réinsertion des cancéreux guéris — ils sont comme nous tout de même ! —, la main tendue à ceux qui souffrent, et vivre avec un cancer...

Et j'entendis : *ivre de cancer*. Je me demandais si on allait distribuer — à nous qui étions en somme l'avant-garde de la nation, des mutants — des étoiles noires ou des bouts de tissu en forme de cellules monstrueuses, à coudre sur le cœur.

Bechir et Samuel s'évitaient. Ça me faisait de la peine. C'était à cause du professeur Samari. Comme la majorité des médecins de l'UTATH, Samuel reconnaissait tristement que la place du pionnier de la chimio était aujourd'hui non à la tête d'un grand institut anticancéreux mais dans une chambre d'un de ces hôpitaux réservés à ceux que pudiquement on appelait les « exclus de la raison ».

— Il est temps de réformer l'hôpital, disait Samuel. Où

ailleurs trouve-t-on des chefs de service inamovibles, quoi qu'ils fassent ?

Bechir continuait à penser que malgré ses excentricités, sa paranoïa (« Vous ne trouvez pas que 7 millions de Juifs en France, c'est trop ! » avait-il dit à Bechir qui lui avait fait remarquer qu'il n'y en avait que 700 000 et que lui ne se sentait cerné ni en France ni à Malcourt-sur-Seine), le professeur Samari restait une sorte de génie qui, lorsqu'il consultait, retrouvait raison. Les malades n'avaient pas à souffrir de ses états cyclothymiques.

J'aurais voulu réconcilier Samuel et Bechir. Pourtant, j'avais perdu mon innocence. Je savais que, dans ce milieu comme ailleurs, tous les coups étaient permis, sauf lorsqu'il s'agissait de défendre « la caste » contre le monde extérieur. Les places étaient chères en cancérologie, même si on y gagnait des clopinettes. Les professeurs agrégés, qui s'étaient épuisés pendant deux décennies pour obtenir les rares postes mis en cooptation chaque année, haïssaient maintenant Samari, dont leur avenir avait longtemps dépendu, et qui les avait, comme il se doit, joués les uns contre les autres. Pourtant, jadis, ils l'avaient tous idolâtré. A présent, on observait dans les services de curieuses alliances, des ruptures brutales, des ruses florentines pour avoir sa peau. En vain.

Les chefs de clinique qui ne seraient pas élus cette année malgré leurs nombreux travaux étaient, comme Bechir Boutros, au bord du désespoir. Seuls les internes qui rêvaient de se livrer à des recherches sur les cellules des petites souris dans les sous-sols et — à défaut de faire fortune — d'obtenir la gloire, avaient encore du désir pour cet endroit célèbre, ce dernier salon où l'on meurt.

— C'est super ! C'est super, vous ne trouvez pas, madame Friedlander, s'exclamait le petit Stern.

La foule pénétra enfin dans le bâtiment surréaliste en forme de longue queue, entouré pour l'occasion, de flics en civil et de gendarmes.

— Il se'a jamais mis en se'vice. On t'ouve'a jamais le pe'sonnel et les c'edits, prophétisa Marie-Célimène qui en profita pour me recoiffer car, d'après elle, les ressuscités

324

devaient faire bonne figure. Su'tout une bien placée comme toi.

Bien placée pour arriver où ? Là où nous serons toutes Miss Monde ?

Nous suivîmes les flèches multicolores qui menaient aux fantomatiques services : radiologie, radiothéraphie, isotopes, immunologie, chimiothérapie, hôpital de jour, chirurgie, sortie, admission, bibliothèque, brancardier, oratoire, mosquée, aumônerie, coiffeur, cafétéria, entraide, psychologie, etc.

Un buffet offert par un malade milliardaire était dressé au sous-sol, à l'emplacement où aurait dû se trouver la bombe au cobalt.

Brouhaha. Un verre de champagne à la main, tout le monde parlait boutique : les réformes en cours, les nominations dans les ministères de la Recherche, de la Santé, de l'Éducation nationale, le déficit de la Sécu (normal, on faisait survivre des gens comme moi, que la sélection naturelle aurait du éliminer à quarante balais), le projet de réforme des études médicales...

Je m'emmerdais. Je suivis Samuel dans l'ancien pavillon du vieil hosto. Il devait reprendre sa consultation. Comme d'habitude, il me fit passer la première. Je n'ai jamais su pourquoi je jouissais de cette faveur. Peut-être parce qu'un jour je lui avais avoué que mon propre acharnement à survivre me dégoûtait ? Peut-être parce que je lui racontais chaque fois une nouvelle blague juive, la plus bête, la plus sinistre, une qui le faisait pourtant rire aux larmes et l'aidait peut-être à supporter l'horreur de cette longue succession de malades en danger de mort qui ne se terminerait que vers minuit ?

Depuis que j'étais malade, je les collectionnais. On me téléphonait du monde entier pour m'en raconter, des vieilles, des archiconnues mais inédites pour moi. Et ça m'aidait à survivre.

La dernière était intraduisible en français, mais elle me plaisait tant que je la lui contai tout de même :

« C'est un juif américain qui invite son vieux père qu'il n'a pas revu depuis le Shtetl en Pologne. Il lui montre sa belle maison avec piscine qui lui a coûté cinq cent mille dollars :

« *And you see, Tateh, I am very happy.* » Il lui fait visiter sa belle usine, ses centaines d'ouvriers dont il est *very happy*, il lui présente sa belle femme, ancienne Miss Newark dont il est *very happy*, sa fille qui a épousé un médecin et dont il est très *happy*, et son fils qui est un avocat et dont il est encore plus *very happy*... — Mais à part ça, l'interrompt son vieux père en hochant la tête, « *Bistu tsufridn*[1]? » — *Tsufridn?* s'interroge son fils. *Tsufridn bin ikh nisht. Happy yo*[2]. »

— Belle histoire, dit Samuel. Et toi, Lola, seras-tu jamais *tsufridn?*

Je fis une grimace.

— Alors, essayons au moins de te rendre *happy*, dit-il.

Alors, dessin à l'appui, il m'expliqua le pourquoi et le comment de mon nouveau traitement :

— Et même, Lola, on pourra te refaire un sein. Je sais, tu n'en veux pas, tu veux garder ta blessure rituelle. Mais l'important c'est que tu saches qu'on peut.

On frappa à la porte. C'était Adeline Durand.

— Excuse-moi Lola... Je peux faire entrer quelqu'un ?

Je restai assise sur la table d'examen, mon faux nibard dans la main.

Une jeune femme entra, un bébé dans les bras. Elle le tendit à Samuel, qui embrassa la mère et l'enfant avec une sorte de pudeur.

— Il est beau, non ? dit la jeune femme.

— Il est vraiment beau, dit Samuel.

Elle ne me connaissait pas, mais elle me mit à moi aussi le bébé dans les bras. Il était vraiment beau, tout brun, tout rond.

— Eh bien voilà, dit-elle, j'ai quand même eu un enfant.

— C'était promis. C'était promis, dit Samuel. On avait dit : dans dix ans, tu auras un enfant. Tu as vingt ans, et tu as ton enfant.

La jeune fille sortit et j'appris qu'elle avait été une petite fille leucémique, qu'on l'avait soignée pendant des années. Aujourd'hui, elle était totalement guérie.

1. « Es-tu heureux ? » en yiddish.
2. « Heureux ? Heureux (en yiddish) je ne suis pas, mais heureux (en anglais) je suis. »

326

Le téléphone sonna. Il prit, fit une grimace et dit :

— Oui... Oui... Oui. Pauvre femme... Pauvre... Pauvre femme (voix lasse, accent de Belleville inimitable). Pauvre Pauvre femme... (Silence.)

— ... Ah, c'est la pire des maladies... Oui, pire que tous les cancers. Tous les muscles paralysés... Grabataire... Et de plus en plus de gêne respiratoire... Quelles horribles souffrances... Pauvre femme... Vous voulez vraiment le faire ?. Cela fait des mois qu'elle vous supplie de le faire ?...

Il me regarda, accablé, comme si ce qu'on lui demandait était surhumain.

— ... Vous voulez le faire comment ? Ah, il y a la manière liquide et la manière solide... Liquide c'est plus rapide... Mais faut le matériel... Elle veut dormir au plus vite ? Solide, elle peut le faire seule mais faut avaler des cachets et ça peut mettre plus de quinze heures... Ah oui ! Avec la manière liquide, elle dort tout de suite et c'est définitif. Et c'est doux...

Il faisait des tours sur sa chaise, je lui trouvais l'air désespéré. Il m'avait totalement oubliée. Me prenait-il encore pour une malade ?

— ... Que je vous accompagne ? Mon vieux, mais c'est difficile. Ce n'est pas ma malade. C'est pour vous la première fois ? La première fois, c'est dur. Bon attendez, je prends mon carnet.

Il le feuilleta longuement en maugréant, en soupirant qu'il n'avait jamais eu le temps de vivre. Puis il dit :

— ... Samedi ça vous va ? Treize heures ou dix-huit heures ? D'accord, donnez-moi l'adresse. Quelqu'un sera là avec le tout. Et puis donnez-moi votre téléphone, docteur. Docteur comment, déjà ? A samedi, mon vieux, vous êtes un brave homme, je sais.

L'autre s'était-il ravisé ?

— ... Vous préférez y aller seul ? C'est normal, c'est votre malade. C'est bien, mon vieux. Bon courage.

Je ricanai : « Madame X mourra samedi dans la soirée. Ça fait titre de polar ! »

Il ne releva pas.

— C'est le médecin de famille... Pauvre femme... Si tu savais ce qu'elle a. C'est atroce.

Je continuai à ironiser :

— On ne travaille pas le jour du schabbat.

— C'eût été mon seul jour de libre, beauté. C'est un brave homme, il prend seul ses responsabilités.

Et après m'avoir longuement regardée en silence :

— La herse s'adapte parfaitement aux blessures qu'elle provoque.

Je dis « Kafka », mais je ne me rappelais plus si c'était dans *La Colonie pénitentiaire*, et j'ajoutai :

— Je sais, toutes les fiancées de Kafka sont mortes dans les chambres à gaz. Et il ne les avait jamais baisées.

Il me fit remarquer en soupirant qu'on prétendait sans doute à tort que les grands névrosés, ceux qui étaient à la limite du délire, ne développaient pas de cancer.

— La névrose, dit-on, protège de la maladie mortelle. T'es vraiment une exception. Mais ça va peut-être t'aider à t'en sortir ?

Mon cancer, lui, devait être plus que névrosé, il devait être psychotique : il n'aurait jamais dû métastaser, il aurait dû passer par les ganglions axillaires, il avait directement atteint les sus-claviculaires, il devait m'emporter dans les trois mois, j'étais toujours en vie... On pouvait toujours rêver ! — *Et vous rêvâtes, et vous vous dîtes : si je pouvais vivre jusqu'à ce que Bolivar ait vingt ans ; et vous pensâtes que malgré tout, si vous étiez en vie, c'était aussi grâce à la névrose particulière de Samuel, car, comme dirait Tsoulovski : « Pour jouer il faut être deux. » Enfin, les conneries habituelles.*

27

Il y eut encore plusieurs fêtes. L'anniversaire de Cathi, qui pour cette occasion avait loué le Cirque d'hiver avec entrée payante donnant droit à un spectacle de jongleurs, d'acrobates et de clowns pour les enfants, et des orchestres rock, reggae, funk, new-wave, etc. pour les adultes, ou le contraire.

Il y eut les douze ans d'Anna qui, totalement guérie, allait entrer en sixième au lycée Lamartine : un goûter préparé par la femme d'Ange Francini dans son restaurant de Pigalle, en l'absence du vieux truand. Il venait de rechuter quelques jours après que le colonel Dujardin fût lui aussi hospitalisé, son état s'étant brusquement agravé : la chimio était malheureusement sans effet sur son cancer des intestins, le foie était atteint, et il avait tellement mal au squelette que, malgré la fameuse potion de Saint-Christopher, il ne savait plus comment se tenir allongé.

Et puis il y eut, France, ce samedi de juillet, un soir où il faisait très lourd, la fête de tes quarante ans. Tu avais remaigri ; sous une des jupes de cuir que tu affectionnais, tes jambes paraissaient incroyablement maigres, tes pieds flottaient dans tes ballerines rouges.

Quelqu'un parla des attentats terroristes, de la guerre au Liban, des bombardements sur Beyrouth. Et tu dis :

— Oh, ceux qui sautent, meurent sous les bombes, ils meurent en beauté. Mais mourir... d'une leucémie...

Tu avais invité tous ceux, disais-tu, qui t'avaient aidée depuis que tu étais malade : quelques infirmières, Marie-

329

Célimène, la psy, une assistante sociale, Anatoli le pope grec
— qui ne put s'empêcher, quand tu lui présentas ton
merveilleux gaspacho, de se livrer à ses habituelles facéties :

— C'est avec les vieux sous qu'on fait les meilleurs
popes...

Il n'arrêtait pas : ... Quand on oublie le risque de mourir,
on obtient la mort du risque, ... Si elle avait su elle serait pas
morte, mais si elle était morte elle aurait pas su, etc.

Samuel, bien sûr, arriva très en retard, exténué, le teint
livide. Et il téléphona plusieurs fois dans la soirée pour
demander « si tout se passait bien comme prévu », c'est-à-
dire sans doute « si tout se passait mal ».

— Dame Thanase a encore frappé, dis-je, en vraie peste.

— Pauvre petite Lola et ses obsessions, répondit-il tristement, avant de se laisser entraîner dans une sorte de
farandole par Cathi qui tentait de mettre un peu d'ambiance.

Car le courant ne passait pas entre les gens de l'hôpital et
tes amis, ta famille, tes filles (dont le visage, sous une
apparence de calme impressionnant, suintait d'inquiétude).

Leurs bips dans la poche, ivres de fatigue, Bechir et le petit
Stern se saoulaient systématiquement et avalaient comme
des zombies les diverses nourritures que tu avais longuement
préparées. Je te revois, passant comme une ombre, ton
immense saladier de fruits rouges à la main :

— Mange, Lola, mange, chérie.

Et tu t'amusais à me donner la becquée avec une cuiller
d'argent.

— Ne reste pas collée à Boutros, me disais-tu. Il va partir
et tu ne le reverras plus.

Bechir avait passé la soirée à écouter les informations sur
le Liban car il avait décidé, via Chypre, de rejoindre
Beyrouth-Ouest. Je n'ironisais plus sur son épouse « nassé-
rienne » car la pédiatre libanaise travaillait dans un hôpital
du Croissant rouge palestinien ; il avait complètement perdu
le contact avec elle et avec leur fils.

A mesure que la soirée avançait, le jeune cancérologue
franco-libanais manifestait son agacement au petit Stern car
ce poupon jeune homme de bonne famille, interne à vingt-
deux ans, jamais sorti des jupons de sa *mameh*, lui avait

INTERDIT de comparer la résistance des Palestiniens à Beyrouth à celle du ghetto de Varsovie :

— Ils résistent, disait-il, totalement bourré, parce que *Tsahal* ne veut pas attaquer pour préserver des vies humaines. Il n'y a pas *au monde* une armée plus démocratique, plus respectueuse de la vie que Tsahal !

A moi aussi, il commençait sérieusement à me les gonfler ce petit Stern — que j'aimais beaucoup par ailleurs car il passait des heures au « stérile » à lire des histoires aux enfants malades. Et lorsqu'il se mit à déblatérer sur les *zœlpistes* qui étaient des obstacles à la paix dans la région, contrairement aux *bons* Palestiniens des territoires occupés qui eux *adoraient* Israël, à bavasser sur cette fameuse troisième force avec laquelle l'État hébreu pourrait faire la paix (« et après tout, ils ont déjà un État en Jordanie »), lorsqu'il persista à pérorer sur ce qu'il ignorait, je lui conseillai de continuer à s'occuper de ses petites souris. — *Avouez, Lola, que vous aviez vous aussi une overdose de Palestiniens, d'Israéliens, de Juifs et d'Arabes. Avouez surtout que vous ne supportiez pas non plus ces mots utilisés à tort et à travers : génocide, ghetto de Varsovie, Oradour, solution finale. Mais, monsieur le Kommissaire, des mots, même dévoyés, seraient-ils plus meurtriers que des bombes ? demandiez-vous.*

Moi, j'étais comme ces militants du mouvement « Shalom Arshav[1] » qui avaient manifesté avec ce mot d'ordre : « I DON'T WANT TO DIE[2] ! » Franchement, cette guerre du Liban était bien mal venue pour ma petite santé. (« Il a bien raison Michel, quel narcissisme, tu ne penses qu'à toi », dirait Noémi qui, un jour, m'avait affirmé que je ne m'exprimais qu'à coups de clichés, « car s'apitoyer sur les femmes et les enfants blessés aux bombes à bille, c'est un vieux cliché. Pourquoi la mort d'un enfant serait-elle plus triste que celle d'un soldat israélien de vingt ans ? Est-ce que ce n'est pas *pire* de perdre un fils adulte ? Avoue, Lola, avoue que tu te tamponnes des enfants palestiniens ? »)

Elle se trompait : alors que je me croyais définitivement

1. En hébreu : La Paix Maintenant.
2. « Je ne veux pas mourir. »

guérie de ma culpabilitalgie, je me sentais une fois de plus responsable du sort réservé aux Palestiniens. (« Pas par bonté d'âme, madame Frïedlander, dirait Adolphe Tsoulovski, par mégalomanie. »)

Bolivar envolé pour Santo Domingo et Aïcha pour les hauts plateaux, seule dans mon nouvel appart' sur les hauteurs des Buttes-Chaumont, scotchée à mon écran, je pleurais en regardant les prisonniers palestiniens, les yeux bandés, les mains liées derrière le dos, qu'on jetait comme des paquets dans des camions, je sanglotais en voyant les deux prisonniers israéliens, dont l'un était lynché par la foule d'une ville du Sud-Liban qu'il venait de bombarder. — *Vous étiez, avouez-le, ravie d'avoir à nouveau l'occasion d'être embrouillée de douleur : « Je souffre voluptueusement, donc je suis. » Vous aviez pourtant juré que tout cela ne vous concernait pas plus que les Malouines : « Ah non, vous disiez-vous, je ne vais pas me recoller une métastase à cause de Begin et de Sharon. » La tragédie suivait son cours et tout finirait par s'arranger, comme toujours. En pire.*

Vous craignez pourtant que vos indécentes terreurs ne ressuscitassent vos dingues cellules proliférantes de leur sournoise quiescence. Mais personne ne marche plus dans vos comédies, Lola. A qui ferez-vous croire que la nuit du jeudi 16 au 17 septembre 1982, veille de Roch Hashana 5743, *vous prenant pour une réfugiée palestinienne des camps de Sabra et Chatila, vous avez entendu des bébés gémir, pleurer, hurler et ces mots martelés :* Shanatova Shanatova, *que vous vous êtes enfin réveillée, dégoulinante de sueur, paniquée, vous apercevant plus tard que seuls les miaulements de plusieurs chats sur le toit de la synagogue avaient troublé votre sommeil ? Moi je vous ai vue* Kveln [1] *secrètement à la vue de cet équipage de char israélien sur un pont du Sud-Liban. Un soldat en caleçon bleu, pieds nus, blouson kaki, calot rituel et fusil, l'autre, le pantalon retroussé en bermuda, cheveux longs, bronzant sur sa tourelle, le troisième carrément nu, sa mitraillette à même la peau. Honte sur vous, Lola !*

1. En yiddish : jubiler avec fierté, en général à la vue de son fils.

332

Mais *the problem* me poursuivait.

C'était à nouveau le moment angoissant de l'analyse de l'état des lieux. Le menu complet : bilan hépatique, bilan sanguin, les radios, la scintigraphie, etc.

— Ne parlons plus de votre cancer, me dit le professeur Bensoussan, en balançant par-dessus son épaule mes clichés. Il n'est plus d'actualité. Parlons du Liban.

— Ah non !

— Mais si, mais si, me dit-il, me poussant dans son bureau où était aligné un aréopage de manipulatrices et de médecins. Moi, je vais vous expliquer le pourquoi et le comment du comportement des Israéliens.

Il le compara au mien — ce que je trouvai hardi.

— Je vous ai observée. Vous êtes devenue sûre de vous, de vos droits, en tous les cas de la légitimité de votre existence. Vous vous dites : j'ai beaucoup souffert, je suis en danger de mort, si je disparaissais, tout le monde s'en foutrait. Pour survivre, tout m'est permis. Quel qu'en soit le prix...

Je le suivais difficilement.

— Alors ? Eh bien, ils sont comme vous. Ceux qui ont survécu à l'holocauste savent que les démocraties occidentales n'ont rien fait pour eux. Ceux qui ont cru au communisme, et se sont défoncés pour la révolution, ont été massivement déportés, fusillés... Nous, les sépharades, on était mieux dans les pays arabes... Enfin, pas trop mal... Mais... Remarquez, je continue de penser que la création de cet état fut une erreur. Nous valons mieux, n'est-ce pas, que d'être les meilleurs pilotes de bombardiers du monde ?

— Si je comprends bien, pour vous, les Juifs se conduisent comme des rescapés du cancer. Ou bien les cancéreux seraient comme les Israéliens. Ou bien les Juifs cancéreux seraient encore plus juifs... ?

Il éclata de rire, me prit la main, m'entraîna dans son bureau.

— Faisons une étude épidémiologique, vous et moi.

Et il me remit comme la première fois de la musique judéo-espagnole, en me confiant que s'il apprenait qu'il avait un cancer du pancréas — donc se savait condamné car il n'y avait aucun traitement — il demanderait un entretien à Sharon et il le descendrait.

— C'est la honte du judaïsme. Il terminera le travail de Hitler. Un jour, Israël n'existera plus... Dommage que vous ne soyez plus à l'article de la mort.

Le pire n'était pas l'attitude des Juifs — la majorité était plus bouleversée et indignée par ce qui se passait au Liban que la plupart des Arabes. Le plus insupportable était la joie suspecte de nombreux goyim :

— Israël, exultaient-ils, s'est *enfin* démasqué. Les rescapés des camps de la mort se comportent *enfin* comme tous les autres peuples : ils occupent, ils arrêtent, ils torturent, ils massacrent, ils violent les droits de l'homme.

— Et Auschwitz enfin ras-le-bol, comme m'avait dit un soir Michel, pour me provoquer. Et comme je répétais boudeusement : « A part Simon, personne ne peut me comprendre. Et mon ami est mort... Et d'ailleurs je ne supporte d'antisionistes que les Juifs. Les goyim qui soutiennent les Palestiniens, c'est suspect. C'est une histoire entre eux et nous. Car eux et nous on en crève ! », comme j'avais à nouveau, au souvenir des phrases bibliques et vengeresses de Simon, envie de pleurer, Michel jeta :

— Mais faudra-t-il que je sois assassiné comme lui pour que tu *érotises* enfin ma mort, et que tu verses voluptueusement des larmes dans ton verre d'Americano...

Et pour tout arranger, Nahum Goldmann allait mal : bientôt, il mourrait.

Alors, je décidai que c'était assez pour l'été. Plus de journaux, plus de radio, plus de télé. Je projetai d'aller rejoindre Mado dans les Bouches-du-Rhône.

La veille de mon départ, je vins faire ma chimio et je te vis arriver, France, sur un fauteuil roulant. Tu n'avais pu marcher de la voiture de ton mari jusqu'au pavillon. Tu saignais du nez et des dents, ton visage était couvert de petits hématomes et tu grelottais de fièvre. On te coucha d'abord sur une civière dans le couloir devant les salles de consultation. Il y avait foule, comme d'habitude. Pour la première fois de sa carrière, Sam avait disparu sans prévenir. C'était l'affolement. Adeline Durand s'arrachait les cheveux : elle n'avait évidemment plus de place. On renvoya alors un malade d'une des chambres de l'hôpital de jour pour t'y installer. Les infirmières étaient bouleversées. Elles, si bavardes, se taisaient. Même Vivi avait le visage creusé.

Bechir passa devant moi et, sans me saluer, s'engouffra dans la chambre. Je t'entrevis. Tu fis un effort pour me sourire. Tu avais cet air traqué que je t'avais déjà vu l'an passé :

— Allez, Lola, ne t'en fais pas, me dis-tu lorsqu'on me laissa t'approcher. Ça va s'arranger une fois de plus. Mais tout de même, deux rechutes en si peu de temps, il faudrait avoir un peu plus le temps de vivre. Je n'ai pas vu la série des Hitchcock qui sont ressortis.

Hors d'elle, Patricia Milhaud m'entraîna dans son bureau. C'était la première fois que je la voyais perdre son calme ; elle fumait une cigarette bout filtre à l'envers :

— Ce sont toujours les chefs de clinique qui se tapent les merdes, dit-elle. D'accord, nous sommes tous mégalos. On croit qu'on va trouver le secret de la première cellule, de la deuxième cellule, de la dixième... et un jour vaincre la mort. Mais c'est toujours la mort qui nous rattrape. Les vedettes se prennent pour les cowboys qui arrivent à Kancer-City pour nettoyer le terrain. Ils dégainent très vite, si possible devant les caméras de télé. Tu as souvent vu à la télé un cancérologue femme ? Et d'abord, combien y a-t-il de professeurs agrégés femmes ? Et en cancéro ? Combien de chefs de service ? Et tu as vu comme ils se battent pour avoir le pouvoir ? Crois-tu que les malades n'en pâtissent pas ?

Que suggérait-elle ? Que j'arrête de me soigner ?

— Nous ne sommes pas des dieux, me dit-elle, en m'embrassant, les larmes aux yeux.

Fort troublée, non par ses propos — il y a longtemps que j'étais au parfum —, mais par le contact de son corps androgyne, je sortis de son bureau avec l'intention d'aller t'embrasser et te dire au revoir, France. Mais on me dit que tu venais d'être transférée. Vivi, qui t'avait accompagnée et qui semblait très inquiète, m'interdit de pénétrer au premier étage du nouveau bâtiment où fonctionnaient quelques chambres stériles.

— Tu la reverras en septembre quand tu reviendras de vacances, me dit-elle. Et elle m'embrassa tendrement. Amuse-toi bien, Lola. Oublie-nous. Ne pense plus à rien. Envoie des cartes postales si tu as le temps.

En fin d'après-midi, on ne savait toujours pas où Samuel avait disparu. On dut renvoyer tous les malades, dont certains arrivés de province ou de l'étranger avaient rendez-vous depuis des mois. On craignait qu'il ne soit arrivé un accident au professeur adoré.

Moi, je savais qu'il en avait subitement eu assez de ce long voyage commencé il y a quarante ans dans un wagon plombé. Je savais que toute cette agitation, ces mondanités, cette fringale de renommée, cette boulimie d'amour, d'hommages, de jolies femmes, c'était pour oublier *la scène* sur la rampe de Birkenau, ce matin où il neigeait au bord de la Vistule. Ce jour où, pour protéger sa mère de ce qu'il pensait être un sort trop pénible pour la jeune femme (des travaux en usine, par exemple), il avait menti, avec les rudiments d'allemand qu'il avait appris au lycée, au SS « selektionneur » :

— Elle ne peut travailler, elle est malade.

Elle, alors, avait essayé d'entraîner son garçon avec les enfants et les vieillards, dans la file de droite, vers ce qu'elle pensait être une infirmerie, peut-être un home d'enfants :

— Il est trop jeune, avait-elle dit en yiddish. Il ne peut travailler.

Mais lui, se redressant, lui qui avait toujours eu l'air plus vieux que son âge :

— Je suis un homme. Regardez mes pantalons longs.

Et sans se retourner, il était parti avec son père vers le camp des hommes, avec ce père qui ignorait encore que la belle fille pour laquelle il avait abandonné femme et enfant, les avait donnés à la Gestapo.

Le lendemain, Samuel avait demandé à un adolescent polonais où étaient les femmes et les enfants.

— Au *Himmel kommando*[1], avait répondu ce dernier, en montrant le ciel.

1. Kommando du ciel, euphémisme pour désigner ceux qui avaient été gazés et brûlés.

Samuel Tobman avait fait connaissance avec la mort. Il avait douze ans. Depuis ce lointain hiver, il se savait en sursis. Dernièrement, l'anxiété lui donnait d'horribles migraines, des douleurs d'estomac. Cette petite boîte en fer, pleine de cendres, qu'il avait toujours eu l'impression de porter au creux de la poitrine, il avait envie de la déposer quelque part.

Souvent aussi, il s'identifiait à ses malades, qu'il lui arrivait pourtant de haïr avec leur demande de paternage, de réconfort, leurs regards effrayés, leur agressivité, leurs mensonges, les demi-vérités qu'il fallait négocier. Il ne supportait plus d'en voir mourir la majorité. Il se sentait impuissant, inutile. Il flippait : lui aussi aurait voulu brûler la vie par les deux bouts, aller comme cette vieille dame atteinte d'un cancer du rein, pêcher la crevette à Quimper avec son amour.

En apercevant la foule entassée dans les couloirs, au lieu de commencer sa consultation, il avait brusquement fait demi-tour, avait jeté sa blouse dans le caniveau, s'était engouffré dans sa voiture, avait roulé, et s'était arrêté dans une cabine pour proposer à Nourit de partir en voyage pour oublier l'odeur de désinfectant de l'hôpital, le relent de chair brûlée qui le poursuivait depuis l'enfance...

Et ce jeudi 12 août 1982, vers seize heures trente, à quelques kilomètres de Kancerland, dans une banale chambre d'hôtel Ibis de banlieue, il dormait entre les cuisses de la jeune yéménite dont le sexe, mais oui, avait un parfum ambré.

28

Il y a une semaine, Samuel Tobman nous a demandé, à Cathi et à moi, de l'accompagner à une causerie-débat donnée par une association de lutte contre le cancer, sur le thème : « Éclatez-vous avec votre cancer » ou quelque chose du même tonneau. Ça doit avoir lieu dans une salle de patronnage près d'une église d'un quartier de Mantes-la-Jolie, où vivent des travailleurs immigrés qui triment dans la métallurgie.

Curieuse idée de nous emmener faire notre numéro — il est vrai, maintenant très au point — de cancéreuses heureuses, genre : « Comme vous avez tort de vous priver d'une expérience aussi riche » dans une région où, dit-on, de nombreux ouvriers finissent par mourir de cancer du poumon dû à l'amiante qu'ils respirent dans les fonderies. — *Mais Lola, vous ne respectez donc rien ? Le thème de la soirée-débat, vous le savez bien, était tout simplement : « Mais oui, on peut vivre avec un cancer »; le prêtre qui l'organisait était sans doute un très brave type. Quant aux ouvriers de chez Renault, ils ne tombent tout de même pas comme des mouches.*

Et nous voilà, Samuel, Cathi et moi, un vendredi soir sur le périf'. Épuisé comme toujours par sa longue consultation, notre cher professeur conduit en fulminant contre le gouvernement socialiste qui hésite entre le fantôme d'Allende et le syndrome des « tomates »; peut-être fait-il allusion aux manifestations de flics de droite qui ont traversé Paris sans être à aucun moment arrêtés, et auraient pu, s'ils l'avaient voulu, occuper l'Élysée ?

— C'est comme Guy Mollet avec les colons d'Alger, on sait où ça mène, dit-il.

Puis il se lamente sur la soirée : cette conférence le fait chier, mais le curé est un brave homme, il fait du bon travail avec les immigrés et il récolte du fric pour la recherche auprès des bourgeoises de Versailles.

— Tout de même, c'est pas une vie, repète Samuel.

Pour que notre expédition soit moins pénible, il décide tout d'un coup de passer prendre Nourit qui se trouve — *mala suerte* — chez Noémi que je n'ai pas revue depuis des mois.

— Oh non, dis-je, on va pas retraverser Paris pour aller chez ma sœur.

C'est la passion. On retraverse.

Il se gare en double file, court vers l'immeuble comme un jeune homme.

Je sors de la voiture pour faire quelques pas avec Cathi.

— Oh Lolo ! Tu montes Lolo ! Monte boire un verre, ma mie !

Malgré les « Lolooo » mélodieux de Noémi, je fixe obstinément le sol.

— Lolouche ! Lolouchette !

Va-t-elle cesser de m'appeler ?

Je finis par lever la tête. Et je la vois, penchée à mi-corps au-dessus du balcon, agitant ses gracieuses mains dans tous les sens.

J'imagine son corps ravissant, recroquevillé et brisé sur le trottoir, ses grands yeux verts révulsés, son visage si beau recouvert de sang. C'est insupportable. Je l'aime. C'est ma demi-sœur, presque la moitié de moi-même. Je ne veux pas qu'elle meure.

Elle finit par comprendre que je refuse de monter. Et disparaît. Elle réapparaît dans le hall de l'immeuble derrière Samuel et Nourit. Son sac et son imperméable sur le bras, elle prétend sans doute nous accompagner. Ses yeux, son sourire implorent la réconciliation. Je me sens fondre d'une vieille tendresse rance. Et pourtant :

— Y a pas de place dans la bagnole, Noémi, dis-je. Tu vois bien qu'on est serrés.

Elle me fait face, le visage lavé de larmes invisibles :

— Oui, je sais, il n'y a *plus* de place pour ta sœur dans ta vie, dans ta belle vie...

Et, après avoir foudroyé du regard Cathi, elle couine :

— Ça ne te portera pas bonheur, Lola !

Je me mets à hurler :

— Lâche-moi le coude ! Lâche-moi le coude une fois pour toutes. Toi et toute ta famille !

Et je monte dans la voiture, et je claque la portière en criant : « En piste ! » tout en me disant : « Tire-toi, Lola. Tire-toi. Sauve-toi loin de tout ça. »

C'est l'heure où la foule quitte Paris pour le week-end ; l'autoroute de l'Ouest semble totalement embouteillée, et nous restons bloqués plus d'une plombe dans le tunnel de la porte de Saint-Cloud.

— On va arriver avec deux heures de retard, dit Samuel. Ça nous fait le retour à deux heures du matin. Et à l'aube, je prends l'avion pour Houston.

— C'est pas une vie, dis-je en ricanant.

Pour le calmer, Nourit, de sa voix rauque, chante un tube de l'an dernier : « *Her hair is harlow gold / Her lips a sweet surprise / Her hands are never cold.* »

Et en chœur, nous reprenons : « *She's got Betty Davis' eyes.* »

Alors je me rappelle que, me croisant la veille dans un couloir de l'hôpital, Anatoli, le pope grec, m'a dit :

— Petite Lola, vous êtes maintenant en rémission complète. Ça veut dire que vous n'avez pas plus de chances de mourir de votre cancer qu'en prenant la route une veille de week-end.

On se dégage enfin du tunnel. La nuit vient de tomber et il se met à pleuvoir. Samuel, bien sûr, a oublié ses lunettes. Collé à son volant, le cou tendu en avant, il frime pour Nourit : il slalome entre les voitures, change de file, conduit de la main gauche, la droite passée autour du cou de la jeune fille qui, elle, a posé sa jolie tête sur son épaule. (« On va se planter, me dis-je, le pope avait raison. »)

— Comme ils sont chous, soupire Cathi. J'adore cette balade. On devrait filer vers la mer après la conférence.

Elle allume une cigarette :

— Je blague, je ne vais pas laisser mes hommes. Jean-Pierre m'attend au lit avec Gaspard. Ils regardent un Tarzan sur le magnétoscope.

Moi, cette expédition me fait royalement suer. Pourquoi me suis-je laissée piéger par Sam et Cathi ? Love... Love... Love... Comme toujours.

— Je me demande ce que je fous là, dis-je à Samuel.

Et je lui annonce que le lendemain matin je fais des essais au studio de Billancourt pour un film.

— Qu'est-ce que tu as encore inventé ? me demande-t-il, tout en conduisant de manière de plus en plus désinvolte car Nourit, fatiguée, s'est endormie, la tête sur ses genoux.

Je raconte ma petite histoire. Magy G. va enfin produire le scénario sur le cancer écrit par Marianne Losserand.

— Tu blagues ? C'était sérieux ses écritures ?

Il m'interroge en se retournant vers moi : c'est effrayant.

— Très sérieux, dis-je. Ça se passe à l'UTATH. Mais regardez devant vous en conduisant, Samuel.

— Et ça s'appelle comment ?

J'explique : Marianne, avant sa mort, avait proposé : *Les Dames de Malcourt.* Mais Magy G. a fait réécrire le scénario, dont elle dit qu'il n'est « ni fait, ni à faire, mais enfin il y a de la matière crue », par un « bon constructeur » comme elle dit, un « pro », spécialiste des films de guerre. Bien sûr, il n'aime pas beaucoup les dames, il a la trouille de l'hôpital et trouve que le cancer c'est trop laid. Alors le film s'appellera : *Les Hommes de Bellecourt;* ça ne se passera plus dans un service de cancérologie mais dans une clinique où l'on soigne des déprimés nerveux.

Enfin, *last but not least,* il trouve que, même si dans la réalité beaucoup de cancérologues sont juifs, il faut dans le film que le héros soit chrétien.

Je raconte à Samuel :

— Il y a déjà assez de Juifs dans le cinéma, la télé, la presse, et à l'Assistance publique, on va pas en plus en faire les personnages principaux d'un film qui se passe en France, a dit le scénariste, on va se croire à l'hôpital du Mount-Sinaï de New York. Non, il faut que ce film touche à l'Universel. Trop de Juifs, ça fait rikiki, ça rétrécit le sujet. Il faut penser au spectateur moyen de Concarneau.

Et s'il se permettait cette analyse, a-t-il ajouté, c'est que, justement, il avait une grand-mère juive et trouvait que moins on parlait des Juifs, mieux c'était pour eux. « Profil bas, profil bas, disait-il. Sinon on va ressusciter l'antisémitisme... »

— Alors, se marre Samuel, les professeurs s'appellent Dupont, Durand, Duval ?

— Exact. Et ils sont antillais, tandis que les aide-soignants sont justement juifs. Mais on peut aussi imaginer que les professeurs sont arméniens ou tziganes. Comme ça, ça ne choquera personne.

— Et le metteur en scène ?

C'était un jeune Belge, très motivé par le sujet, car sa grand-mère, sa tante ou sa petite amie avait failli avoir un cancer et il avait fait lui-même une longue dépression.

— Ça n'explique pas pourquoi, toi, Lola, tu fais des essais, dit Samuel qui, s'apercevant qu'on était encore très loin de Flins, se mit à rouler comme un halluciné.

Difficile à raconter. Le metteur en scène trouvait très intéressant de ne pas engager uniquement des comédiens. Mais aussi de vrais malades. Magy G. lui avait parlé de moi pour jouer le rôle d'une journaliste qui espère avoir un cancer pour trouver matière à un reportage.

Lorsqu'elle m'en a parlé, j'ai sauté en l'air de joie (*Pas trop haut, pensez à votre* ellekatre, *Lola*) : devenir actrice, le rêve de ma vie. Je me vois déjà recevant l'Oscar du meilleur cinquième rôle à Hollywood. Que porterai-je ? Un smoking noir très simple sur un tee-shirt blanc. Mes cheveux auront repoussé et je les attacherai en catogan dans le cou.

Après tout, la mode est aux dames mûres. Combien aujourd'hui, après la ménopause, s'éclatent enfin et deviennent comédienne, chanteuse ou journaliste. — *Vous alliez dire mère de famille.*

Sur mes dons de comédienne, je n'ai aucun doute depuis le berceau. Mais le physique ?

Ou plutôt fais-je assez « prisu » ? (« Plutôt grand magasin du « Goum » que Monoprix », dirait Michel.) Quant à Magy G., elle m'avait consolée : « T'es pas très belle, Lola, mais tu sais aujourd'hui les femmes veulent que les actrices ressemblent à Madame-Tout-le-Monde. T'as bien vu, Marianne, sa beauté ne lui a pas réussi. »

— Comment me trouvez-vous Samuel ? Ai-je un physique de star ?

Il se retourne, me regarde, et fait une sorte de grimace en fixant à nouveau son volant, puis me scrute longuement à travers le rétroviseur.

— Mes amoureux me disent que j'ai le long nez tordu de Meryl Streep, le sourire désabusé et les yeux tombants de l'Allemande Hanna Schygulla, la démarche godiche et les gestes maladroits de l'Américaine Diane Keaton, l'air hystérique de la Polonaise Kristina Jankova, et la myopie de l'Italienne Monica Vitti.

Cathi m'embrasse dans le cou :

— T'es la plus belle, ma grosse.

Le seul hic, et il est de taille, c'est justement mon tour de taille et mes grosses joues. J'ai trop bonne mine, j'ai pas l'air assez malade.

— On va arranger ça, me dit Samuel. Je vais te mettre au régime de la clinique Mayo.

Quoi ! Le régime du célèbre centre anticancéreux américain ? Il ne va pas me remettre à l'Adriamycine, à l'Oncovin et autres douceurs !

Mais le clinique Mayo c'est l'UTATH plus le centre de thalassothérapie de Quiberon. On y va aussi pour maigrir.

Alors, pendant une semaine, je me farcirais des pamplemousses, des épinards et des œufs. Que ne ferais-je pour devenir une star ?

Et ma mère se lamenterait : « Elle a un cancer ! Et elle fait un régime pour maigrir ! *Meshugè*. »

La circulation devient fluide. Sam se met à conduire de

plus en plus vite. Sur Radio 7, un groupe chante : « *A flash in the night/ A flash in the night/night.* »

Et la brume se lève. On distingue à peine, au loin, les lumières des usines et les autobus pleins d'ouvriers qui traversent les ponts au-dessus de l'autoroute. Je rêve à mon futur look, à mes kilos perdus, à mes cheveux qui vont repousser et me redonner mon allure de princesse juive, aux cours de théâtre que je vais prendre, au jeune premier romantique que je rencontrerai...

Soudain, la voiture se déporte sur la droite ; j'aperçois, se rapprochant très vite, les feux arrière d'un camion inconnu qui semble avoir débouché de la bretelle de droite. Je ne revois pas ma vie en accéléré. Je me dis simplement : « Putain, pour mes débuts au cinéma, c'est rapé ! »

ET C'EST AINSI QUE JE SUIS MORTE SUR L'AUTOROUTE DE L'OUEST DANS LA LIGNE DROITE DES MUREAUX
Lodja, Paulette Frïedlander, dite Lola
(1939 - 1983)

— *Permettez-moi, très chère madame Frïedlander, de porter quelques rectifications à votre triste fin...*

Il y eut effectivement le terrible choc qui déplaça votre vertèbre à peine recalcifiée (« Simple incident mécanique », dirait Félix Katz). Et vous vous retrouvâtes sans trop savoir comment, assise sur le cul, au bord de l'autoroute aux côtés de Cathi qui avait une crise de fou rire nerveux. Vous entendiez les sirènes des ambulances, celles des pompiers et des gendarmes. Au milieu de la chaussée, une voiture brûlait.

On découvrit au milieu de la tôle froissée les corps calcinés et comme enlacés du professeur Samuel Tobman et de la jeune Nourit. Vous auriez toute la vie pour les pleurer.

Il y avait eu ce choc au moment où Françoise Hardy chantait : « Tirez pas sur l'ambulance/J' suis déjà dans le trou. »

Le capot de la voiture s'était relevé, une vague flamme avait jailli, trois camionneurs s'étaient approchés, avait crié : « Fermez la clef de contact. » Cathi avait ouvert la portière arrière et elle vous avait tirée vers l'extérieur alors que, totalement hébétée, vous faisiez la morte.

Elle, elle ne vous avait pas lâché la main dans la colonne, elle vous avait traînée sur son dos vers le talus.

Vous bougez une jambe, l'autre, un bras, l'autre, vous tâtez votre visage : pas une fracture, pas une égratignure. Cathi se rapproche, vous embrasse, vous caresse, ouvre son sac, vous tend une fiasque de whisky :
— Bois ma poule ! A ta santé ! A la belle vie !

Non, ce n'était pas le mois de votre destin. Ce n'était pas encore la veille du jour où on lirait dans le Carnet du Monde :

Les familles Frïedlander, Nussenberg, Gutman Hernandez di Tavios, Katz, Cruz, Fournier et leurs alliés... ont la tristesse de vous annoncer la mort, dans la fleur de ses quarante-quatre printemps, de leur regrettée et inoubliable fille, belle-fille, sœur, mère, amante, nièce, amie et camarade — Lodja Paulette Frïedlander — des suites d'une longue et cruelle vie.

Lola Frïedlander, rousse aux yeux jaunes, 1,67 m, 59 kilos dont une prothèse de 400 grammes, dossier 060680 U.V., tumeur T3, N2 + M6, grade 3, fille de feu Lev Frïedlander, et de Mira Nussenberg, belle-fille du brave Aaron Nussenberg qui ne mérite pas le costard qu'on lui taille dans ce livre, lui qui n'a jamais vendu de casquettes mais s'est réellement évadé d'Auschwitz et a donné à Lola une partie de sa rage de vivre... Lola Frïedlander donc, fit un affectueux pied de nez à toutes les Noémi de la terre : eh bien si, justement, mesdames, ça lui avait porté bonheur. Elle pensa à tante Rivke et à toutes les tantes Rivkelè de l'humanité. Lola aussi avait SURVÉCU, grâce à Cathi et à toutes les Cathi de

Malcourt-sur-Seine, d'Avicenne, de Curie, de Villejuif, et cetera. Elle imagina Bol'Dav' qui allait avoir dix-sept ans, et portait des moustaches sur les photos envoyées récemment de Saint-Domingue, et elle se dit qu'elle aurait de beaux petits-enfants.

Le professeur Samuel Tobman — qu'il repose en paix — n'était plus là pour la « faire dormir » à jamais à l'Alexandra, au Blue-Lagoon, au Barbotage ou au Manhattan.

Le jour ne se levait pas, mais elle allait tenter de vivre.

And now ladies and gentlemen we call it really the end
the end
the end
the end.

Achevé d'imprimer en décembre 1983
sur presse CAMERON
dans les ateliers de la S.E.P.C.
à Saint-Amand-Montrond (Cher)

PLAISIR
DE LIRE
706 SUD
COWANSVILLE

N° d'Édition : 1012. N° d'Impression · 2009.
Dépôt légal : septembre 1983.
Imprimé en France